D0239712

oba

afgeschreven

Transfermaand

Philip Kerr bij Boekerij:

De Bernie Gunther-serie:
*Berlijnse trilogie*
*De een van de ander*
*Een stille vlam*
*Als de doden niet herrijzen*
*Grijs verleden*
*Praag fataal*
*De man zonder adem*

De Scott Manson-serie:
*Transfermaand*

www.boekerij.nl

Philip Kerr

# Transfermaand

ISBN 978-90-225-7175-0
ISBN 978-94-023-0232-5 (e-boek)
NUR 330

Oorspronkelijke titel: *January Window*
Oorspronkelijke uitgever: Head of Zeus Ltd
Vertaling: Jan Pott
Omslagontwerp: Wouter van der Struys | Twizter
Omslagbeeld: Tim Robinson en Stephen Carroll | Trevillion Images
Zetwerk: Mat-Zet bv, Soest

De inhoud van deze roman is fictief. De fouten die erin staan, komen niet op het conto van mijn geheime manager (alstublieft, niet vragen). Ik wil dat het genoteerd staat: je hebt mijn volste vertrouwen en ik beloof je dat ik je zelfs niet de laan uit zal sturen als deze roman geen prijzen wint.

Philip Kerr

*Voor Paul Sidey*

# 1

Ik haat kerst. Ik ben bijna veertig en het lijkt wel of ik de kerstdagen al mijn halve leven haat. Ik heb profvoetbal gespeeld en nu laat ik als coach anderen voetballen. Dus associeer ik de kerstdagen met een wedstrijdkalender die even vol is als de gemiddelde speelgoedwinkel in die tijd. Het is 's morgens vroeg trainen op een bevroren grasmat met zeurende hamstrings die niet genoeg tijd krijgen om te herstellen, supporters die zich vol hebben laten lopen en veel meer van het elftal verwachten dan redelijk lijkt. Om nog maar te zwijgen van de overspannen verwachtingen van meedogenloze clubeigenaren en voorzitters, en zogenaamde makkelijke potjes tegen clubs onder in de ranglijst die zomaar op een zeperd kunnen uitdraaien.

Dit jaar is het niet anders. We spelen op tweede kerstdag uit tegen Chelsea en dat betekent dat wij 's morgens vroeg op eerste kerstdag, als negenennegentig procent van het land cadeautjes uitpakt, naar de kerk gaat, bij een behaaglijk haardvuur naar de tv kijkt, of zich gewoon een stuk in de kraag drinkt, aan het trainen zijn op ons trainingscomplex in Hangman's Wood, Thurrock. Twee dagen later, op de 28ste, spelen we weer uit, tegen Newcastle, en op nieuwjaarsdag thuis tegen Tottenham Hotspur. Drie wedstrijden in zes dagen. Dat is geen sport meer, dat is een fucking Ironman-triatlon. Als mensen die betrokken zijn bij profvoetbal het over het mooie spelletje hebben, denken ze over het algemeen niet aan de kerstdagen en oud en nieuw. En als ik aan dat verhaal in *Boy's Own* denk over een vriendschappelijke wedstrijd tijdens de Eerste Wereldoorlog in niemandsland, tussen Britse en Duitse soldaten, dan denk ik: ja, ja, dat zou ik ze wel eens willen zien doen met een keeper die niet fit is en een luie klootzak van een centrale middenvelder die hoopt dat hij met een transfer naar een andere club tijdens de transferperiode in januari zijn nu al torenhoge salaris nog eens kan verdubbelen. De transferperiode in januari. De FIFA heeft bepaald dat Europese clubs midden in het seizoen nieuwe spelers mogen aantrekken. Dat hele idee van een transferperiode in januari is een stom idee – maar dat is typerend voor de FIFA – omdat er een soort uitverkoop ontstaat waarbij elke club probeert zijn miskopen te dumpen en belachelijk veel geld uitgeeft om een flitsende ster te kopen die je nog in de race om de prijzen kan houden, of domweg kan voorkomen dat je degradeert. Je kan er lang en breed over praten, maar elke manager probeert spelers te kopen: met een goede deal haal je misschien de landstitel binnen of voorkom je degradatie. Je hoeft alleen maar te kijken naar spelers die de afgelopen jaren halverwege het seizoen, in januari hun handtekening hebben gezet om overtuigd te raken van hun waarde: Luis Suarez, Daniel Sturridge, Philippe Coutinho, Patrice Evra, Nemanja Vidic begonnen stuk voor stuk in januari bij hun nieuwe club. Als je wel eens zo'n ketenverkoop hebt meegemaakt waarbij een heel zootje huiseigenaren pas een ander huis kan kopen als ze hun eigen huis kwijt zijn, kun je misschien een beetje begrijpen hoe gecompliceerd die toestand in januari is.

Persoonlijk denk ik dat we er veel beter aan toe waren toen transfers het hele jaar door waren toegestaan. Maar goed, ik ben zo iemand die vindt dat ongeveer alles wat met voetbal te maken heeft, beter was vóór Sky TV en al die eindeloze herhalingen, en voordat de IFAB in 2005 de buitenspelregel veranderde in wat die nu is.

Maar er is nog een andere, veel triestere reden waarom ik niet van de kerst houd. In 2004 werd ik op 23 december schuldig bevonden aan verkrachting en veroordeeld tot acht jaar gevangenisstraf. Je hebt er de geest van Jacob Marley uit *A Christmas Carol* niet voor nodig om uit te leggen dat zoiets een negatief effect heeft op je beleving van de kerstdagen, verleden, heden en toekomst.

Daar kom ik later op terug.

Mijn naam is Scott Manson. Ik ben de coach van London City, maar ik train altijd met de jongens mee en ik geef graag het goede voorbeeld. Dat betekent: geen alcohol vanaf 22 december tot de avond van nieuwjaarsdag. Het voelt een beetje alsof je als Jehovah's getuige rondloopt op de buitensporige boulevardbladentrouwpartij van een of ander dom societysterretje. Geen alcohol, niet doorzakken, verstandig eten en absoluut niet roken. De rapen zijn gaar als ik, of nog erger, Maurice McShane, de duvelstoejager van de club, een foto in een tijdschrift zou zien van een van onze spelers achter het stuur van zijn auto, een nachtclub op de achtergrond, een glas whisky in de hand, op kerstavond. Ik heb zelfs een keer een spits een uitbrander gegeven omdat hij – terwijl we op nieuwjaarsdag een derby moesten spelen – op oudejaarsdag een tattoo met een draak had laten zetten, een kerstcadeautje van dat hersendode vrouwtje van hem. Voor het geval je het niet mocht weten, tattoos doen verrekte pijn, en de inkt en al die pigmenten kunnen ook nog eens besmet zijn met van alles en nog wat, met als gevolg misselijkheid, huidinfecties, longziekten, ontstoken gewrichten en oogproblemen. Wel eens gehoord van die bijbeltekst over dat je lichaam een tempel is? Dat geldt vooral voor voetballers en je mag de hemel smeken dat je lichaam niet beschadigd raakt als je een ton per week wilt blijven verdienen. Dat meen ik echt, als je een voetballer iets aardigs wilt geven met kerst, koop dan maar een dvd-box voor hem, en een fles Acqua di Parma. Maar geef hem in godsnaam geen tegoedbon om zijn tempel vol te laten kladderen met graffiti, in ieder geval niet voordat we door de drukte met kerst en oud en nieuw heen zijn.

Hoe dan ook, London City speelde gelijk tegen Manchester United, verloor met 4-3 van Newcastle en won met 2-1 van Tottenham, zodat we op de negende plaats stonden in de Premier League. Daarnaast speelden we in de heenwedstrijd van de Capital One Cup met 0-0 gelijk tegen West Ham, maar dat was allemaal niet belangrijk meer, voor mij tenminste, toen Didier Cassell, onze eerste keeper, in de vijfde minuut van de wedstrijd tegen de Spurs op Silvertown Dock met zijn hoofd tegen de paal kwam en een zware blessure opliep bij een poging een hard schot met veel effect van Alex Pritchard onschadelijk te maken.

Het zijn gruwelijke beelden op tv. Ik dacht in eerste instantie dat het geluid dat de microfoon naast de goal opving van de bal kwam die tegen de reclameborden knalde, maar pas toen Sky Sports het een paar keer in slow motion had laten zien – beelden die de familie Cassell met genoegen moet hebben bekeken – werd duidelijk dat de doffe knal die je hoorde, de schedel van de keeper was die kapotsloeg tegen de doelpaal. Ik zou je niet kunnen vertellen wie er meer van slag waren, onze jongens of die van Tottenham.

Cassell verloor het bewustzijn en was nog steeds buiten bewustzijn toen hij door ambulancebroeders van St. John van het veld werd gedragen. Vier dagen later was hij in het ziekenhuis nog steeds buiten bewustzijn. Niemand neemt het woord 'coma' in de mond – behalve natuurlijk die kutkranten die hem allemaal al hadden opgesteld in het Elftal voor de Eeuwigheid – maar met de return derde ronde FA CUP tegen Leeds United komend weekend, na een gelijkspel in de heenwedstrijd, overwegen we nu al om een vervangende keeper te kopen van mijn vaders oude club, Heart of Midlothian. De schuldeisers daar vinden hun portemonnee belangrijker dan het tegenhouden van goals. Voor negen miljoen pond is Kenny Traynor een koopje en dat is kennelijk twee derde van wat de club de banken schuldig is.

João Gonzales Zarco, sinds kort onze manager, stipte het op zijn geheel eigen, ondoorgrondelijke manier aan om de tv-camera's en verslaggevers tevreden te stellen die zich hadden verzameld op de stoep voor het Royal London Hospital toen hij en ik bij Didier op bezoek gingen:

'Ik wil niet praten over vervanging voor de keeper. Stel me asjeblieft niet zulke vragen. Op dit moment gaan onze gedachten uit naar Didier en zijn dierbaren. Natuurlijk wensen we hem een voorspoedig herstel. Het enige wat ik kan zeggen is dat, hoeveel plannen je ook maakt en hoeveel greep je ook op je elftal hebt, het leven zorgt er altijd voor dat je tegenstander punten moet incasseren.' Zarco is een emotionele man. Hij veegde een traan weg terwijl hij zei: 'Luister, als je bij voetbal in de schijnwerpers speelt, zijn er ook schaduwen. Het is essentieel dat je dat niet vergeet. Elke speler, elke manager in de Premier League begrijpt hoe het is om zo nu en dan gebukt te gaan onder de schaduwen. Maar ik zou ook het volgende willen zeggen, en dan vooral tegen diegenen onder jullie die dingen hebben geschreven en gezegd die nooit gezegd hadden mogen worden als een jonge man dapper voor zijn leven vecht. Ik heb het geheugen van een olifant. Ik vergeet nooit wie wat wanneer heeft gezegd. Ik vergeet niets. Dus als dit allemaal voorbij is, trap ik terug, dan veeg ik mijn gat af met jullie woorden en pis ik op jullie kop. En de rest moet nooit vergeten dat we bij London City één grote familie zijn. Een van onze jongens is zwaar geblesseerd, ja. Maar we komen er weer bovenop. Je mag van mij aannemen dat we weer in de schijnwerpers zullen spelen. En Didier Cassell ook.'

Ik had het zelf niet beter kunnen zeggen. Vooral dat stuk waarin Joao zei dat hij zijn gat zou afvegen met hun woorden en op hun kop zou pissen, vond ik mooi. Maar dat is logisch, toch? Ik heb geen enkele reden om de kranten aardig te vinden. Een heleboel journalisten die ik ken zijn onruststokers, al zeggen ze dat ze op zoek zijn naar een verhaal. Alsof dat een rechtvaardiging is. Niet dus. Niet voor mij.

Natuurlijk wisten we toen niet dat de problemen in de Crown of Thorns nog maar net begonnen.

# 2

De Crown of Thorns is de bijnaam die de mensen het voetbalstadion van London City in Silvertown Dock in het Londense East End hebben gegeven, al was de beeldhouwster Maggi Hambling de eerste die de woorden in de mond nam. Zij was de artistiek adviseur van de architecten Bellew & Hammerstein die het stadion hebben gebouwd. Ik mag haar werk erg graag en heb zelf een aantal van de schilderijen die ze van de zee heeft gemaakt. Ja, de zee. Dat klinkt als rotzooi, maar als je ze zou zien, zou je beseffen dat ze heel bijzonder zijn. Qua bouwstijl heeft het stadion veel weg van het Vogelnest in Beijing, waar in 2008 de Olympische Spelen werden gehouden. Twee constructies onafhankelijk van elkaar: een oranje betonnen kuip (oranje is de kleur van het thuistenue van City) binnen een stalen frame dat inderdaad veel weg heeft van een doornenkroon. Het is het opvallendste bouwwerk in heel Oost-Londen en het kostte vijfhonderd miljoen pond, dus het is maar goed dat de club eigendom is van een miljardair uit Oekraïne die zwemt in het geld. Volgens *Forbes Magazine* is Viktor Sergejevitsj Sokolnikov twintig miljard dollar waard. Daarmee staat hij op de vijftigste plaats op de wereldranglijst van rijke mensen. Vraag me niet hoe meneer Sokolnikov aan die berg poen is gekomen. Ik geef er de voorkeur aan om dat soort dingen niet te weten. Ik weet alleen wat Sokolnikov mij heeft verteld: zijn vader werkte in een fabriek waar ze filmrolletjes maakten voor fotocamera's in Shostka, een klein stadje in Oekraïne. Zelf heeft hij zijn eerste miljoen verdiend met de handel in kolen en hout en dat kapitaal heeft hij vervolgens in riskante beleggingen geïnvesteerd die veel opleverden. Vraag me ook niet hoe hij de FA en de burgemeester van Londen zo ver heeft gekregen dat hij de schulden mocht overnemen van een viertal oude voetbalclubs in Oost-Londen die onder toezicht waren gesteld, en er een fusieclub van mocht maken die in de Tweede Divisie begon als London City. Maar het zou best kunnen dat geld daar een grote rol in heeft gespeeld. Sokolnikov heeft een fortuin uitgegeven om Silvertown Dock en Thames Gateway nieuw leven in te blazen. De voetbalclub, die in slechts vijf jaar is gepromoveerd naar de Premier League, heeft nu meer dan vierhonderd mensen in dienst, om nog maar te zwijgen van al het geld dat de club genereert in een deel van Londen waar 'investeren' ooit een vies woord was. Sokolnikov heeft niet alleen het stadion gebouwd, hij heeft ook beloofd dat zijn bedrijf Shostka Solutions AG de nieuwe Thames Gateway-brug zal bouwen, een project dat in 2008 is afgeblazen door Boris Johnson omdat het te duur was. Dat is hij tenminste van plan als de klojo's van de Labour Party in de commissie voor ruimtelijke planning eindelijk wakker worden en in de gaten krijgen uit welke hoek de wind waait. Tot nu toe wordt het project bedolven onder bezwaarschriften.

Toen ik uit het ziekenhuis thuiskwam in mijn flat aan Manresa Road in Chelsea, stond Sonja, mijn vriendin, me met grote ogen bij de deur op te wachten.

'Matt is er,' zei ze met een klein stemmetje.

'Matt?'

'Matt Drennan.'

'Christus, wat wil hij?'

'Ik weet niet of hij dat zelf wel weet,' zei Sonja. 'Hij is dronken en nogal uit zijn doen, geloof ik.'

'Wat een verrassing.'

'Hij is er al een uur, Scott. En ik moet zeggen dat het me de grootste moeite heeft gekost om hem bij de drankkast weg te houden.'

'Vast wel.'

Ik kuste haar op haar koele wang en kneep zacht in haar rug. Ik wist dat ze Drennan niet mocht en dat kon ik haar niet kwalijk nemen. Ze had Matt Drennan nooit gekend zoals ik.

'Scott, je laat hem toch niet hier blijven, hè? Niet om te slapen, in elk geval. Ik ben bang voor hem als hij dronken is.'

'Hij doet geen vlieg kwaad, schat.'

'Jawel, Scott. Die man is in zijn eentje een heel rampgebied.'

'Laat het maar aan mij over, schat. Ga jij maar... iets anders doen. Je hebt genoeg gedaan. Ik neem hem nu wel voor mijn rekening.'

Drennan stond wankelend in de woonkamer te kijken naar een van de Hamblings: een geweldige golf die deed denken aan een tsunami die op het punt stond om neer te storten op het strand in Suffolk, in de buurt van waar de kunstenares woonde en werkte. Ik ging naast mijn oude voetbalmakker staan en legde mijn hand op zijn schouder om hem staande te houden. In het korte tijdsbestek sinds Sonja de kamer had verlaten, had hij zich een glas whisky ingeschonken en ik hoopte dat ik dat buiten zijn bereik kon krijgen als hij het een keer zou neerzetten. Zijn shirt was gescheurd en niet al te schoon en op een oorlel zat een grote korst geronnen bloed waar hij ooit een diamanten oorknop had gedragen.

'Dat ziet er net zo uit als ik me voel,' zei Drennan.

Zijn adem stonk als een glasbak.

'Je gaat toch niet kotsen, Matt? Want dit is een nieuw vloerkleed.'

Drennan lachte. 'Neu… ik zou iets gegeten moeten hebben om te kunnen kotsen,' zei hij.

'We kunnen een kebab gaan halen, als je daar zin in hebt. Dan breng ik je daarna naar huis.'

Het was een hele tijd geleden dat ik bij The Kebab Kid was geweest in Parson's Green. Tegenwoordig gaf ik de voorkeur aan sushi, maar ik was bereid om me over te leveren aan kebab als ik daar Drenno gelukkig mee kon maken.

'Geen honger,' zei hij.

'Wat kom je hier doen? Ik dacht dat je met oud en nieuw bij Tiffany zou zijn.'

Drennan keek me wazig aan. 'Ik kwam vragen hoe het met die Fransman van jou gaat, weet je wel, die jongen met die kapotte kop. Ik ben in het ziekenhuis geweest, maar daar hebben ze me eruit gegooid omdat ik bezopen ben.'

'Het verbaast me dat ze je niet in een bed hebben gestopt. Moet je kijken hoe je eruitziet, Matt. Heeft iemand anders je ook al ergens uitgegooid, of is het met de gezondheidszorg echt zo erg gesteld als ze zeggen?'

'Tiff en ik hebben liggen kibbelen.' Dat was iets wat ik hem wel eerder had horen zeggen. Ik had er geen idee van dat het veel erger was geweest dan een partijtje kibbelen, dat Tiff in hetzelfde ziekenhuis lag als Didier Cassell, en dat dat hoogstwaarschijnlijk de reden was waarom Matt Drennan bij mij thuis was verschenen.

'Ze smeet een rijlaars naar me toe.' Hij lachte opnieuw. 'Net als Fergie. We hadden haar goed kunnen gebruiken in de kleedkamer op Highbury, hé? Ah, Scott, die vrouw heeft een bek als een fucking scheermes. Heel wat anders dan dat wichtje van jou. Sandra, toch? Dat is een schatje. Wat doet ze ook al weer?'

'Ze is psychiater, Matt. En ze heet Sonja.'

'Aye, dat is zo. Een zielenknijper. Ik dacht al dat ik iets herkende in de manier waarop ze naar me keek. Alsof ik een fucking idioot ben.'

'Jij bént ook een fucking idioot, Matt. Dat weet iedereen.'

Drennan grijnsde en schudde zijn hoofd – hij was een goedaardige idioot, meestal tenminste – en wreef toen als een bezetene over zijn hoofd.

'Heeft ze je er weer uitgegooid?'

'Yep, dat heeft ze gedaan. Maar we hebben wel ergere dingen meegemaakt, zij en ik. Het zal wel loslopen, denk ik. Ze geeft me op mijn flikker en dan moet ik in de garage slapen.'

'Zo te zien heeft ze je al op je flikker gegeven,' zei ik. 'Je oor, bedoel ik. Dat zit onder het bloed. Moet ik er iets voor je op doen? Een pleister? Wondzalf? Of moet ik een fotograaf van de *Sun* bellen?'

''Sgeen probleem. Komt wel goed. Tiff heeft me een draai om de oren gegeven met een rijlaars, meer niet.'

'Heel gewoon dus.'

'Gewoon genoeg, aye.'

Met zijn overgewicht en kalende hoofd maakte Matt Drennan een troosteloze indruk. Net als ik was hij een Schot, maar dat was dan ook de enige overeenkomst. Bijna tenminste. Als je hem nu zo zag, was het moeilijk voor te stellen dat hij en ik minder dan tien jaar geleden in hetzelfde elftal voor Arsenal speelden. Een gebroken been had een einde gemaakt aan zijn carrière toen hij nog maar negenentwintig was, maar toen had hij er wel al meer dan honderd voor de Gunners in geschoten en was hij uitgegroeid tot een held op Highbury. Zelfs nu juichte het publiek hem massaal toe als hij in het Emirates Stadium het veld opliep. Dat hebben die klootzakken voor mij nooit gedaan.

Zelfs de supporters van de Spurs mochten hem kennelijk, en dat wil heel wat zeggen. Nadat hij was gestopt, was zijn leven echter een goedkoop plaatjesboek geworden van uitstekend gedocumenteerde misère: drank, depressie, cocaïne- en Nurofenverslaving, drie maanden in de bak voor rijden onder invloed en zes maanden voor het mishandelen van een politieagent – dat laatste kon ik hem moeilijk kwalijk nemen – een flirt met Scientology, een korte, beschamende carrière in Hollywood, een faillissement, een gokschandaal, een vechtscheiding van zijn eerste vrouw en naar verluidt een tweede huwelijk dat aan het mislukken was. De laatste keer dat ik wat over hem had gehoord, was toen hij zich had laten inschrijven bij de Priory Clinic, voor een nieuwe poging alles weer op de rails te krijgen. Er was natuurlijk geen hond die geloofde dat hem dat zou lukken. Het was algemeen bekend dat Matt Drennan vaker in de afkickkliniek had gezeten dan een badhanddoek van Holiday Inn in een droogtrommel. Om al die redenen was Matt Drennan de enige voetballer die ik ooit had gekend met een autobiografie die de moeite van het lezen waard was en daar reken ik mijn eigen armzalige boek ook bij. Vergeleken bij hem had Syd Barrett veel weg van de voorganger van de Kerk van Schotland. Alles bij elkaar hield ik even veel van hem als – nou ja, niet even veel als van mijn zus, want ik spreek haar tegenwoordig niet zo vaak – als van iemand waar ik veel van hou.

'Dus hoe gaat het met hem? Dat heb je nog niet gezegd.'

'Didier Cassell? Niet goed. Helemaal niet goed. We zijn hem in ieder geval voor de rest van het seizoen kwijt, dat is een ding dat zeker is. En op het moment is de kans dat jij weer een wedstrijd speelt groter dan de kans dat hij weer speelt.'

Drennan knipperde met zijn ogen alsof hij er serieus over nadacht.

'Jezus, ik zou er heel wat voor overhebben om nog een keer een heel seizoen te spelen.'

'Wij allemaal, maat.'

'Of alleen maar een finale van de FA CUP. Een mooie zonnige dag in mei. *Abide with me.* Wij tegen een fatsoenlijke tegenstander als Tottenham of Liverpool. De hele Wembley-toestand. Zoals het was voordat de Premier League en de buitenlanders en de tv van de hele zaak een spektakel hebben gemaakt.'

'Ik weet het. Zo voel ik dat ook.'

'Eigenlijk wil ik nog één keer de krant halen met een optreden op Wembley. En dan is het mooi geweest.'

'Tuurlijk, Matt. Jij mag met een vol stadium het clublied zingen.'

'Nee, serieus.'

Drennan bracht het glas whisky naar zijn mond, maar voordat het daar was, voerde ik een slimme tackle uit en transporteerde ik het glas uit de gevarenzone.

'Kom op, de auto staat voor de deur. Als ik je hier liet slapen, zou je alleen maar al mijn drank achteroverslaan en dan zou ik je met een kater de deur uit moeten schoppen, dus ik kan je maar het beste nu naar huis brengen, Matt. Of nog beter, ik kan je ook rechtstreeks naar de Priory brengen. Daar zijn we binnen een halfuur. Weet je wat, dan betaal ik de eerste week. Een laat kerstcadeautje van de ene Gooner voor de ander.'

'Dat zou ik misschien wel willen, maar weet je, je mag daar niet lezen en je weet hoe het is met mij en met boeken. Ik verveel me te pletter als ik niets te lezen heb.'

Als om zijn woorden kracht bij te zetten wierp hij een blik op een opgerolde paperback in zijn jaszak, alsof hij wilde controleren of die er nog steeds zat.

'Waarom doen ze dat? Dat je geen boeken mag hebben?'

'Die klootzakken denken dat je niet uit je schulp kruipt en over je fucking problemen gaat praten. Alsof je daar beter van wordt. Ik probeer juist uit de buurt te blijven van mijn problemen en er niet met de botte kop tegenop te lopen. Bovendien moet ik naar huis, al was het maar om mijn diamant terug te krijgen. Hij viel op de grond toen Tiff mij een oplawaai gaf en de fucking hond dacht dat het een lekker snoepje was en heeft hem opgevreten. Dat beest is dol op snoepjes. Dus ik heb het stomme beest opgesloten in het schuurtje in de tuin, zodat de natuur zijn gang kan gaan, snap je? Ik hoop alleen maar dat er niemand zo stom is geweest om hem uit te laten. Die diamant kostte me zes rooien.'

Ik lachte. 'Ik dacht dat ik bij London City alle shit over me heen kreeg.'

'Precies.' Drennan grijnsde en boerde toen hard. 'Dat vind ik mooi,' zei hij. Hij wees naar het schilderij en keek toen de kamer rond en knikte goedkeurend. 'Ik vind ze allemaal mooi. Die hele flat. Je vriendin. Jij bent een slimme gozer, jongen, en je hebt je zaakjes goed voor elkaar. Ik ben jaloers op je, Scott. Maar ik gun het je ook. Na alles wat er is gebeurd, hè?'

'Kom op, domme lul. Ik breng je naar huis.'

'Neu,' zei Drennan. 'Ik loop wel naar King's Road en dan pak ik een taxi. Als ik mazzel heb, herkent de chauffeur me en krijg ik een gratis rit. Zo gaat het meestal.'

'En zo haal je de krant weer omdat je uit een of andere pub wordt gesmeten.' Ik pakte hem bij zijn arm. 'Ik breng je naar huis. Punt uit.'

Drennan bevrijdde zijn elleboog uit mijn greep met verrassend sterke vingers en schudde zijn hoofd. 'Blijf jij maar lekker hier met dat juffertje van je. Ik neem een taxi.'

'Rechtstreeks naar huis.'

'Dat beloof ik.'

'Ik kan in ieder geval een eindje met je meelopen,' zei ik.

Ik liep met Drennan mee naar King's Road en hield een taxi voor hem aan. Ik betaalde de chauffeur en toen ik Drennan hielp met instappen, schoof ik een paar honderd pond in zijn jaszak. Ik zou net het portier sluiten toen hij zich naar me toe keerde, mijn hand greep en er stevig in kneep. Er stonden tranen in zijn bleekblauwe ogen.

'Bedankt, maat.'

'Waarvoor?'

'Omdat je mijn maat bent, denk ik. Wat hebben mensen als jij en ik anders?'

'Daar hoef je me niet voor te bedanken. Zeker jij niet, Matt.'

'Toch bedankt.'

'Oké, rot op naar huis voordat ik mijn viool ga halen.'

Er zat een man op het trottoir voor een pinautomaat. Ik gaf hem een briefje van twintig, al had ik hem tweehonderd moeten geven. Die kerel bij die pinautomaat was tenminste nuchter. Toen ik het geld in Drenno's zak stopte, wist ik dat dat fout was, net zo goed als ik wist dat het fout was dat ik hem niet zelf naar huis had gebracht, maar zo gaat het soms. Je vergeet hoe je moet omgaan met dronkenlappen. Je vergeet hoe zelfdestructief ze kunnen zijn. Vooral zuiplappen als Drenno.

# 3

Thuis trof ik Sonja in de keuken aan, bezig met de voorbereidingen voor het eten. Ze kon erg goed koken en had moussaka gemaakt die er heerlijk uitzag.

'Is hij weer weg?' vroeg ze.

'Ja.'

Ik snoof de geur van de moussaka gretig op. 'Daar hadden we Drenno wel wat van kunnen geven,' zei ik. 'Een beetje maagvulling was waarschijnlijk precies wat hij nodig had.'

'Eten is niet wat hij nodig heeft,' zei ze. 'Ik ben blij dat hij vertrokken is.'

'Jij zou hier degene met gevoelens van medeleven moeten zijn.'

'Hoe kom je daarbij?'

'Omdat jij psychiater bent. Ik dacht dat dat bij het beroep hoorde.'

'Hm, mijn patiënten hebben geen medeleven nodig, maar begrip. Dat is wat anders. Drenno heeft geen medeleven nodig. En ik ben bang dat hij maar al te gemakkelijk te doorgronden is. Hij wil iets wat onmogelijk is. Hij wil de klok terugdraaien. Zijn problemen zijn opgelost op het moment dat hij dat inziet en zijn leven en gedrag daarnaar inricht. Net zoals jij hebt gedaan. Een klein kind kan zien wat er zal gebeuren als hij dat niet doet. Hij is een van die zeldzame mensen die zichzelf echt kapot willen maken. Een klassiek geval.'

'Misschien heb je gelijk.'

'Natuurlijk heb ik gelijk. Ik ben arts.'

'Je zegt het.' Ik sloeg mijn armen om haar heen. 'Maar voor mij ben je de mooiste voetbalvrouw die ik ooit heb gezien.'

'Dat zal ik maar als een compliment beschouwen, al gaat wat mij betreft iedere vergelijking met Coleen Rooney mank.'

'Ik geloof niet dat Coleen Rooney mank is.'

We waren bijna klaar met eten aan de ontbijtbar en overwogen om vroeg naar bed te gaan toen de telefoon ging. Op de display stond: *Corinne Rendall*, de secretaresse van Viktor Sokolnikov. Ik sprak hem niet zo vaak en soms was ik daar blij om. Net als veel andere mensen in het voetbal had ik onlangs gekeken naar de *Panorama*-special over hem, waarin gewag werd gemaakt van het gerucht dat hij zijn bedrijf had geërfd van een andere Oekraïner, Nathan Fisanovitsj, een grote jongen in de georganiseerde misdaad in Kiev. Volgens de BBC was Fisanovitsj samen met drie handlangers in 1996 verdwenen en had het een paar maanden geduurd voordat hun lichamen waren gevonden in ondiepe graven. Sokolnikov ontkende dat hij iets te maken had gehad met de dood van Fisanovitsj, maar goed, dat zou iedereen natuurlijk doen.

'Meneer Sokolnikov laat informeren of je hem over tien minuten telefonisch te woord kunt staan,' zei Corinne.

Ik keek onbewust op mijn horloge, een nieuwe Hublot, en bedacht dat het geen pas gaf om nee te zeggen tegen de man die nog maar net tien rooien had uitgegeven voor mijn kerstcadeau. Ik, Zarco, iedereen in het elftal, we hadden allemaal zo'n Hublot gekregen.

'Ja, natuurlijk.'

'We bellen je terug.'

Ik hing op. 'Ik ben benieuwd wat hij wil.'

'Wie?'

'Meneer Sokolnikov.'

'Wat hij ook wil, geen nee zeggen. Ik voel geen enkele behoefte om op een dag wakker te worden en te ontdekken dat ik mijn voeten heb liggen warmen aan een bloederig paardenhoofd.'

'Zo is hij niet, Sonja.' Ik zette een paar borden in de vaatwasser. 'Zo is hij helemaal niet.'

'Als je het mij vraagt, zijn ze allemaal zo,' zei Sonja. Ze duwde me in de richting van de woonkamer. 'Ga jij maar zitten wachten op je telefoontje. Ik ruim wel op. Bovendien zul je wel moe zijn na zo'n hele dag met dat horloge om je pols.'

Een paar minuten later belde Corinne terug.

'Scott?'

'Ja.'

'Ik heb Viktor aan de lijn.'

'Viktor, gelukkig Nieuwjaar en nogmaals bedankt voor het horloge. Dat was een heel royaal gebaar.'

'Mijn genoegen, Scott. Ik ben blij dat je het mooi vindt.'

Ik vond het inderdaad mooi, maar Sonja had natuurlijk wel gelijk. Het was zwaar.

'Wat kan ik voor je doen?'

'Een paar dingen. In de eerste plaats wil ik graag van je weten hoe het met Didier gaat. Jij bent vandaag bij hem geweest, toch?'

'Ik ben bang dat hij nog steeds buiten bewustzijn is.'

'Dat spijt me. Ik ben van plan bij hem langs te gaan zodra ik terug ben. Ik ben op het moment echter in Miami, op weg naar mijn jacht in de Caraïben.'

Met honderdtien meter was het jacht van Sokolnikov, *The Lady Ruslana*, niet het grootste jacht ter wereld, maar het was wel net zo groot als een voetbalveld van internationale afmetingen – iets wat de kranten niet was ontgaan. Ik was één keer op de boot geweest en was geschokt toen ik hoorde dat het volgooien van de tanks alleen al 750.000 pond kostte – voor mij een jaarsalaris.

'Hij is sterk. Als iemand er weer bovenop kan komen, is het Didier Cassel.'

'Dat hoop ik.'

'Hoe staat het met Ayrton Taylor?'

'Het hoofd dat een hand bleek te zijn?'

'Die bedoel ik.'

Tijdens de wedstrijd tegen Tottenham had scheidsrechter Howard Webb een goal van London City goedgekeurd toen onze spits Ayrton Taylor een hoekschop in het doel leek te koppen. Vrijwel meteen echter, terwijl het hele elftal de goal vierde, had Taylor Webb onder vier ogen meegedeeld dat hij de bal met de hand had gespeeld. Zodat Webb zijn beslissing terugdraaide en de Spurs een doeltrap gaf, het startsein voor onze supporters om zich tegen zowel Webb als Taylor te keren.

'Was het goed wat hij deed, denk je?' vroeg Sokolnikov.

'Wie, Taylor? Nou ja, wat er gebeurde was duidelijk te zien in de herhaling op tv. En de man verdient een pluim voor sportiviteit om het zelf te melden. Dat zeiden de kranten. Misschien is het wel tijd dat het spel sportiever wordt. Zoiets als toen Paolo Di Canio de bal opving in plaats van hem in te schieten voor West Ham in Goodison in 2000. Ik weet dat João er anders over denkt, maar het is zoals het is. Ik heb Daniel Sturridge duidelijk met zijn arm zien scoren voor Liverpool tegen Sunderland in 2013. Aan de manier waarop hij naar de grensrechter keek, kon je zien dat hij dat zelf ook wist. Maar de goal werd goedgekeurd en Liverpool won. En het beruchtste incident is nog altijd dat met Maradonna in de wedstrijd tegen Engeland tijdens het WK '86.'

'De hand van God.'

'Precies. Hij is een van de beste voetballers ooit, maar die actie heeft zijn reputatie in dit land geen goed gedaan.'

'Oké. Maar Webb had de goal al goedgekeurd, toch? En er is toch ook verschil tussen onopzettelijk en opzettelijk hands?'

'In regel 5 staat heel duidelijk dat de scheidsrechter van gedachten kan veranderen zolang het spel niet is hervat. En dat was nog niet gebeurd. Dus had Webb het volste recht om te doen wat hij deed. Daar is wel een scheidsrechter met karakter voor nodig. Ieder ander zou de goal gewoon goedkeuren, Howard Webb en ikzelf uitgezonderd. De meeste scheidsrechters vinden het vreselijk om een beslissing terug te draaien. Misschien is het maar goed dat we met 2-1 hebben gewonnen. Ik zou waarschijnlijk niet zo blij zijn geweest met wat hij heeft gedaan als het ons twee punten had gekost. Het zou mij echter niet verbazen als Taylor wordt uitgeroepen tot Speler van de Maand vanwege die bekentenis. Het is het soort dingen waar de FA graag de schijnwerper op zet.'

'Oké, je hebt me overtuigd. Vertel me nu eens iets meer over die Schotse keeper, Kenny Traynor. Zarco zegt dat jij hem al een tijdje kent. En dat je hem hebt zien keepen.'

'Dat klopt.'

'João wil hem kopen.'

'Ik ook.'

'Negen miljoen is heel veel geld voor een keeper.'

'Je zult er niet rouwig om zijn dat je negen miljoen hebt uitgegeven voor een keeper als het in een Europese finale aankomt op het nemen van strafschoppen. Manuel Neuer, de keeper van Bayern München, stopte in 2013 de penalty van Lukaku en bezorgde daarmee Bayern de

UEFA SUPER CUP. Het jaar daarvoor scheelde het maar een haar of hij had de Champions League voor ze in de wacht gesleept tegen Chelsea. Jezus, hij scoorde zelf bij het penalty's nemen. Nee, baas, als het erop aankomt, wil je geen Calamity James in de goal.'

Calamity James was de bijnaam die de supporters van Liverpool David James hadden gegeven toen hij voor Liverpool keepte. Niet helemaal terecht overigens.

'Als je het zo stelt, zul je wel gelijk hebben.'

'Traynor is de eerste keeper van Schotland. Al hebben ze daar niet zo veel keus. Maar ik heb hem een bal uit de kruising zien duiken in een wedstrijd tegen Portugal op Hampden Park waar de Schotten het nu nog over hebben. Cristiano Ronaldo vuurde vanaf achttien meter een kanonskogel af die strak in de kruising zou verdwijnen, maar Traynor moet minstens zes meter door de lucht zijn gevlogen om de bal over de lat te stompen. Je zou zweren dat de man kon vliegen als je het zag. Kijk maar op YouTube. De Schotten noemen hem zeker niet voor niets Clark Kent. Het is een aardige jongen. Rustig. Absoluut niet zo ruw als sommige anderen aan de andere kant van de grens. Werkt hard op de training. En hij heeft de grootste, meest balvaste handen die je maar in het voetbal kunt vinden. Zijn vader is slager in Dumfries en Kenny heeft zijn handen geërfd. Zo groot als hammen. Bovendien een superieure oog-handcoördinatie. Bij de Bataktest scoorde hij 136. Het record staat op 139.'

'Als ik wist wat dat was...' zei Viktor.

'En dan heb ik het nog niet over zijn doeltrap. Die jongen heeft een fijne traptechniek, zonder meer.'

'Ik heb een paar filmpjes gezien en ben het met je eens dat hij goed is. Ik zou het alleen een stuk prettiger vinden om hem te kopen als Denis Kampfner niet zijn zaakwaarnemer was. Die man is een crimineel, toch?'

Ik hield me in en zei niet wat er in me opkwam, iets over de pot die de ketel verwijt, maar beaamde zijn opmerking: 'Zaakwaarnemers? Dat zijn allemaal criminelen, al heeft Kampfner wel een licentie van de FIFA.'

'Alsof dat wat uitmaakt.'

'Het is net zoiets als met de evolutie, Viktor. Zaakwaarnemers hebben kennelijk een functie en dus moeten we ze tolereren. Net zoals die vogeltjes die de teken uit de oren van neushoorns pikken.'

'Tien procent van negen miljoen is wel iets meer dan een teek.'

'Dat is waar.'

'Dus misschien schakel ik mijn eigen zaakwaarnemer maar in om het af te handelen. Zarco vindt dat ik dat moet doen.'

'Ik dacht dat we een technisch directeur hadden om dit soort deals te sluiten.'

'Trevor John is meer een ambassadeur voor de club dan iemand die deals kan sluiten. Hij is goed in het promoten van de club op het moment dat ik, met hartelijke dank aan de BBC, moet passen. Maar onder ons gezegd en gezwegen kan hij nog geen zak patat kopen zonder er te veel voor te betalen.'

'Ik snap het. Oké, het is aan jou om iemand te kiezen om de deal te sluiten, Viktor. Jouw keus en jouw geld.'

'Zeker. Heb je trouwens dat programma gezien? *Panorama?*'

'Ik? Ik kijk nooit tv, tenzij er voetbal op is of een fatsoenlijke film. Maar ik kijk zeker niet naar rotzooi zoals *Panorama*.'

'Het is maar dat je het weet, ik sleep ze voor de rechter. Er werd in die uitzending geen woord gezegd dat waar was. Ze hadden zelfs mijn tweede voornaam fout. Het is Sergejevitsj, niet Semjonovitsj.'

'Oké, ik snap het. Het is een stelletje klootzakken. Wat dat betreft zal ik niet proberen je op andere gedachten te brengen. Ben je zondag op Elland Road voor de wedstrijd tegen Leeds?'

'Misschien, ik weet het nog niet. Dat hangt af van het weer in de Caraïben.'

# 4

Het trainingscomplex van City, Hangman's Wood, is het beste in zijn soort in heel Engeland, uitgerust met een paar volwaardige velden, een sporthal, medische faciliteiten en een revalidatieruimte, sauna's, stoombaden, een krachtcentrum, fysiotherapie- en massageruimten, een aantal restaurants, een röntgenapparaat en een MRI-scanner, baden voor hydrotherapie, ijsbaden, een kliniek voor acupunctuur, basketbalvelden en een wielerbaan. Er is zelfs een tv-studio waar London City Football Television de spelers en de staf kan interviewen. Hangman's Wood is echter verboden terrein voor de pers en het publiek, tot ongenoegen van de media. Om onze velden staan hoge muren en hekken met prikkeldraad om te kunnen trainen zonder te worden gestoord door fotografen van de tabloids op lange ladders en met lange telelenzen. Er zijn altijd aanvaringen tussen spelers onderling, en tussen spelers en managers. Wie herinnert zich niet het partijtje duwen en trekken tussen Roberto Mancini en Mario Balotelli in 2012? Met onze muren en hekken kunnen we tijdens de trainingen pottenkijkers buiten de deur houden.

En dat is maar goed ook, gezien wat er die ochtend gebeurde op Hangman's Wood.

Gewoonlijk was er niet veel te zien, omdat João Zarco de training meestal aan mij overliet. Zoals zo veel managers volgde hij de training het liefst vanaf de zijlijn, of zelfs met een verrekijker door het raam van zijn kantoor. Het was mijn verantwoordelijkheid om het elftal fit te krijgen voor de wedstrijden en spelers technische vaardigheden bij te brengen. Dat betekende dat ik meer de kans kreeg een persoonlijke band met ze op te bouwen. Ik was dan wel niet één van hen, maar dat scheelde niet veel.

João Zarco zwaaide de scepter over de clubfilosofie, de selectie, de motivatie voor de wedstrijd, transfers, tactiek en alles wat met huur, koop en ontslag te maken had. Hij werd ook beter betaald dan ik. Hij kreeg in feite ongeveer tien keer zoveel als ik, maar met al zijn stijl, charisma en kennis van zaken was hij waarschijnlijk ook de beste manager in Europa. Ik hield van hem alsof hij een oudere broer was.

We begonnen om tien uur, zoals gewoonlijk buiten. Het was een bitterkoude ochtend en de grond was nog bevroren. Sommige spelers hadden een sjaal om en handschoenen aan. Een paar droegen zelfs een legging. In mijn tijd was dat je op honderd keer opdrukken komen te staan, twee rondjes om het veld en een scheve blik van de voorzitter. Maar ja, sommige van die jongens komen ook naar de training met meer bodylotions en haarverzorgingsproducten in hun toilettasjes van Louis Vuitton dan mijn eerste vrouw op haar toilettafel had staan. Ik ben zelfs voetballers tegengekomen die weigerden aan een koptraining mee te doen omdat ze die middag een reclamespot voor Head & Shoulders moesten schieten. Dat soort dingen kan sadistische neigingen losmaken bij een coach, dus is het misschien maar goed dat ik van mening ben dat je verder komt met een schop onder de reet én een grap dan met een schop onder de reet alleen. Maar de training moet natuurlijk wel hard zijn, want profvoetbal is nog harder.

Ik had net een *paarlauf*-sessie gedaan met de jongens. Dat produceert altijd veel melkzuur in het systeem en het is een prima manier om snel uit te zoeken wie fit is en wie niet. Het is een estafettevariant voor twee man van een *fartlek*-sessie waarbij de eerste een sprint van honderd meter trekt om de baan en dan wordt afgelost door zijn partner die op een drafje dwars is overgestoken. Nummer twee trekt dan zijn sprint en wordt op zijn beurt weer afgelost door nummer één, enzovoort, enzovoort. Je krijgt er de meesten wel mee buiten adem, vooral rokers. Ik heb ook gerookt, maar alleen toen ik in de bak zat. Je hebt verder niets te doen als je in de bak zit. Na de paarlauf liet ik ze een oefening doen waarbij een speler zo hard mogelijk met de bal aan de voet op de goal af gaat, schiet en zich onmiddellijk omdraait om te proberen de volgende speler, die dezelfde opdracht heeft, af te stoppen. Dat klinkt heel simpel, maar als je de snelheid erin houdt en als je moe bent, worden je vaardigheden behoorlijk op de proef gesteld. Het is moeilijk om op topsnelheid de bal onder controle te houden als je bekaf bent.

Tussen de bedrijven door legde ik uit wat we aan het doen waren en waarom. Een training is beter vol te houden als je weet wat de achterliggende gedachte is:

'Als we fit zijn, kunnen we het veld groot maken en ruimte creëren. Ruimte maken is gewoon een kwestie van de kerel die jou moet dekken buiten adem krijgen en ervoor zorgen dat hij de moed opgeeft. Je moet ogen in je achterhoofd hebben en je moet leren zien wie ruimte heeft. Die moet je de bal passen en niet degene die het dichtst bij je staat. Geef de bal snel. Leeds trekt zich massaal terug en verdedigt hard. Het wordt dus vooral een zaak van geduld. Je moet leren geduldig te zijn in balbezit. Ongeduld leidt tot balverlies.'

Zarco was meer betrokken bij de training dan anders. Hij riep aanwijzingen vanaf de zijlijn en spuide kritiek op sommige spelers omdat ze niet hard genoeg liepen. Het is al beroerd genoeg als dat je overkomt als je buiten adem bent, maar het is vreselijk als je bijna moet kotsen van vermoeidheid.

Toen we klaar waren met de training liep Zarco het veld op en automatisch kwamen de spelers bij elkaar om naar zijn commentaar te luisteren. Zarco was een lange, slanke man die er nog steeds uitzag als de sterke, onvervaarde centrumverdediger die hij in de jaren negentig was geweest bij achtereenvolgens Porto, Inter Milan en Celtic. Hij was knap, op een ruige, ongeschoren manier, met een paar slaperige ogen en een gebroken neus zo dik als een doelpaal. Zijn Engels was goed en hij sprak met een vermoeide, donkere, monotone stem, maar hij lachte met een hoog falsettogeluid, bijna meisjesachtig, een lach die de meeste mensen, ik ook, nogal intimiderend vonden.

'Luister, heren,' zei hij rustig. 'Mijn filosofie is simpel. Je speelt zo goed als je kunt, zo hard als je kunt. Altijd en eeuwig en amen.'

Ik begon het te vertalen voor onze twee Spaanse spelers, Xavier Pepe en Juan-Luis Dominguin. Ik spreek een aardig woordje Spaans en Italiaans, al is mijn Duits bijna vloeiend, wat geen wonder is met een Duitse moeder. Ik voelde dat dit een vreselijke donderspeech zou worden. Bij zijn ergste donderspeeches praat Zarco altijd op heel rustige en droevige toon.

'Dat is een filosofie die je nooit zo teleurstelt als die van die andere kerels, Lenin of Marx, Nietzsche of Tony Blair. Maar er is op aarde misschien geen filosofisch mysterie dat onbegrijpelijker en dieper is dan de vraag hoe het mogelijk is dat je met 4-3 verliest als je met de rust nog met 3-0 voorstaat. Tegen fucking Newcastle.'

Er waren er een paar die begonnen te glimlachen bij die woorden. Een grote vergissing.

'Ik dacht tenminste dat het een mysterie was.' Er verscheen een gemeen glimlachje op zijn gezicht en hij wuifde een vinger heen en weer. 'Totdat ik dat slappe gedoe zag van vanochtend wat moet doorgaan voor een training – Scott, het is niet tegen jou bedoeld, vriend, jij hebt geprobeerd om een fluwelen beurs te maken van een varkensoor, zoals altijd – en plotseling drong het tot me door, alsof er een appel op mijn hoofd was gevallen, hoe dat mogelijk was. Jullie zijn met elkaar een stelletje luie klootzakken. Weet je waarom een luie klootzak een luie klootzak wordt genoemd? Omdat hij alleen maar hangt te hangen. En een klootzak die alleen maar hangt te hangen is nergens goed voor, zelfs niet voor een zaadbal.'

Iemand grinnikte.

'Vind je dat grappig, klootzak? Ik maak geen grapjes. Zie je mij lachen? Denk je dat Viktor Sokolnikov mij miljoenen per jaar betaalt, zodat wij hier fucking grapjes kunnen maken? Nee. De enigen die hier grapjes maken, zijn jullie als je een balletje heen en weer trapt. Nul-nul tegen Manchester? Dat was een grap. Ik zal je vertellen dat niet alleen de natuur een gelijkspel zonder doelpunten afschuwelijk vindt. Dat geldt ook voor mij. Je moet scoren om te winnen en daar draait alles om, heren.

Velen van jullie weten dat ik veel over geschiedenis lees, zodat jullie, als team, geschiedenis kunnen schrijven. Dat is belachelijk, want jullie zijn nog te stom om je eigen naam te schrijven, laat staan dat je geschiedenis schrijft. Serieus, ik kijk naar jullie en dan denk ik: waarom heb ik in vredesnaam de moeite genomen om manager van deze club te worden als jullie niet eens de moeite nemen om je in te spannen? Gisteren was er een of andere zak van een journalist die me vroeg wat ervoor nodig is om iemand tot een goede manager te maken. Toen zei ik: "Winnen natuurlijk, idioot. Wie wint is een goede manager. En stel me nu eens een vraag die niet zo dom is als die vorige. Vraag me nu eens wat het doel moet zijn van een goede manager, dan geef ik je een langer antwoord waar je lezers iets aan hebben. Ik schrijf je artikel wel voor je, zakkenwasser." Zoals gewoonlijk deed ik het werk voor hem, hè? Want zo zit ik in elkaar, behulpzaam. Zarco levert altijd goede kopij op. Het doel van een goede manager in het voetbal is om elf klootzakken te leren spelen als één man. Maar vandaag denk ik dat ík zelfs niet tegen die taak ben opgewassen. Elke manager in de Premier League is een product van de tijd waarin we leven, maar ik geloof dat ik de enige manager ben die boven het alledaagse denkwerk van nu kan uitrijzen. Ik kan het onmogelijke mogelijk maken, zo is het domweg. Maar ik ben Jezus Christus niet en vandaag ben ik bang dat ik zelfs geen Bijbels wonder kan verrichten om elf klootzakken te laten spelen als één man.

De grootste klootzak die ik vanochtend heb gezien, ben jij, Ron. En jij, Xavier. En jij, Ayrton. Jullie zijn lui, dat wil zeggen, luier dan de rest. Lui aan de bal en lui als je niet aan de bal bent. Als je de bal niet kunt vinden, moet je ruimte zoeken. Weet je nog wie Gordon Gekko was? In die film? Hebzucht is goed, zei hij. En dat zeg ik ook. Je moet de bal willen hebben als de tegenstander die heeft, Xavier. En daar moet je alles voor doen wat ervoor nodig is. Ron, jij moet net zo hongerig zijn naar de bal als vroeger naar de tiet van je moeder.'

'Ja baas,' zei Ron Smythson.

'Dat is voor jou misschien nog maar een week geleden, Ayrton. Jij speelt als een baby. Niet als een man. Kijk naar je. Veters los, afgezakte kousen, waarom steek je je duim niet in je mond net als dat watje Jack Wilshire? Je bent niet buiten adem, beste jongen. Ik kijk naar jou en dan zie ik een klootzak die nergens goed voor is. En dan nog iets, Ayrton: voetballen omdat je van het spel houdt en omdat je ooit eens een gedicht hebt gelezen over wat het is om een gentleman te zijn, is een luxe die zelfs Viktor Sokolnikov zich niet kan veroorloven. Als je zo wilt voetballen kun je beter voor Eton of Harrow of een van die andere homoclubs met schooljongetjes gaan spelen waar ze er een puinhoop van maken en waar ze net doen of ze de slag bij Waterloo moeten winnen. Maar niet hier bij London City. Of ga een of andere bobo bij de FIFA pijpen, dan krijg je misschien wel een *fair play award*. Ik ben niet zo geïnteresseerd in zulke shit. Als je een stijve nodig hebt om die bal achter de keeper te krijgen, dan zorg je maar dat je die krijgt. En het interesseert me helemaal niks als je de kans verruïneert om ooit kinderen te krijgen als je kunt scoren, want scoren, beste jongen, is wat jij moet doen. Daar krijg je honderdduizend per week voor. Om te winnen. Dus de volgende keer dat die bal van jouw hand tegen het net gaat, zweer je maar op een hele stapel Bijbels dat het een kopbal was of wat dan ook, want anders is dat het einde van je carrière bij deze fucking voetbalclub. Is dat duidelijk?'

'Val dood,' zei Taylor. 'Ik hoef dat gelul niet te accepteren, van jou niet en van niemand niet.'

Ik sloot mijn ogen. Ik wist wat er zou komen. Dat dacht ik tenminste.

'Dat moet je wel.' Zarco deed twee stappen naar voren, ging pal voor Taylor staan en gaf hem een duw. 'Dat moet je wel, domme eikel. Het is mijn werk om te praten. Een het is een deel van jouw werk om te luisteren. Ook als er iets gezegd wordt wat je liever niet hoort. Juist als het iets is wat je liever niet hoort. En in dit geval is dat, dat je beter je best moet doen.'

'Val dood.'

Het was al een tijdje geleden dat iemand had meegemaakt dat Zarco zijn stemgeluid liet aanzwellen tot wat bekendstond als de *wall of sound* – met excuses aan Phil Spector. Waarschijnlijk was het ook minder hard dan je dacht, omdat Zarco normaal heel zacht praatte, maar het was hard genoeg als hij pal voor je neus stond en je zijn gehemelte kon zien, om nog maar te zwijgen van wat hij die ochtend had gegeten bij het ontbijt.

'Beter je best doen!' schreeuwde hij. 'Beter je best doen! Beter je best doen!'

Het beste wat je onder dergelijke omstandigheden kon doen, was je ogen sluiten en het maar over je heen laten komen. Ik heb ze wel meegemaakt die het over zich heen lieten komen en achteraf huilden. Grote kerels, harde kerels. Taylor was een veteraan, een harde jongen, oorspronkelijk afkomstig uit Liverpool, die niet gewend was dat mensen zo in zijn gezicht stonden te schreeuwen, dus draaide hij zich om en liep weg. Waarschijnlijk was dat nog stommer dan Zarco van repliek dienen.

Zarco greep het eerste het beste wat hij onder handbereik had, een plastic pylon, en smeet die Taylor achterna. De pylon raakte Taylor tussen de schouderbladen, zodat hij bijna neerging. Hij draaide zich om en kwam op Zarco af, zijn handen klaar om Zarco te wurgen. In zijn ogen lag een kwaadaardige blik.

'Jij vuile klootzak!' schreeuwde hij, terwijl een paar andere spelers hem bij zijn armen grepen en in bedwang hielden. 'Ik vermoord hem. Ik vermoord die smerige klootzak.'

Zarco verroerde geen vin, alsof het hem niet interesseerde of Taylor zich wel of niet op hem zou storten. Het was ineens duidelijk hoe hij als centrumverdediger van Celtic amper had gereageerd op een klap van Billy Gibson, de centrumspits van Hibernian, een klap die hem twee tanden had gekost. Gibson was van het veld gestuurd. Zarco had niet alleen geen wraak genomen, hij was gewoon op het veld gebleven en had zelfs met de kop de winnende goal gescoord. Hij was berucht om zijn vliegende tackle en had heel wat spelers voor het eindsignaal richting kleedkamer gestuurd. Het was ook niet verwonderlijk dat *Bleacher Report* de 'houthakker' Zarco nog steeds omschreef als een van de hardste spelers ooit vanwege 'het betere hakwerk'.

'Je ligt eruit,' zei Zarco. 'Je ligt eruit omdat je een lul bent. Je zit altijd te tweeten naar je zevenduizend volgers. Ga dat maar tweeten, lulletje.'

Daar was het nog niet mee afgelopen. Diezelfde middag zette Zarco Taylor op de transferlijst voor januari. Het werd me snel duidelijk dat de machiavellistische Portugees het hele incident had uitgelokt om een van de oudere spelers als voorbeeld te kunnen stellen voor de rest. Geen schoolvoorbeeld van sportiviteit, zou je kunnen zeggen, maar Zarco had op één punt gelijk: Ayrton was echt lui, misschien wel de luiste speler van het elftal. Er waren er genoeg die beweerden dat Didier Cassell misschien wel nooit geblesseerd zou zijn geraakt als Taylor Alex Pritchard had getackeld om hem de kans te ontnemen te schieten. Bovendien wist iedereen dat we jonge aanvallers hadden die niet onderdeden voor Ayrton Taylor en die niet eens half zo duur waren. Soms is het lozen van een speler net zo effectief om het elftal beter te maken als het kopen van een speler.

Toen ik weer in mijn kantoor zat, maakte ik een aantekening van wat Zarco had gezegd, niet omdat ik het niet met hem eens was, maar omdat ik er een gewoonte van had gemaakt zoveel mogelijk op te schrijven van wat hij over voetbal zei. Zeker de kleurrijke verhalen. Ik was van plan op een goede dag nog eens een boek over de Portugees te schrijven. De meeste voetbalbiografieën zijn strontvervelend, maar dat kon je van mijn baas niet zeggen. Samen met Matt Drennan was João Gonzales Zarco zonder meer de fascinerendste figuur in het Engelse voetbal, en waarschijnlijk in het hele Europese voetbal. Dat zag hij natuurlijk zelf niet zo, en waarschijnlijk zou hij het afkeuren dat ik ook maar iets over hem schreef, zelfs in het programmaboekje. Zarco stak zijn mening niet onder stoelen of banken, maar hij was ook heel erg op zijn privacy gesteld.

Die avond keek ik naar MOTD2 en daar was hij weer, even onverbloemd sprekend als altijd. Ze hadden Zarco, die Joods was, gevraagd naar zijn mening over het WK 2022 in Qatar, en dit gaf hij als antwoord:

'Persoonlijk heb ik geen enkele behoefte om naar een land te gaan waar ik geen glas wijn kan drinken met een vriend uit Israël, of met een vriend die homo is. Ja, ik heb homo's als vrienden. Wie niet? Ik ben een beschaafd mens. Beschaving vereist dat je ook tolerant bent tegenover mensen die anders zijn. En die ervan houden om een borrel te drinken. Die misschien wel te veel drinken. Dat mag iedereen zelf uitmaken, behalve als je in Qatar woont. Misschien is het over tien jaar anders in Qatar, maar dat betwijfel ik. Ondertussen lees ik wel in *The Guardian* dat er al bijna honderd Nepalese arbeiders zijn omgekomen bij de bouw van stadions in Qatar. Denk daar eens over na. Honderd mensen dood, alleen om een klein landje in de gelegenheid te stellen op te treden als gastheer voor een zinloos voetbaltoernooi. Het is gekkenwerk. Het is een zinloos toernooi omdat het helemaal niets meer te maken heeft met voetbal en alles met het grote geld en politiek. Wat mij betreft was het WK dat in 1974 door Duitsland werd gewonnen, in Duitsland, het laatste dat iets te betekenen had. Sinds het WK in Argentinië in 1978 is het allemaal één grote, zieke grap. Er had nooit een WK gehouden mogen worden in een land met een dergelijke dictatuur, waar de beker werd gewonnen met vals spelen.

Maar met dit gastland Qatar lijkt me ook van alles mis. Het is genoegzaam bekend dat het niet gemakkelijk is om vrouw te zijn in de Arabische wereld. Daarom is het misschien maar goed dat het belangrijkste stadion in Qatar lijkt op een gigantische vagina. Ik vind het absoluut ironisch dat je voor de grootste vagina ter wereld nu in Qatar moet zijn. Persoonlijk ben ik een voorstander van vagina's. Mijn leven begon bij een vagina. Het leven van iedereen. En ik denk dat het tijd wordt dat een Arabisch land een keertje leert inzien dat de helft van de wereldbevolking een poes heeft.

Bovendien moet je je afvragen waarom een land waar je gestraft kunt worden met zweepslagen voor het drinken van alcohol, gastheer wil zijn voor een massa Engelse, Nederlandse en Duitse voetbalsupporters. Maar heeft het me verrast dat de FIFA Qatar heeft aangewezen? Nee. Ik ben totaal niet verrast. Niets van wat de FIFA doet, verrast mij. Misschien heeft niemand ze verteld dat het in Qatar erg heet kan worden. Zelfs in de winter is het er zo heet dat je er niet veel meer kunt doen dan een of andere domme sukkel aftuigen met een zweep omdat hij homo is. Ik heb gehoord dat de Qatari van plan zijn om zonne-energie te gebruiken om het effect van de zonnestralen op hun nieuwe stadions tegen te gaan. Ik geloof niet dat je met zonne-energie veel kunt doen tegen de aantijgingen van omkoping. Natuurlijk is het gemakkelijk om mij zo ver te krijgen dat ik mijn mond houd. Betaal me maar gewoon een miljoen dollar, net als een aantal van die FIFA-officials. Maak er bij nader inzien maar twee miljoen van. En weet je wat? Dan denk ik dat het in 2022 allemaal prachtig en schitterend wordt.'

Typerend voor João Zarco. De man was altijd goed voor boude uitspraken, al praatte hij soms te veel. Dat zou zelfs hij toegeven. Soms praatte hij te veel en dan schopten mensen terug. Letterlijk. In een berucht interview op Sky Sports noemde hij de Ierse autoriteit op het gebied van voetbal, voormalig speler en manager Ronan Reilly, die nota bene naast hem zat, 'een drol, iemand die nog geen speelgoedtreintje op de rails kan houden, laat staan een voetbalelftal'. Reilly antwoordde dat Zarco de grootste bek had van allemaal in het voetbal en dat er een dag zou komen dat iemand hem de mond zou snoeren en dat hij daar dan graag aan mee zou werken, heel letterlijk. Een week of twee daarna raakten de twee slaags tijdens de afterparty van de verkiezing van de Personality of the Year van BBC Sports in de ExCel Arena. De beveiliging moest ze uit elkaar halen. Niet iedereen was echter in staat om terug te vechten zoals Ronan Reilly.

Neem het geval met Lionel Sharp die de wedstrijd floot die we in de

Europa League speelden tegen Juventus, in oktober van het afgelopen jaar. We lagen eruit nadat we uit gelijk hadden gespeeld. Nadat we thuis met 0-1 waren verslagen, suggereerde Zarco tijdens een interview voor ITV zo half en half dat Juventus – waar ze niet vies zijn van achterbaks gekonkel – in de rust Sharp had 'beïnvloed' om in de tweede helft een penalty te geven. Sharp werd daarna het slachtoffer van zulke erge scheldkanonnades op Twitter dat hij een overdosis slaaptabletten slikte.

Of je nu van de man hield of hem haatte, boeiend was Zarco altijd.

# 5

Na een zware training op Hangman's Wood neem ik altijd een ijsbad en een sportmassage, al is een sportmassage van onze fulltime masseur Jimmy Gregg altijd bijzonder pijnlijk. Jimmy heeft vingers als vuurtangen. Daarom noemen ze het ook een sportmassage: je moet wel verdomd sportief zijn om zo veel pijn te verdragen zonder Jimmy op zijn gezicht te slaan. En hoe ouder ik word, des te pijnlijker wordt die massage. Hoe ik ook probeer om me stoïcijns te gedragen en de pijn te ondergaan zonder een kik te geven, ik piep altijd als een bange cavia. Dat doet iedereen. En omdat voetballers nu eenmaal overal weddenschappen op afsluiten, wedden de jongens ook vaak wie er een halfuur op die tafel kan liggen zonder te kreunen of te grommen. Tot nu is er niet één die de marteling heeft doorstaan zonder geluid te produceren. Jimmy doet zijn werk met verve. Waarschijnlijk zal niemand me tegenspreken als ik beweer dat zijn massage soms erger is dan de training. Misschien noemen ze zijn behandelruimte daarom wel 'de kerker van Londen'.

Dus soms zet Sonja voordat ik thuiskom een massagetafel klaar in de badkamer. Ze trekt een paar schoenen met naaldhakken aan en een wit uniformpje dat te klein is om de boord van haar nylons en haar tanga aan het zicht te onttrekken, en speelt de rol van hoer uit een nachtclub, inclusief het happy end. Ze heeft fantastische, vederlichte vingers en beheerst als geen ander de techniek van het aanraken, maar toch net niet helemaal, als je begrijpt wat ik bedoel. Maar hoe magisch haar strelende handen ook zijn – en die zijn heel magisch – het is nog niets vergeleken met haar zoete, liefkozende mond. Ze drinkt graag ijskoude Martini voordat ze mijn pik in haar mond neemt en de combinatie van alcohol, haar lippen en haar tanden is een hemelse ervaring. Christus kan zich tijdens zijn hemelvaart niet gelukzaliger hebben gevoeld dan ik als zij geduldig wacht om mijn zaad met haar mond op te vangen. Ze slikt steeds alles door tot de laatste druppel alsof het kostbare manukahoning is.

'Dat noem ik nog eens therapie,' zei ik toen ik van de tafel klom en naast haar onder de douche ging staan. 'Als ze dat ooit in het basispakket van de gezondheidszorg zouden stoppen, zou heel Roemenië hiernaartoe emigreren.'

Daarna sliep ik als een beer in winterslaap. Tenminste, tot mijn iPhone begon te rinkelen, even na middernacht.

Normaal gesproken zet ik mijn telefoon 's nachts uit en schakel ik het antwoordapparaat in voor de vaste lijn. Sportjournalisten vinden het de gewoonste zaak van de wereld om je op de onmogelijkste tijden op te bellen met de een of andere vraag. Ik heb het nu over de tijd voor Twitter. Tegenwoordig is de pers heel wat luier en worden tweets van spelers gebruikt om hun verhaal te spekken met citaten. Tijdens de transferperiode in januari ben ik echter geneigd om de telefoon op elk moment op te nemen, omdat het misschien over een transfer gaat. De zaakwaarnemers van spelers zijn 's nachts actiever dan hun cliënten, en dat is iets wat ook heel goed past bij hun vampierachtige karakter. Een aantal van de beste contracten waarbij ik betrokken was, waren het resultaat van nachtelijke onderhandelingen.

Ik heb natuurlijk een aparte beltoon voor bepaalde mensen. Als Viktor Sokolnikov belt, klinkt een beroemd Russisch volksliedje, 'Kalinka', gezongen door het koor van het Rode Leger. De beltoon van Zarco is 'London Calling' van The Clash. De beltoon van Sonja is 'I'm so excited' van de Pointer Sisters. Dit keer was het geen van die drie. 'Peaches' van The Stranglers betekende dat het Maurice McShane was, vanwege Ian McShane in 'Sexy Beast'. Maurice is de *lifecoach* en duvelstoejager van de club en de eerste hulp bij ongelukken bij een crisis buiten de lijnen. Hij moet onze overbetaalde en maar al te vaak naïeve spelers helpen bij wat zich maar voordoet, van het openen van een bankrekening in het buitenland tot het afkopen van een sletje dat ze zwanger hebben gemaakt. Het betekent dat Maurice zo ongeveer de drukste baan heeft op het trainingscomplex. Spelers kloppen bij de coach aan met problemen die ze nooit ofte nimmer met de manager zouden bespreken, alleen gaan ze nu soms naar Maurice, die er op zijn beurt mee bij mij komt als het een echt probleem is. Het was mijn idee geweest om Maurice in te huren. Ik had hem in de bak ontmoet en in de vijf maanden dat we nu bij City samenwerkten, hadden we al een paar schandalen kunnen afwenden. Daar ga ik nu niet verder op in. Ga er maar van uit dat we nooit iets onwettigs hebben gedaan. We deden alleen wat nodig was om een paar van die stomme klootzakken van ons uit de krant te houden.

Ik ging naar de badkamer, deed de deur dicht en ging op het toilet zitten. Ik geloof dat ze dat multitasken noemen. Ik had een aantal sms'jes van sportverslaggevers die me vroegen hen te bellen, maar die negeerde ik voorlopig. Je kunt het maar beter uit de eerste hand horen, dacht ik. Ik vermoedde iets in de richting van een schandaal waarbij Ayrton Taylor betrokken was. Misschien had hij zijn mond voorbijgepraat tegen een journalist. Of misschien had hij zichzelf weer eens in de nesten gewerkt met een van de spelersvrouwen. Hij was nu niet bepaald een toonbeeld van sportiviteit als het erom ging de vriendin van een ander te wippen.

'Wat is het, Maurice?'

'Ik vond dat je het maar zo snel mogelijk moest horen,' zei Maurice. 'Een maat van me die voor de politie werkt, heeft me net een seintje gegeven. Ik denk dat je je moet voorbereiden op een schok. De politie heeft het lichaam gevonden van iemand die aan de railing hing van de Wembley Way.' Hij aarzelde. 'Het is Drenno. Hij heeft zich verhangen.'

'O, fuck, nee,' zei ik. 'De stomme, stomme klootzak.'

We waren beiden een paar seconden stil.

'Wist je dat zijn vrouw in hetzelfde ziekenhuis ligt als Didier?' vroeg Maurice.

'Nee, dat wist ik niet.'

'Drenno heeft haar flink in elkaar geslagen.'

'Jezus, weet zij het al?'

'Ja, de pers is er. En omdat iedereen weet dat jullie vrienden waren, zal het wel niet lang duren voordat ze bij jou op de stoep staan.'

'Als een stelletje aasgieren,' zei ik. 'Lijkenpikkers.'

'Zo gaat het meestal bij dit soort dingen.'

'Oké, ik tweet wel iets,' zei ik. 'Maak een persbericht voor City Press in Silvertown Dock. En voor Arsenal. Shit. Hij is hier nog geweest. Eergisteren. Bezopen zoals altijd.'

'Moet ik dat doorgeven aan de politie?'

'Nee, dat doe ik wel. Maar doe me een lol en zoek uit wie er over het onderzoek gaat. En stuur me een sms met een nummer. Ik heb geen zin om mijn verhaal vaker dan één keer te vertellen aan die klootzakken.'

'Ze gaan het ongetwijfeld vragen, dus vraag ik het maar. Was hij suïcidaal toen hij bij jou was?'

'Niet meer dan anders.' Ik zuchtte, want ik herinnerde me wat hij had gezegd. 'Maar hij zei wel iets over "nog één keer de krantenkoppen halen op Wembley". Ik had alleen geen idee... Jezus, dus dát bedoelde hij. O, shit. De stomme klootzak.'

'Scott.'

'Ja?'

'Het spijt me. Ik weet dat je hem graag mocht.'

'Nee,' zei ik. 'Ik mocht hem helemaal niet graag, Maurice. Maar ik hield wel van die man.'

Ik verbrak de verbinding, veegde de tranen uit mijn ogen, waste mijn gezicht en bekeek mezelf in de spiegel. Ik wist wat die kerel die naar me terugkeek, dacht, want hij zag er kwaad uit. Hij dacht: Drenno kwam naar je toe om hulp te zoeken, maar je was te stom om dat te zien. Te stom of gewoon te lui. Je dacht dat je fucking geweldig was omdat je aanbood om hem naar de Priory te brengen en de eerste week voor hem te betalen, hè? Christus, dat was nog eens edelmoedig van je, Scott. Die man had een vriend nodig. Ergens waar hij een paar dagen kon blijven tot hij er klaar voor was om de gevolgen te dragen van wat hij had gedaan. Hij moest geweten hebben dat ze hem zouden arresteren voor het mishandelen van Tiffany. Daar was hij al eerder voor gewaarschuwd. En jij hebt hem in de steek gelaten. Toen jij een vriend nodig had, toen niemand maar naar je omkeek, was Drenno er. Maar waar was jij toen hij iemand nodig had, verdomme? Jezus, hij kwam zelfs bij je op bezoek toen je in de bak zat. Anne niet. Je eigen vrouw. In de twee jaar dat je opgesloten zat, was Drenno de enige die je kwam opzoeken, afgezien van je ouders en de advocaten. Zo'n vriend was hij. Hij kwam je opzoeken terwijl iedereen bij de club zei dat hij bij jou uit de buurt moest blijven.

'Het spijt me,' zei ik tegen de man die me vanuit de spiegel aankeek, terwijl ik wenste dat het Drenno was. 'Het spijt me verschrikkelijk.'

Maar met spijt krijg je hem niet terug, klootzak. Een van de meest getalenteerde middenvelders die dit land ooit heeft voortgebracht, zeker de beste met wie jij ooit hebt gespeeld, en nu is hij dood, amper achtendertig jaar oud. Zo verdomd zinloos.

'Het spijt me, Matt,' zei ik opnieuw en ik begon te huilen.

'Wat is er?'

Ik draaide me om en zag Sonja in de deuropening staan. Ze was naakt. Ze zag er zo perfect uit als een vrouw er maar uit kan zien. Als ik een gouden appel had gehad, zou ik haar die gegeven hebben. Ik voelde me als de verschoppeling Caliban naast de schone Miranda in het toneelstuk van Shakespeare. In ieder geval als iets gevoelloos en lelijks.

'Matt,' zei ik. 'Hij heeft zich opgehangen.'

'O god, wat vreselijk, Scott. Wat erg.'

Ze drukte me even tegen zich aan en ging toen op het toilet zitten.

'Dat is vreselijk.'

'Hij was net achtendertig,' zei ik, alsof dat het op de een of andere manier erger maakte.

'Je moet jezelf niet de schuld geven,' zei ze.

'Maar dat doe ik wel. Hij had hulp nodig. Daarom was hij hier een paar dagen geleden. Omdat... omdat hij nergens anders heen kon.'

'Ja, hij had hulp nodig, maar dan professionele hulp. Ik had dit al een tijd verwacht. Hij was ziek. Hij had opgenomen moeten worden. Zijn familie had hem al een hele tijd geleden moeten laten opnemen in een inrichting. En weet je, ik denk dat het uiteindelijk zal blijken dat hij zich niet alleen heeft opgehangen omdat hij gedeprimeerd was omdat hij niet langer kon voetballen. Ik ben ervan overtuigd dat er een diepere oorzaak was voor al zijn psychische problemen. Het zou me niet verbazen als Matts kinderjaren getekend zijn door instabiliteit en ellende. Misschien wel iets als een zelfmoord in zijn directe omgeving.'

'Bedankt.' Ik knikte. 'En je hebt gelijk, inderdaad. Zijn broer heeft zelfmoord gepleegd. Hij sprong voor een trein toen hij vijftien was. En er was nog het een en ander waarover hij niet graag praatte. Bijvoorbeeld dat zijn beste vriend, zijn drinkmaatje, Mackie, de benen nam en in het leger ging. Drenno liep altijd een beetje met zijn ziel onder de arm als Mackie er niet was om zijn avonturen mee te delen. Zijn hele leven is een puinhoop geweest, op de een of andere manier.'

'Kom weer terug in bed,' zei ze. 'En laat mij je troosten.'

'Ik kom zo,' zei ik.

Ze omhelsde me opnieuw even. 'Jij bent een goed mens,' zei ze. 'Een fatsoenlijk mens. Daarom kwam Drenno hiernaartoe. Omdat jij het fatsoenlijke soort mens bent aan wie iemand als hij zich kan vastklampen.'

'Ik kan het nog steeds maar moeilijk geloven. Ik bedoel, na alles wat er in mijn leven is gebeurd.'

'Geloof het maar,' zei ze. 'Want het is echt zo.'

Ik knikte. 'Ja... nou ja, goed, als dat zo is, komt het vooral door jou, Sonja. Jij maakt een beter mens van me.'

Ik ging naar mijn studeerkamer, zette mijn computer aan en schakelde de stille modus in van mijn telefoon toen die opnieuw overging: iemand van *The Sun* die ik niet wilde spreken. Toen meldde ik me aan bij Twitter, deed er een uur over om iets aardigs maar waarschijnlijk vergoelijkends te schrijven over Matt – hoe kon je nu zo'n fantastische persoon als Drenno in 140 tekens beschrijven? – en stuurde daarna een e-mail naar de persvoorlichter van Arsenal met een quote voor de website van de *Gunners*. Een paar minuten later kreeg ik een sms van Maurice met de naam en het telefoonnummer van de rechercheur die verantwoordelijk was voor het onderzoek naar de dood van Drennan: inspecteur Louise Considine, *bachelor of law*, *Brent Police*: 020 8733 3709. Op de nieuwssite van de BBC stond een beroemde foto van Drenno in 1998, waarop hij juichte omdat hij net voor Arsenal had gescoord tegen Aston Villa, maar het enige wat ze konden toevoegen aan wat ik al wist, was dat hij zijn witte shirt van het Engelse voetbalelftal met nummer 8 had gedragen toen hij zich had opgehangen. Waarschijnlijk was dat het enige shirt dat hij nog niet had verkocht op eBay.

Sonja had natuurlijk gelijk; het was minder verrassend dat Drennan zelfmoord had gepleegd dan voetballers als Gary Speed of Robert Enke. Ik had echter altijd hoop gehouden en er ook vertrouwen in gehad dat mijn oude teamgenoot een wending aan zijn leven zou geven.

Was ik immers niet zelf het levende bewijs dat je opnieuw iets kon opbouwen in het voetbal na een rampzalige gebeurtenis?

Ik ging in een leunstoel zitten met mijn iPad en bracht nog een uur door met kijken naar de mooiste goals van Drenno op YouTube. Sommige van die goals waren van een uitzonderlijke klasse en bij een paar had ik de assist gegeven. Dat was heel aardig, maar de muziek die de beelden vergezelde – 'Shine on You Crazy Diamond' van Pink Floyd – was misschien wel heel toepasselijk voor iemand als Drenno, maar had bepaald geen opbeurend effect op mijn gemoedstoestand. Ik begon opnieuw te huilen.

Ik stond op het punt om weer naar bed te gaan toen ik zag dat er een nieuwe sms van Maurice was, met de dringende vraag hem te bellen. Dus belde ik hem.

'Wat nu?' vroeg ik.

'Het spijt me dat ik je nog een keer lastigval, zo laat, maar ik ben in de Crown of Thorns,' zei hij. 'Ik denk dat je hier zo snel mogelijk naartoe moet komen. Er is iets gebeurd. Iets erg onplezierigs.'

Als rooms-katholiek ben ik er niet zo op gesteld als mensen het stadion van City de 'Crown of Thorns' noemen, maar het leek me niet het juiste moment om daar nu over te beginnen.

'Zoals?'

'Niet over de telefoon, hè? Gewoon voor het geval dat. De muren hebben oren.'

'Ze zouden niet durven. Niet na die schadevergoeding die ze me hebben betaald voor het hacken van mijn telefoon.'

'Maar toch, weet je.'

'Het is halfdrie 's nachts, Maurice. Ik heb net een goede vriend verloren. En om tien uur begint de training.'

'Laat iemand anders dat maar doen dan.'

'Jij vindt echt dat ik naar Silvertown Dock moet komen? Nu? Midden in de nacht?'

'Anders had ik je niet gebeld.'

'Er is toch niemand doodgegaan, hè?'

'Nee, niet echt.'

'Wat moet dat verdomme betekenen?'

'Luister, Scott, ik kan dit niet alleen regelen. Ik kan João Zarco niet te pakken krijgen, Philip Hobday zit op het jacht van Sokolnikov en Sarah Champion is met zwangerschapsverlof. Dat betekent dat alleen jij en ik nog over zijn.'

Philip Hobday was de voorzitter van London City en Sarah Champion was de persvoorlichter.

'Ik weet echt bij god niet wat ik moet zeggen,' ging hij door. 'Maar ik moet wel iets zeggen. Als je naar Silvertown Dock komt, begrijp je het meteen.'

'Tegen wie moe je wat zeggen?'

'Tegen de fucking pers, natuurlijk. Die was hier eerder dan de politie. Het lijkt erop dat de een of andere klootzak van Royal Hill ze heeft getipt.'

'Royal Hill? Wat is Royal Hill?'

'Politiebureau Greenwich. Hé, doe me een lol. Het is belangrijk dat je hiernaartoe komt, zo snel mogelijk. Echt, Scott, dit is een zaak die heel voorzichtig moet worden afgehandeld.'

'Ik weet niet zo zeker of ik daar de man wel voor ben. Vooral waar het de pers betreft. Als het om de pers gaat, heb ik voortdurend het gevoel dat ik bokshandschoenen aan heb als ik met ze praat. Maar ik begrijp wat je wilt zeggen. Je hebt gelijk, je hebt gelijk. Als het erop aankomt heb jij mij net zo nodig als ik jou.' Ik keek op mijn horloge. 'Ik ben er over een uur.'

# 6

Uiteindelijk kostte het me maar een halfuur om de vijfentwintig kilometer af te leggen van mijn flat bij King's Road naar Oost-Londen. Er zijn niet veel mensen op de weg rond die tijd, maar de pers was op volle sterkte aanwezig toen ik arriveerde. Toen ik naar het hek van het parkeerterrein van de club reed, stoven ze op de Range Rover af om te zien wie ik was. Tegelijkertijd vroeg ik me af wat er zo interessant kon zijn op Silvertown Dock dat ze Wembley Way in de steek hadden gelaten. Op dat moment wist ik niet dat het bij Wembley Way ook wemelde van de journalisten. Engeland telt meer kranten en tv-zenders die op zoek zijn naar een goed verhaal dan je zou denken. Vooral als het om een verhaal over voetbal gaat.

Ik reed naar het hek van het parkeerterrein en wachtte tot de bewaking me doorliet. Het regende nu hevig en terwijl ik wachtte zette ik de ruitenwissers uit om de talloze wachtende fotografen de kans te ontnemen een goed shot te maken van mijn vermoeide en ongetwijfeld ellendige gezicht. De schijnwerpers waren aan in het stadion. Dat was heel vreemd tegen drie uur 's nachts.

'Scott! Scott! Scott!'

Omdat ik geen idee had wat me in het stadion te wachten stond, leek het me het beste om helemaal niets te zeggen. Dat kwam me heel goed uit omdat ik even weinig genoegen schep in gesprekken met de pers als in gesprekken met de politie. Sarah Champion deed voortdurend haar best mij over te halen iets vriendelijker te zijn tegen de pers, maar oude gewoonten slijten niet zo gemakkelijk. Wanneer maar één verslaggever zijn voet tussen de deur zet of een paparazzo zijn Canon op me richt, krijg ik de neiging om hetzelfde te doen wat Zinedine Zidane tegen Marco Materazzi deed in de finale van het WK in 2006. Dat was nog eens een krantenkop.

Maurice McShane stond ongeduldig op me te wachten bij de spelersingang, vlak bij de rivierkade met de kleine privéjachthaven waar Viktor Sokolnikov soms aanlegde met een Sunseeker-jacht van vijfendertig meter. Maurice was een grote, blonde man met een baard en een stem waar je grind mee kon scheppen. Tot mijn verbazing stond Colin Evans, het hoofd van de terreindienst, door Sokolnikov met veel moeite losgeweekt uit Bernabeu, naast hem. Colin Evans werd beschouwd als de beste terreinknecht in Europa en het veld van London City werd altijd op allerlei manieren bekroond omdat het er zo goed bij lag.

'Wat is er verdomme aan de hand?' vroeg ik. 'Wat doe jij hier midden in de nacht, Colin?'

Colin schudde zijn hoofd, gromde iets, zo kwaad dat hij geen verstaanbaar woord over zijn lippen kon krijgen. Hij liep voor me uit door de spelerstunnel naar het veld. Zoals hij eruitzag – hij was topfit en jong voor een terreinknecht, pas vijfendertig – met net zo'n City-trainingspak aan als ik, kon hij makkelijk doorgaan voor een voetballer.

'Je ziet het zo,' zei Maurice.

'Dat klinkt onheilspellend.'

Het stadion zag er in het donker altijd fantastisch uit als de schijnwerpers aan waren. Dan leek het met die oranje kuipstoeltjes wel een fruitmand vol lekkere glanzende mandarijnen met kerst, terwijl het gras lag te glinsteren als een zeldzame smaragd. Voor onze zestigduizend supporters was het dat ook: iets heel kostbaars, iets heiligs. Het was dan ook niet verbazingwekkend dat zoveel supporters een verzoek deden om de as van een dierbare uit te mogen strooien over het veld. Natuurlijk zou Colin zoiets nooit toestaan. Kennelijk is het wel heel slecht voor gras, maar niet voor rozen. Colin sleepte altijd prijzen in de wacht met zijn rozen.

Hij liep voor ons uit naar de middenlijn, door de middencirkel naar de middenstip waar een paar politieagenten bij elkaar stonden alsof ze klaar waren voor de aftrap. Normaal gesproken kon ik die tocht niet maken zonder een speciaal gevoel in mijn maag dat hoorde bij het spelen van een wedstrijd. Nu voelde ik me echter even leeg als het stadion: ik was nog steeds bijna alleen maar bezig met de dood van Drenno. Even dacht ik dat daar iemand zou liggen, dood. Maar ik verwachtte in ieder geval niet wat ik er wel zag.

'Godsklere!' Ik sloeg een hand voor mijn mond en deinsde even achteruit op mijn hakken.

'Mooi hè?' zei Maurice.

Iemand had een gat gegraven op de middenstip. Ik zeg een gat, maar het was zonder meer een graf, ongeveer een meter tachtig lang en zeker zestig, zeventig centimeter diep.

Iemand met een geelbruine houtje-touwtjejas die ik niet kende kwam op me aflopen. Hij hield een legitimatiebewijs van de politie omhoog.

'Ik vroeg me af of ik nu even met u zou kunnen spreken, heren,' zei hij. 'Mijn naam is Neville, inspecteur Neville, van Royal Hill.'

'Een minuutje graag, inspecteur,' vroeg ik. 'Alstublieft.'

Ik leidde Maurice en Colin een paar stappen daarvandaan zodat de inspecteur ons niet zou kunnen horen.

'Wanneer is dit gebeurd?' vroeg ik.

'Ik kwam hier even na middernacht,' zei Colin. Hij was opgegroeid in The Mumbles, in Swansea, en sprak met een sterk Welsh accent. 'We hebben pas geleden hekken met stroomdraden tegen vossen geplaatst om een einde te maken aan schijterij op het veld. De jongens hebben er een bloedhekel aan als ze uitglijden in vossenstront. Het is veel erger dan hondenstront. Je blijft het dagenlang ruiken. Hoe dan ook, ik wilde controleren of het allemaal werkte en zag toen dat iemand tuingereedschap had laten slingeren op het veld. Een paar spaden en een hooivork. Toen zag ik het.'

Ik raapte een spade op, keek naar de initialen op de steel: LCC. Ik liet de spade weer vallen.

'Hoe zijn ze in godsnaam binnengekomen?' vroeg ik. 'Dat kan alleen met legitimatie.'

Colin haalde zijn schouders op. 'Waarschijnlijk zijn ze overdag naar binnen geglipt, dan staan de deuren open voor de bouwvakkers, en hebben ze zich verstopt,'

'Bouwvakkers? Waar zijn die mee bezig?'

'Een van de bars wordt opnieuw ingericht,' legde Maurice uit.

Ik kreunde. Ik zag de grap op internet al voor me: dieven hebben ingebroken in Silvertown Dock om de prijzenkast leeg te halen, maar zijn vertrokken met lege handen.

'Welke klootzak doet zoiets, Scott?' klaagde Colin.

'Colin,' zei ik. 'Hoelang loop je nu al mee? Je kent die klootzakken toch? Het kunnen wel supporters van een andere club zijn geweest. Maar als je kijkt naar wat we sinds de kerst hebben gepresteerd, kunnen het net zo goed onze eigen supporters zijn. Jezus, dat zijn nou niet bepaald allemaal lieverdjes. Heb je het verbale gif wel eens gehoord dat er van die tribunes komt?'

'Het was in ieder geval geen vos,' zei Maurice. 'Ik bedoel, ik weet dat vossen heel slim zijn en zo, maar ik heb nog nooit een vos zo'n rechthoekig gat zien graven. In ieder geval niet zonder liniaal erbij.'

'En wat jou betreft,' zei ik tegen Maurice, 'natuurlijk is het ernstig en klote, maar het had ook wel kunnen wachten tot morgenvroeg, toch? Ik bedoel, het is alleen maar een fucking gat in de grond.'

Maurice McShane was een voormalig strafpleiter die uit zijn ambt was gezet wegens wangedrag toen aan het licht was gekomen dat hij anoniem beledigende tweets over een andere advocaat de wereld in had gestuurd. Hij was ook een succesvol amateurbokser geweest die bijna een bronzen medaille had gewonnen in de licht-zwaargewichtklasse tijdens de Gemenebestspelen in Auckland in 1990. Als je in moeilijkheden verkeerde, kon je Maurice er goed bij hebben. Hij loste problemen even gemakkelijk op met zijn vuisten als met een pak bankbiljetten. Hij zei niets, maar haalde zijn mobiel tevoorschijn en liet me een sms zien van een verslaggever van *The Sun*:

*Mozza. Voel je behoefte commentaar te geven op de suggestie dat het graf op jullie middenstip een boodschap in Siciliaanse stijl is voor jullie eigenaar Viktor Sokolnikov, wiens voormalige partner Natan Fisanovitsj in 1996 werd gevonden in een ondiep graf nadat hij levend was begraven? Dat beweren ze tenminste in Panorama van de BBC. Gordon*

De *Daily Mail* had hem een vergelijkbare sms gestuurd en ik wil wedden dat ik nog veel meer van hetzelfde zou aantreffen tussen de sms'jes die met de regelmaat van de klok binnenkwamen op mijn telefoon.

'Of ik de behoefte voel commentaar te geven?' Maurice lachte nerveus. 'Nee, om de dooie dood niet. Niet bepaald. En het is ook geen onderwerp van gesprek waar ik graag met Viktor Sokolnikov over zou willen praten. Vooral niet omdat hij een zaak aanspant tegen de BBC vanwege die beweringen in *Panorama*. Toch?'

'Dat zei hij tegen mij.'

Ik stopte een paar stukjes Orbit kauwgom in mijn mond en begon verwoed te kauwen alsof ik op het punt stond om een imitatie te doen van Sir Alex Ferguson, een act die in de spelersbus behoorlijk populair was.

'Maar ik denk dat Viktor dit wel zo snel mogelijk moet weten,' zei Maurice. 'Zodat hij kan reageren op een manier die hem het beste lijkt. Jij kent hem beter dan ik, Scott. En ik heb liever dat jij of Zarco hem vertelt wat hier is gebeurd. Daarvoor word ik niet betaald.'

'Ik snap wat je bedoelt.' Ik keek over mijn schouder naar inspecteur Neville. 'Wie heeft hem trouwens hiernaartoe gesleept en toegestaan dat hij met zijn maat achtenveertig over ons gras loopt?'

'Ik ben bang dat ik dat heb gedaan,' gaf Colin toe. 'Sorry, Scott. Ik was helemaal van streek toen ik dat gat zag. Maar het is vernieling van andermans eigendom, dus vond ik dat ik het moest aangeven. Ik bedoel, we willen de klootzakken die dit hebben gedaan pakken, toch?'

'Haal dat tuig nooit op het terrein zonder eerst met mij of Zarco of Phil Hobday te overleggen. Begrepen, Colin? Toestaan dat dat tuig zich met de zaken van de club bemoeit, is hetzelfde als een uitnodiging sturen naar Fleet Street. Je kunt er donder op zeggen dat het een politieagent is geweest die een maatje bij *The Sun* of de *Daily Mail* een seintje heeft gegeven wat er aan de hand was. Hé, wat denk je dat er gebeurd is? Iemand heeft een fucking graf gegraven op de middenstip van Silvertown Dock. Dat is een tip die tweehonderd pond waard is. Misschien wel meer als het de voorpagina haalt. Als die klootzakken er niet waren met hun camera's hadden we kunnen zeggen dat het gewoon een gat was, geen graf. Misschien lukt het nog steeds als die smeris in zijn houtje-touwtjejas wil meewerken.'

'Ja, ik snap het nu.'

'Maak je geen zorgen. Niets aan te doen. Luister, dit gaan we zeggen. We zeggen allemaal dat het erop lijkt dat dit het werk is van een paar ontevreden supporters. Jonge jongens waarschijnlijk. En we vegen elke suggestie van Siciliaanse boodschappen van tafel als belachelijke onzin. Het laatste wat Sokolnikov op dit moment nodig heeft is speculaties over zijn achtergrond. De jongens die dit hebben geflikt, kunnen waarschijnlijk het woord Siciliaans niet eens spellen, oké?'

Maurice en Colin knikten.

'Maar wat ik belangrijker vind, Colin, is dat je gaat nadenken over of en hoe en wanneer we het veld kunnen repareren. We spelen over tien dagen thuis tegen Newcastle.'

'Dat was ik zeker niet vergeten.'

'Oké, laten we dan maar eens met die smeris gaan praten.'

Ik liep naar de politieman.

'Het spijt me dat ik u heb laten wachten, inspecteur,' zei ik. 'Vooral omdat het al zo laat is. Maar ik ben bang dat we u voor niets hebben laten opdraven. Dat spijt me ook. Het lijkt duidelijk het werk van vandalen. Ontevreden supporters. Nou niet bepaald iets wat we niet kennen bij voetbalclubs. Ik denk niet dat u erg verbaasd zult zijn als ik u vertel dat we aan de lopende band bedreigingen binnenkrijgen en dat dat soms vertaald wordt in vandalisme. Spijtig, maar niet ongebruikelijk.'

'Wat voor soort bedreigingen?' vroeg de inspecteur.

'E-mail. Tweets. Soms een giftige brief. Een doos stront over de post. Je kunt het zo gek niet bedenken of we krijgen ermee te maken.'

'Daar zou ik wel graag wat van zien, als het goed is.'

'Ik ben bang dat dat niet gaat. We bewaren dat soort spullen niet. Vooral niet de drollen in cadeaupapier.'

'Mag ik vragen waarom?'

'Oude stront stinkt, inspecteur.'

'Ik bedoel uiteraard de brieven en e-mails.'

Inspecteur Neville was een magere man met een haakneus, waardoor het leek of hij voortdurend spottend keek. Afgaand op zijn accent leek het me dat hij uit Yorkshire kwam.

Ik haalde mijn schouders op. 'We bewaren het niet, omdat het zoveel is. Het is domweg veel gemakkelijker om alles wat bedreigend of beledigend is, te wissen of weg te gooien. Gewoon voor het geval een van de spelers die bedreigd of beledigd wordt, het onder ogen krijgt, en het zich aantrekt.'

‘Ik zou denken dat iedereen die bedreigd wordt, het recht heeft dat te weten.’

‘Het is uw goed recht om dat te denken, maar wij denken er anders over. Sommige van die jongens zijn overgevoelig, inspecteur. En er zijn er een paar bij die niet al te snugger zijn. Zelfs dreigementen die ronduit belachelijk zijn, kunnen een negatieve invloed hebben op minder standvastige voetballers van een club in de Premier League. En dat willen we niet, toch? Niet met de return derde ronde FA CUP tegen Leeds United komende zondag, na een gelijkspel in de heenwedstrijd.’

‘Niettemin is hier een strafbaar feit gepleegd.’

‘Een gat in de grond? Dat is nou niet bepaald een halszaak, wel?’

‘Nee, maar met alle respect, dit is niet zomaar een gat in de grond. De vorm is nogal ongebruikelijk. En dan het financiële aspect. Voor een gat in de grond is dit wel een uitzonderlijk duur gat, vindt u ook niet, meneer Evans?’

De inspecteur wist kennelijk met wie hij van doen had. Welke terreinknecht klaagt niet over de staat van de grasmat? Maar nog voordat Colin antwoord gaf, had ik er al spijt van dat ik hem niet had gezegd om de schade tegenover de politie te bagatelliseren. Dat hij uit Wales kwam leek het alleen maar erger te maken, omdat Colin de neiging had erg bedachtzaam en weloverwogen te spreken.

‘Zo’n gat?’ Colin schudde zijn hoofd. ‘Eens kijken. Het heeft bijna een miljoen gekost om de hele grasmat te leggen. Dus in alle eerlijkheid is dit een ramp. We zouden eigenlijk de hele mat eraf moeten halen en opnieuw moeten beginnen. Maar halverwege het seizoen zullen we ons moeten behelpen en het zo goed en zo kwaad als het gaat weer oplappen. Natuurlijk moet je, voordat je over het gras begint na te denken, eerst naar de veldverwarming kijken, want we willen geen vorst in de grond. Die is beschadigd en moet gerepareerd worden. En het gras, nou ja, dat is niet zomaar gras, ziet u? Samen met het gras moeten kunstvezels worden geïmplanteerd waar de wortels zich aan kunnen hechten. Dan heb je nog het probleem dat nieuw gras in deze tijd van het jaar slecht wortelt. Dat betekent dat we er vierentwintig uur per dag groeilicht op moeten zetten. Dat is ook duur. Ik denk dat de kosten wel eens tegen de vijftigduizend kunnen lopen. Echt. En de schade is nog groter als blijkt dat er over tien dagen niet op het veld gespeeld kan worden. Kijk naar de entreeprijzen. Met een gemiddelde toegangsprijs van tweeënzestig pond praat je over een opbrengst per wedstrijd van ongeveer zes miljoen.'

'Dus de kosten kunnen oplopen van vijftigduizend tot zes miljoen?' vroeg inspecteur Neville.

'In die orde van grootte, ja,' zei Colin.

Neville keek mij aan en schudde zijn hoofd. 'Meneer, het is lang geleden dat ik vandalisme met zo'n grote schade ben tegengekomen. En omdat het duidelijk om een strafbaar feit gaat, moet ik een onderzoek instellen. Ik weet zeker dat de verzekeringsmaatschappij dat zal eisen als meneer Sokolnikov een claim indient. Dat doen die verzekeringsjongens altijd.'

'Misschien dat dat indrukwekkende cijfers zijn voor u en mij, inspecteur,' zei ik. 'Maar voor iemand als Viktor Sokolnikov stelt dit niet zo veel voor. Ik ben ervan overtuigd dat hij veel liever de reparatie zelf betaalt en zoveel mogelijk pijnlijke publiciteit vermijdt. Wat, als alles volgens het boekje was gegaan, ook vermeden had moeten worden. Weet u, het is mij een raadsel hoe de pers hier eerder heeft kunnen zijn dan de politie. Terwijl ik zeker weet dat niemand hier ze heeft ingelicht.'

'Wilt u zeggen dat iemand van Royal Hill ze het heeft verteld?'

'Ik wil zeggen dat meneer Sokolnikov zal willen weten waarom, als mocht blijken dat de pers is getipt door iemand van uw bureau. Zeker omdat het me ter ore is gekomen dat de pers toch al suggereert dat er banden zijn met de georganiseerde misdaad in het thuisland Oekraïne van meneer Sokolnikov. Dat is het soort op sensatie beluste berichtgeving dat wij liever voorkomen. Dat kunnen we misschien nog steeds voorkomen, denk ik. Luister, als ik nu eens een skybox regel zodat een tiental van uw agenten van Royal Hill kan genieten van onze eerstvolgende thuiswedstrijd? U bent onze gast en ik zorg ervoor dat u een geweldige dag hebt.'

'U bedoelt als ik dit allemaal vergeet?'

'Juist. We zeggen tegen de pers dat de geruchten dat er een graf is gevonden op de middenstip van het veld van London City schromelijk overdreven zijn. Ik vind dat we dat moeten zeggen. Kom, wat vindt u daarvan? Laten we de hele zaak vergeten en naar huis gaan. Lijkt dat niet heel verstandig?'

'Het lijkt op omkoping,' zei Neville stijfjes. 'Ik vrees dat ik in herhaling val, maar er is hier duidelijk een strafbaar feit gepleegd, meneer Manson. En het heeft er zo langzamerhand alle schijn van dat u hier helemaal geen politie over de vloer wilt hebben. Dat verbaast me, eerlijk gezegd, omdat we hier op verzoek van iemand van de club naartoe zijn gekomen.'

'Ik ben bang dat ik dat was,' zei Colin.

'Dat was een begrijpelijke vergissing,' zei ik. 'Net zo goed als het een vergissing was om u kaartjes aan te bieden. Ik denk dat ik de indruk kreeg dat u iemand was die wel iets beters te doen had dan zich verdiepen in de mysteries van een gat in de grond.'

'Weet u wat ik denk? Ik denk dat u een van die mensen bent die niet zo veel ophebben met de politie. Klopt dat, meneer Manson?'

'Luister,' zei ik, 'als u uit bent op een onderscheiding door de politie, ga dan gerust uw gang. Ik probeerde alleen maar te voorkomen dat er kostbare tijd wordt verspild aan iets wat hoogstwaarschijnlijk een willekeurige daad van vandalisme zal blijken te zijn. En ik probeer te voorkomen dat de eigenaar van de club in verlegenheid wordt gebracht. Maar sinds wanneer kan dat de Metropolitan Police iets schelen? Luister, ik denk dat we u alles hebben verteld wat we weten. Ik denk dat wij hier nog minder tijd te verliezen hebben dan u.'

'Ja, dat hebt u duidelijk gemaakt. Een return derde ronde FA CUP tegen Leeds.' Hij glimlachte. 'Ik kom zelf uit Leeds.'

'Dan bent u ver van huis, inspecteur.'

'Dat weet ik maar al te goed. Vooral als ik naar iemand zoals u luister. Ik probeer mijn werk te doen, meneer Manson.'

'Ik ook.'

'Maar om de een of andere reden maakt u het mij moeilijk om mijn werk te doen.'

'Is dat zo?'

'U weet dat dat zo is.'

'Gaat u dan alstublieft naar huis. We hebben het hier niet over *Het mysterie van het Arsenal-stadion.*'

'Is dat niet een oude zwart-witfilm?'

Ik knikte. '1939. Leslie Banks. Waardeloze film eigenlijk. Alleen interessant omdat er een aantal spelers van het Arsenal van toen in speelde. Cliff Bastin, Eddie Hapgood.'

'Als u het zegt, meneer Manson, zal het wel zo zijn. Ik ben niet zo'n voetbalfanaat.'

'Die indruk kreeg ik al.'

Inspecteur Neville dacht even na en wees toen naar mij. 'Wacht eens even. Manson, Manson. U bent toch niet...? Natuurlijk, u bent díé Manson, toch? Scott Manson. U speelde voor Arsenal tot u de gevangenis in ging.'

Ik zei niets. Ik heb ervaren dat dat het beste is wat je kunt doen als je met de politie te maken krijgt.

'Juist.' De spottende uitdrukking op Nevilles gezicht werd nog duidelijker. 'Dat verklaart een hoop.'

# 7

Voordat ik vertel wat mij in 2004 is overkomen, moet ik zeggen dat ik voor een deel zwart ben – meer zoals David James of Clark Carlisle dan Sol Campbell of Didier Drogba, maar het is waarschijnlijk relevant voor wat er is gebeurd. Eigenlijk weet ik dat wel zeker. Ik zie mijzelf niet als iemand die zwart is, maar ik steun campagnes tegen racisme en discriminatie van harte.

Mijn vader Henry is een Schot die voor Heart of Midlothian en Leicester City heeft gespeeld. Hij werd door Willie Ormond geselecteerd voor het Schotse elftal dat in 1974 deelnam aan het WK in Duitsland, het jaar waarin we zo dicht bij de tweede ronde zijn gekomen. Mijn vader speelde niet omdat hij geblesseerd was. Daardoor had hij waarschijnlijk genoeg tijd om mijn moeder te ontmoeten, Ursula Stephens, een voormalige atlete die in 1972 bij de Olympische Spelen in München vierde bij het hoogspringen was geworden en inmiddels voor de Duitse televisie werkte. Ursula is de dochter van een Afrikaans-Amerikaanse luchtmachtofficier die was gelegerd op Ramstein, en een Duitse vrouw uit Kaiserslautern. Zowel mijn ouders als mijn grootouders leven nog.

Na afloop van zijn actieve voetbalcarrière richtte mijn vader een eigen bedrijf voor sportschoenen op in Northampton, waar ik op school heb gezeten, en in Stuttgart. Zijn bedrijf voert als merknaam *Pedila*. Vandaag de dag genereert het bijna een half miljard netto winst per jaar. Ik verdien veel geld als directeur van dat bedrijf. Daarmee kan ik me een flat in Chelsea veroorloven. Mijn vader zegt dat ik fungeer als ambassadeur voor het bedrijf in de wereld van het professionele voetbal. Maar zo is het niet altijd geweest. Eerlijk gezegd ben ik niet altijd de ambassadeur geweest die je zou willen tegenkomen in de toiletten van de suite waar de raad van bestuur vergadert. Om maar te zwijgen van de directiekamer zelf.

In 2003, toen ik 28 was, maakte ik de overstap van Southampton naar Arsenal. Het jaar erna ging ik de gevangenis in, veroordeeld voor een verkrachting waaraan ik niet schuldig was. Wat er gebeurde, was het volgende:

Ik was in die tijd getrouwd met een vrouw die Anne heet. Ze werkte in de modewereld. Het was een fatsoenlijke vrouw, maar om eerlijk te zijn, pasten we niet bij elkaar. Ik hou van kleren en zie er geen been in om tweeduizend uit te geven aan een pak van Richard James, maar in mode ben ik niet geïnteresseerd. Anne vond mensen als Karl Lagerfeld en Marc Jacobs kunstenaars. Ik denk daar iets anders over. Dus terwijl we samen waren, groeiden we al uit elkaar. Ik was ervan overtuigd dat zij een relatie had met iemand anders. Ik probeerde het te negeren, maar dat was moeilijk. We hadden geen kinderen en dat was maar goed ook, want we stevenden regelrecht op een scheiding af.

Hoe dan ook, ik begon om te gaan met een vrouw die Karen heet, een van Annes beste vriendinnen. Mijn eerste fout. Karen was moeder van twee kinderen en getrouwd met een advocaat in sportzaken die kanker had. In het begin bood ik haar alleen troost. Ik nam haar zo nu en dan mee voor een lunch om haar op te vrolijken en zo liep het uit de hand. Daar ben ik niet trots op, maar het is gebeurd. Het enige wat ik kan aanvoeren om mezelf te verdedigen, is dat ik jong en dom was. En inderdaad, eenzaam. Ik was niet geïnteresseerd in het soort vrouwen dat zich in nachtclubs op voetballers stort. Dat heeft me nooit geïnteresseerd. Mijn ergste nachtmerrie is een avond stappen met de jongens. Ik geef de voorkeur aan een dinertje in The Ivy of The Wolseley. Zelfs in de tijd dat ik voor Arsenal speelde, had de club de reputatie dat er stevig werd gedronken. Jongens als Tony Adams en Paul Merson hielpen de club niet alleen aan het nodige zilver voor de prijzenkast – maar ik lag steevast voor middernacht in bed.

Het huis in St. Albans waar Karen woonde, lag dicht bij het trainingscomplex van Arsenal op Shenley, erg handig, en ik maakte er een gewoonte van om op weg naar huis in Hampstead even bij haar langs te gaan. Soms ontaardde dat in meer dan een keurig beleefdheidsbezoekje. Ik denk dat ik verliefd op haar was. Misschien was zij ook wel verliefd op mij. Ik weet niet wat we dachten dat er zou gaan gebeuren. In ieder geval hadden we nooit kunnen bedenken wat er werkelijk gebeurde.

Ik herinner me alles van die dag alsof het met zuur in mijn hersenen is geëtst. Het was zo'n bezoekje na afloop van de training op Shenley op een prachtige dag tegen het einde van het seizoen. Ik kwam na een paar uur Karens huis uit en ontdekte dat mijn auto was gejat, een spiksplinternieuwe Porsche Cayenne Turbo die ik nog maar net had, dus ik was behoorlijk pissig. Tegelijkertijd was ik niet erg happig om aangifte te doen, om de eenvoudige reden dat mijn vrouw het adres zou herkennen als dat van Karen, als het verhaal de kranten zou halen. Dus nam ik de trein, er is een prima treinverbinding tussen St. Albans en Sutton, terug naar huis in Hampstead, en bedacht dat ik net zo goed kon aangeven dat mijn auto daar ergens was gestolen. Mijn tweede fout. Ik was amper thuis toen Karen belde en me vertelde dat de auto weer voor haar deur stond. Eerst geloofde ik haar niet, maar ze las me het kenteken voor en het was inderdaad mijn auto. Me afvragend wat er in hemelsnaam was gebeurd, nam ik een taxi, regelrecht terug naar St. Albans om mijn auto op te halen.

Ik kon mijn geluk niet op toen ik mijn auto zag. Hij was niet op slot, maar er zat geen krasje op. Ik reed meteen weg, omdat ik niet meer in de buurt wilde zijn als Karens echtgenoot thuiskwam, en ik hield mezelf voor dat het waarschijnlijk een paar jongens waren geweest die de auto hadden gepakt voor een joyride, maar hem hadden teruggebracht omdat ze bang waren voor de gevolgen. Merkwaardig genoeg had ik zoiets zelf als jochie ooit gedaan: ik had een scooter gejat en die na een paar uur teruggebracht. Het was naïef om te denken dat iets vergelijkbaars nu was gebeurd, maar ik moet toegeven dat ik echt blij was dat ik mijn geliefde auto terug had. Mijn derde fout.

Toen ik naar huis reed, zag ik een mes op de vloer van de auto liggen. Zonder erbij na te denken, raapte ik het op. Mijn vierde fout. Ik had het mes uit het raam moeten gooien. In plaats daarvan legde ik het in het kastje onder de armsteun. Het kan zijn dat ik van opluchting misschien hier en daar iets te hard heb gereden, maar ik was geen gevaar op de weg, ik had niet gedronken en geen drugs gebruikt.

Ergens in de buurt van Edgware zag ik in mijn achteruitkijkspiegel een auto achter me met zijn lichten knipperen. Ik negeerde de auto, want het wemelt in Londen van de idioten achter het stuur. Ik had geen idee dat het politie in burger was. Toen ik weer keek, in de buurt van Cherry Cross, reed dezelfde auto nog steeds achter me aan, maar nu met een zwaailicht op het dak. Ik had nog steeds geen flauw vermoeden dat er iets ernstigs was gebeurd en zette de auto aan de kant. Je kunt je voorstellen dat ik hogelijk verbaasd was toen ik door twee politieagenten werd beschuldigd van te hard rijden en het negeren van een stopsignaal. Ik werd gearresteerd en geboeid meegevoerd naar Willesden Green, waar ik tot mijn afschuw werd ondervraagd over een verkrachting. Een man 'die aan mijn signalement voldeed', die in mijn auto had gereden – het slachtoffer kon zich het kenteken en het merk herinneren – had een vrouw opgepikt op een tankstation langs de A414 en haar vervolgens in de buurt van Greenwood Park onder bedreiging van een mes verkracht.

Het leed geen enkele twijfel dat mijn auto daarbij betrokken was geweest: op de hoofdsteun werden haren van het slachtoffer aangetroffen, haar slip lag in het dashboardkastje en er was nog meer indirect bewijsmateriaal. Haar bloed en mijn vingerafdrukken zaten natuurlijk op het mes. In hetzelfde dashboardkastje waarin de politie haar slip had gevonden, lag een pakje condooms dat ik bij een tankstation in Shenley had gekocht. Het bonnetje lag nog in de asbak. De pompbediende herinnerde zich dat ik dat pakje condooms daar had gekocht, omdat hij me op MOTD had gezien, toen ik als een kip zonder kop mijn mening verkondigde over een voorval tijdens een wedstrijd tegen Tottenham. Daarover straks meer. In ieder geval ontbraken er twee condooms. De verkrachter had er een gebruikt voor zijn slachtoffer. De andere had ik in mijn portemonnee gestopt toen ik naar Karen ging, maar ik was niet van plan om dat aan de politie te vertellen omdat ik nog steeds hoopte dat ik haar zou kunnen sparen, en nog belangrijker, haar echtgenoot. Het laatste waar die op zat te wachten leek me wel dat zijn vrouw mij een alibi zou verschaffen door te verklaren dat ze overspel met mij had gepleegd terwijl die arme drommel een chemokuur onderging. Mijn vijfde fout.

Het slachtoffer, Helen Fehmiu, een Turkse, was er echter helemaal niet zo zeker van dat ik haar had verkracht. Haar belager had haar een paar keer in het gezicht geslagen, zo hard dat het netvlies van een van haar ogen was losgekomen, maar ze dacht dat hij misschien zwart was geweest, of er een beetje had uitgezien 'als een buitenlander', uit haar mond een opmerkelijke uitspraak. Ze was donkerder dan ik. De politie schoot haar te hulp door haar mijn foto te laten zien op de sportpagina van de kranten, een foto die was gemaakt toen ik mijn verontschuldigingen aanbood voor mijn gedrag na de wedstrijd tegen Tottenham. Een van hun spelers had een schwalbe gemaakt toen ik hem tackelde, de scheidsrechter kende een dubieuze penalty toe en ik begon tegen hem uit te varen, wat me een welverdiende rode kaart opleverde. Arsenal tegen Tottenham is altijd een beladen wedstrijd, om het zacht uit te drukken.

Hoe dan ook, mevrouw Fehmiu dacht dat ik het *zou kunnen zijn geweest* die haar had verkracht en tegen de achtergrond van het forensische materiaal in mijn auto verhoorde de politie me vervolgens zestien uur lang, waarna er een verslag van het verhoor op papier werd gezet dat op geen enkele manier leek op de bandopnames van het verhoor. In het verslag op papier bekende ik min of meer alles. Ik gaf zelfs toe dat ik net als O.J. Simpson had geprobeerd een auto van de politie die mij achtervolgde, af te schudden. Kort samengevat schreven ze een proces-verbaal in het volste vertrouwen dat de kwaliteit van de bandopnames tijdens het verhoor zo slecht was dat de jury er geen woord van zou kunnen verstaan. Dat bleek inderdaad het geval. De juryleden lieten zich leiden door het proces-verbaal op papier en hoorden me op de band dingen zeggen die nooit waren gezegd. Vreemd maar waar.

Ondertussen kwam aan het licht dat het enige bewijsstuk dat de politie had gevonden dat cruciaal was voor mijn verdediging, was 'zoekgeraakt'. Dat was een gebruikt condoom in Greenwood Park, aangetroffen op de dag van de verkrachting op de plek die het slachtoffer had aangewezen als de plek waar ze was verkracht. Dat condoom had mijn onschuld onomstotelijk kunnen aantonen.

De kranten speelden natuurlijk een rol en nog voordat de rechtszaak plaatsvond droegen de *tabloids* al hun steentje bij aan de Britse rechtspraak. Ze waren er al van overtuigd dat ik een 'monster' was en ze 'onthulden' dat ze me op Highbury Norman Bates noemden vanwege mijn *Psycho*-achtige persoonlijkheid (een schaamteloze leugen) en slaagden er zo in het als een voldongen feit te presenteren dat ik in technisch opzicht een verkrachter was. Zoals gewoonlijk zat het venijn niet in wat ze schreven, maar in wat ze niet schreven. Ze spoorden een ex-vriendinnetje op in Northampton met wie ik een paar dagen voordat ze zestien werd, seks had gehad. Ze schreven er niet bij dat ik toen achttien was en dat zij en ik al meer dan een jaar samen uitgingen. Haar vader – die allesbehalve gelukkig was geweest met iemand die 'meer dan een beetje tegen de teerkwast was aangelopen', ik dus – was erachter gekomen dat we met elkaar naar bed waren geweest en dreigde met een aanklacht wegens seks met een minderjarige, ook al woonde hij in die tijd helemaal niet thuis bij zijn dochter. Het leek volstrekt niet ter zake doende dat zij partij voor mij koos.

Ondanks dat alles werd ik na een proces van twee weken in december 2004 op de dag voor kerst door de rechtbank van St. Albans schuldig bevonden en veroordeeld tot een gevangenisstraf van acht jaar.

Ze stuurden me naar de bajes in Wandsworth. Voor het geval je dat niet weet, het is de grootste gevangenis in het Verenigd Koninkrijk. Daar hebben veel cricketspelers gezeten voor matchfixing. En Oscar Wilde, Ronnie Kray en Julian Assange, maar verbazingwekkend genoeg was ik de eerste profvoetballer die in de Premier League speelde. Ik had het niet slecht in de bajes. Ze praten allemaal graag over voetbal in de gevangenis, zelfs de directeur, en ik heb er veel vrienden gemaakt. Er zit van alles in de bak, niet alleen maar criminelen. Sommigen van die jongens zou ik meer vertrouwen dan ik ooit nog een politieman vertrouw. Dat is ook de reden waarom ik tegenwoordig betrokken ben bij *Kenward Trust*, een organisatie die zich bezighoudt met resocialisatie van mensen die hun straf hebben uitgezeten.

Het verging mij beter dan die arme mevrouw Fehmiu die aan één oog blind werd. Dat had op zich genoeg reden moeten zijn om het proces te heropenen. Drie maanden later maakte ze een einde aan haar leven. Tegelijkertijd volgde ik in Wandsworth een schriftelijke cursus sportmanagement, omdat ik wist dat mijn naam uiteindelijk zou worden gezuiverd. Maar ik had eerlijk gezegd niet kunnen vermoeden dat het zo lang zou duren voordat hij overleed. Psychologisch gezien is het een klotesituatie, dat je hoopt dat de een of andere arme drommel met wiens vrouw je een tijd lang naar bed bent geweest, maar snel doodgaat zodat jij weer vrij kunt komen, maar zo voelde ik het toen wel.

Achttien maanden nadat ze me hadden opgesloten overleed de echtgenoot van Karen aan de gevolgen van kanker. Karen nam meteen contact op met de politie om uit te leggen dat ik bij haar was geweest op het moment van de verkrachting. De politie zei dat de zaak gesloten was en stuurde haar weg.

Ze ging met haar verhaal naar *The Daily Telegraph*, die een campagne startte om mij vrij te krijgen. Vrijwel onmiddellijk kwam aan het licht dat inspecteur Twistleton, die het onderzoek had geleid in de verkrachtingszaak van mevrouw Fehmiu, zich moest verdedigen in zesenvijftig tuchtzaken, waaronder een aanklacht wegens mishandeling van een zwarte politieagent. Het werd vrij snel duidelijk dat Twistleton niet alleen een racist was – op grond van een aantal van de dingen die hij tegen mij had gezegd in mijn cel, was dat voor mij geen verrassing –, hij was bovendien lid van het National Front. Het onvoorstelbare gebeurde: het condoom dat bij de verkrachting was gebruikt, werd gevonden op bureau Willesden, en zelfs na achttien maanden was er genoeg DNA om mij van enige betrokkenheid vrij te pleiten.

Drie rechters van het hof van beroep vernietigden mijn veroordeling en ik werd diezelfde dag vrijgelaten uit mijn cel in het Royal Court of Justice. In aansluiting daarop betaalden acht kranten mij bijna een miljoen pond schadevergoeding wegens aantasting van mijn goede naam. De politie werd veroordeeld tot een schadevergoeding van een half miljoen pond wegens onrechtmatige opsluiting, al werd dat bedrag in hoger beroep gereduceerd tot een ton omdat ik ervoor had gekozen te verzwijgen dat Karen mij een alibi kon verschaffen. Het geld was echter niet belangrijk. Het leed was al geleden. Mijn carrière als actief voetballer was voorbij en zelfs zonder dat ze weet had van Karens rol in mijn leven, was mijn vrouw van mij gescheiden.

Bij mijn vrijlating besloot ik dat ik uit Engeland weg moest. Ik woonde een tijdje bij mijn grootouders in Duitsland en trok toen naar Barcelona om te gaan studeren aan het Cruyff Institute, dat in 2002 werd geopend. Ik had een bachelor in moderne talen gehaald aan de Universiteit van Birmingham, dus sprak ik een beetje Spaans. In Barcelona, mijn favoriete stad in Europa, volgde ik een opleiding van een jaar in sportmanagement en aansluitend een van acht maanden in voetbalmanagement. In 2010 kreeg ik mijn UEFA-certificaten en begon ik als assistent-trainer van Pep Guardiola bij F.C. Barca. In 2011 werd ik veldtrainer van het eerste elftal van Bayern München en werkte ik samen met Jupp Heynckes, een oude vriend van mijn vader. Ze maakten beiden deel uit van de selectie voor het WK '74, al was Jupp net als mijn vader geblesseerd en bracht hij het grootste deel van het toernooi door op de bank.

Ik dacht echter vaak terug aan die arme mevrouw Fehmiu. De enige keer dat ik haar ooit had gezien, was in de rechtszaal, en ik voelde de pijn die zij leed. Een paar jaar geleden ben ik betrokken geraakt bij een ander goed doel, dat Rape Crisis heet. Ik steun het oprichten van een centrum van Rape Crisis in Camden financieel, omdat ik het gevoel heb dat ik ook een slachtoffer ben van de man die mevrouw Fehmiu verkrachtte – een slachtoffer van de man die haar verkrachtte, van de kranten en de Metropolitan Police.

Ik probeer me te wapenen tegen gevoelens van bitterheid over het gebeurde. Ik zeg tegen mezelf dat het tot op zekere hoogte mijn eigen schuld was. En toch voel ik een bepaalde wrok. Ik weet dat ik het achter me moet laten, en misschien lukt dat me op den duur ook wel. Maar er is een groot verschil tussen anderen in dergelijke zaken goede raad geven en zelf naar die raad leven. Toch heb ik er één ding van geleerd dat ik aan al mijn spelers probeer door te geven: als het ergste je al is overkomen, kan niets je nog deren. Dat is een waarheid als een koe die net zo geldig is op het voetbalveld als in het echte leven. Omdat je altijd een nieuwe kans krijgt.

Ik ben geen voetbalfilosoof zoals João Zarco, begrijp je.

Voor mij is het managen van een voetbalelftal gewoon een kwestie van gezond verstand met een sjaaltje om.

# 8

De volgende dag ging ik terug naar Silvertown Dock en keek ik samen met Colin Evans en João Zarco nog een keer naar het gat. Het was koud en de lucht boven het stadion had een deprimerende grijze januarikleur. Het regende niet meer en de politie was vertrokken, maar de horde verslaggevers, die zich al hadden uitgeleefd op de dood van Drenno en de Siciliaanse boodschap aan het adres van Viktor Sokolnikov, was er nog steeds. Gelukkig had ik hem zelf het nieuws niet hoeven te vertellen, want hij had het al online gelezen en hij zei tegen mij dat een dergelijke boodschap een belachelijk idee was.

'Als je iemand dood wilt hebben, daar waar ik vandaan kom, stuur je hem niet eerst een boodschap,' had hij gezegd. 'En zeker niet zoiets dramatisch als dit. Het oogt als iets uit een boek van Mario Puzo. Ik waardeer het dat je belt, Scott, en dat je je zorgen maakt over mijn reputatie, maar het is niet nodig. Ik kan je verzekeren dat ik goede beveiliging heb.'

Dat was waar. Sokolnikov omringde zich bij alles wat hij deed met minstens vier lijfwachten. Een van hen was een voormalige Russische bokser die onder de tattoos zat en eruitzag als de grote gemene broer van Vinnie Jones.

Nu stond Zarco in het gat te staren. Hij schudde zijn hoofd.

'Voetbal,' zei hij, 'is natuurlijk een primitieve stammenstrijd. En dit soort dingen wordt gedaan door primitieve stammen, toch? De mensheid heeft er miljoenen jaren over gedaan om te evolueren van wilden en beesten, maar het kost maar negentig minuten op een zaterdagmiddag om dat allemaal weer ongedaan te maken.' Hij keek Colin aan. 'Kun je die plag weer op zijn plek krijgen, Colin? Voordat we tegen Newcastle spelen?'

'Makkelijk is anders,' zei Colin, 'Maar ik kan het repareren. Graszoden hebben zeven tot tien dagen nodig om te wortelen. Ik maak me alleen wel zorgen over de politie, baas. Dat ik er problemen mee krijg. Er is hier een misdrijf gepleegd, toch? Veronderstel dat die inspecteur Neville erachter komt dat ik dat gat weer heb dichtgegooid? Veronderstel dat hij vanochtend terugkomt?'

Zarco trok een grimas. Zijn gezicht was zo plooibaar als dat van een komiek.

'Om nog een keer naar dat gat te kijken?' zei hij. 'Het is alleen maar een stom gat in de grond, toch? Bovendien is dat gat niet van hem, het is van ons. En het hoort niet midden op een voetbalveld.'

'Moet je hem horen,' zei ik tegen Colin. 'Het is net Bernard Cribbins.'

Colin wist dat ik een grapje maakte, al begreep hij niet dat ik het had over het liedje *Hole in the Ground* van Cribbins. Ik maak vaak dergelijke grappen, die niemand begrijpt. Zo gaat dat als je ouder wordt. Zarco kon me ook niet volgen, maar die is dan ook Portugees.

'Dichtgooien en repareren,' zei ik tegen Colin. 'Ik neem de verantwoording op me. Zeg dat maar tegen hem. Maar voordat je het gat dichtgooit, moet je misschien toch eerst nog wat dieper graven. Het kan best zijn dat je de mensen die dit hebben gedaan, stoorde op het moment dat zij al weer bezig waren het gat dicht te gooien.'

'Ik kan je niet volgen, Scott.'

'Denk eens na, Colin. Meestal graven mensen een graf omdat ze er iets in willen begraven. Iets of iemand.'

'Je bedoelt...?' De man uit Wales keek vol afschuw naar het gat.

'Dat bedoel ik, Colin, dat bedoel ik.'

Zarco grijnsde. 'Misschien denkt Scott wel dat je daar Yorick aantreft,' zei hij.

'Wie?'

'Terry Yorick,' zei ik. 'Verdedigende middenvelder van Leeds United. Zijn dochter Gabby presenteerde voetbal op tv. Een aardig stuk. Fraai loopwerk. Ik kijk veel minder nu zij niet meer op tv is.'

Zarco lachte om de uitdrukking van steeds meer onbegrip op het gezicht van Colin en liep naar de spelerstunnel. Ik liep achter hem aan.

'Helaas, arme Terry Yorick,' zei ik. 'Hij kwam ook uit Wales, de sukkel.'

'*To be or not to be.*' Dat was Zarco's manier om mij te laten weten dat hij de toespeling op Hamlet in tegenstelling tot Colin wel had begrepen. 'Weet je, iemand die er zo over denkt als Hamlet, is vast supporter van een voetbalclub geweest.'

'F.C. Kopenhagen waarschijnlijk.'

'Oké, Scott, heb je de conditie- en blessurerapporten van vandaag voor me?'

'Op je bureau, baas.'

'Goed.' Zarco's telefoon piepte. Hij keek op het scherm en knikte. 'Paolo Gentile. Uitstekend. Het lijkt erop dat we een Schotse keeper hebben. Laten we hopen dat hij zo goed is als jij beweert. Het enige wat we nu nog nodig hebben, is een tolk. Ik kon geen fucking woord verstaan van wat hij zei. Behalve dat ene woord. Fucking.'

'Ik tolk wel. Ik spreek goed Schots.'

'Dat lucht op.'

'Ik dacht dat Dennis Kampfner zijn transfer deed?'

'Viktor vertrouwt hem niet, dus heeft hij zijn eigen agent opgetrommeld. Paolo Gentile.'

'Dat is ook jouw agent, toch?'

'Ja, en?' Zarco's telefoon piepte opnieuw. 'En wie mag dit wel zijn? De BBC. *Strictly Come Dancing.* Ze willen dat ik meedoe aan de nieuwe serie. Iedere keer zeg ik nee en dan bieden ze me meer geld. Alsof dat helpt.'

'Ik wil wedden dat je de sterren van de hemel danst.'

'Ik heb een hekel aan die troep. Ik heb een hekel aan al die stomme shows. Geef mij maar een boek.'

Ik keek over mijn schouder en zag dat Colin al in het gat stond te wroeten.

'Arme Colin,' zei ik. 'Begin tegen hem over graszaad en hij praat je urenlang de oren van je hoofd, maar hij heeft in zijn hele leven vast nog nooit een boek gelezen.'

'Hij leest. Hij heeft een boek in het toilet bij zijn kantoortje liggen.'

'O?'

'Ja. Let wel, het is een shitboek. Misschien gebruikt hij het als er geen wc-papier meer is. Het is jouw boek, *Gemeen spel.*'

Ik grijnsde. 'Ik heb mijn boek in ieder geval zelf geschreven, baas.'

Zarco lachte. 'Val dood, Scott.'

'Weet je? Het is jammer dat ik er niet eerder aan gedacht heb,' zei ik. 'Maar ik wou dat we een van de jongens zo gek hadden gekregen om in dat gat te gaan liggen voordat we er net met Colin gingen kijken. We hadden een beetje zand over hem heen kunnen gooien en die Welshman de schrik van zijn leven kunnen bezorgen.'

'Na wat er gisteren met Drenno is gebeurd? Ik begin me een beetje zorgen over je te maken, Scott. Echt.'

'Drenno zou de eerste zijn geweest om de grap ervan in te zien. Daarom mocht ik hem zo graag.'

'Jij hebt een ziek gevoel voor humor.'

'Dat weet ik. Daarom ben ik jouw elftalcoach, baas. Een ziek gevoel voor humor is absoluut onontbeerlijk als je een club overbetaalde jonge klootzakken traint. Het houdt ze met beide voeten op de grond als je de spot met ze drijft.'

'Klopt. Luister, ik vind het vreselijk van Drenno. Ik weet dat jullie vrienden waren. Het was een fantastische voetballer.'

'Alleen niet erg verstandig.' Ik haalde mijn schouders op. 'Sonja denkt dat het onvermijdelijk was dat zoiets als dit een keer zou gebeuren. Ze heeft het eigenlijk min of meer voorspeld.'

'Vraag eens of ze de uitslag van de wedstrijd van zondag weet. Ik kan wel een beetje hulp van boven gebruiken.'

'Dat heeft ze al gezegd. We winnen met 4-0.'

'Mooi. Koop namens mij nog maar een verlaat kerstcadeautje voor haar.'

Ik zuchtte. 'Ik zal nooit vergeten wat ik met kerst van Drenno kreeg toen we voor Arsenal speelden. Een fles zonnebrandolie.'

We lachten nog steeds toen we bij de tunnel aankwamen. Maar de lach stokte ons in de keel toen we achter ons een kreet hoorden en Colin naar ons toe zagen rennen met iets vierkants in zijn hand.

'Je had gelijk, Scott. Er lag echt iets in dat graf. Dit.'

'Het is geen graf,' zei ik. 'Het is een gat. Onthoud dat.'

Hij gaf me een ingelijste foto. Op het glas zaten vegen zand en modder, maar het was duidelijk te zien wie er op de foto stond. Het was een foto van João Gonzales Zarco, de foto die op de omslag stond van zijn autobiografie: *Geen spelletjes, gewoon voetbal.*

Zarco pakte de foto uit mijn handen en knikte. 'Lag dit in het gat?'
Colin knikte. 'De regen van vannacht moet er zand overheen hebben gespoeld. Daardoor hebben we het eerder niet gezien. Het is maar goed dat je voorstelde om nog wat dieper te graven, Scott, anders hadden we dit misschien wel nooit gevonden.'

'Ja, misschien,' zei ik aarzelend.

'Het is een mooie foto,' zei Zarco. 'Hij is genomen door Mario Testino. Ik lijk wel een beetje op Bruce Willis, vind je niet?'

Ik zei niets.

'Kijk niet zo zorgelijk, Scott,' zei Zarco. 'Zoiets als dit raakt me niet in het minst. Ik heb het je al eerder verteld: bij tijd en wijle zijn voetbalsupporters net wilden. In Nou Camp gooiden ze een varkenskop op het veld toen Luis Figo een corner wilde nemen. En je zou die idioten bij Galatasaray, Coritiba en River Plate eens bezig moeten zien. Daar gebeurt dit soort dingen waarschijnlijk om de haverklap. Maar ik werk in Engeland en ik verdien mijn geld in Engeland, niet in zo'n land waar voetballers soms voor hun leven moeten vrezen. Dit land houdt goede normen in stand. De mensen die dit hebben gedaan, zijn de uitzondering op de regel. Ik maak me zorgen over Leeds, morgen. Ze doen het altijd goed voor de beker. Manchester United in 1972. Arsenal in 2011. Tottenham in 2013. En de beste finale van de FA CUP die ik ooit heb gezien, was een bandopname van Chelsea tegen Leeds in 1970. Dat was nog eens een fucking voetbalwedstrijd.'

Colin knikte. 'Twee-twee gelijkspel. Chelsea won in de replay. De eerste replay sinds 1912.'

Zarco grijnsde. 'Zie je wel dat hij leest?' Hij gaf de foto terug aan Colin. 'Houd hem maar. Een herinnering. Hang hem maar boven je bureau om de rest van de terreinknechten angst aan te jagen.'

'Moeten we dit niet doorgeven aan de politie?' vroeg Colin. 'Dat we jouw foto in dat gat hebben gevonden, bedoel ik.'

'Nee,' zei Zarco. 'Aan niemand vertellen, anders zit de pers er meteen bovenop. Het is al erg genoeg dat ze weten dat ik ben gevraagd voor *Strictly Come Dancing*. Daar hoeven ze dit niet nog eens bij te weten. En vertel het zeker niet aan Mario Testino. Die krijgt een hartaanval als hij het hoort.'

'Mijn vrouw is dol op die show, ' bekende Colin. 'Je zou mee moeten doen, baas.'

'Met alle respect voor je vrouw, Colin. Ik ben voetbalmanager, geen *bandido burro*.'

Hij keek opnieuw op zijn telefoon. 'Fuck,' zei hij. 'Mijn aannemer weer. Shit, die kerel belt me vaker dan mijn vrouw.'

Zarco had een huis gekocht in Pimlico en liet dat uitgebreid verbouwen. Er kwam onder andere een compleet nieuwe voorgevel, ontworpen door Tony Owen Partners in Sydney, Australië. In de gevel was een uiterst modern Moebius-venster gepland, waar Zarco's buren, en natuurlijk ook *The Daily Mail*, minder blij mee bleken te zijn. De schetsen die ik van de nieuwe gevel had gezien in de kranten, deden me denken aan het J.P. Morgan Media Centre op Lord's Cricket Ground.

'Dat komt doordat jouw vrouw bij mij thuis zit,' zei ik. 'Voor een beetje rust en vrede, om maar te zwijgen van goede seks. En om bij jou uit de buurt te zijn. Net als iedereen heeft ze een hekel aan je.'

'Die architect was een idee van Toyah, niet van mij,' zei Zarco. 'Ik zei tegen haar: als jij een huis wilt dat er Australisch uitziet, moet je in Australië gaan wonen. We zijn hier in Londen. Hier woon ik en hier verdien ik mijn geld. Ik wil een huis dat eruitziet als een huis in Londen en niet als het Opera House in Sydney. Maar dat is niet goed genoeg voor haar en meestal krijgt zij haar zin. Ik zweer je dat ik nog nooit een voetballer heb meegemaakt die lastiger is dan die vrouw.'

'Daarom houden we van ze, toch? Omdat het geen voetballers zijn. Het zijn vrouwen, ze ruiken lekker en hebben mooie benen. Daarom kopen we dure kerstcadeautjes voor ze.'

'Wie zegt dat ik dure kerstcadeautjes voor haar koop? Dat doe jij, Scott, ik niet. Ik koop geen cadeautjes voor vrouwen. Daar heb ik geen tijd voor. Jij houdt van cadeautjes kopen.'

'Maar je hebt toch wel íéts voor haar gekocht?'

Zarco grijnsde. 'Toyah is met Zarco getrouwd. Ze heeft geen kerstcadeautje nodig.'

# 9

Elland Road, de thuishaven van Leeds United, is in januari geen plek voor watjes. Zelfs overdag midden in de zomer is het er naargeestig, maar in de winter staat er een noordwestenwind van de Yorkshire Dales die je alle moed in de schoenen doet zinken. Helemaal als je je realiseert dat het stadion pal naast het Cottingly Crematorium ligt. Ze zeggen dat je soms, als de wind uit de verkeerde hoek waait, de penetrante geur van een herdenkingsdienst in de middag op kunt snuiven. Er werd bijna nooit mooi gespeeld in Leeds, zeker niet in de jaren zeventig toen Billy Bremner aanvoerder was en Leeds een van de gemeenste ploegen van de Premier League was. Ik heb de littekens op mijn schenen staan die aantonen dat het in de jaren negentig en de eerste jaren van deze eeuw niet veel beter was toen David O'Leary er manager was, en jongens als Jonathan Woodgate en Lee Bowyer deel uitmaakten van de selectie.

Hoewel mijn vader Billy Bremner heel goed kende – Bremner was aanvoerder van het Schotse elftal tijdens het WK '74 – heb ik de man slechts één keer ontmoet, niet lang voor zijn vroegtijdig overlijden in 1997. Ik breng Billy Bremner ter sprake, omdat ik vind dat er iets heel erg fout is aan het standbeeld van Billy buiten Leeds United Football Ground, op Elland Road. Ik geef alleen maar mijn mening, maar Billy Bremner ziet eruit alsof hij zwart is. In werkelijkheid had de kleine Schot, geboren in de buurt van Stirling, een fletse, bleke huid en rood haar. Ik weet niet waarom de Billy op Ellan Road eruitziet als een zwarte, maar het lijkt wel alsof hij gedeeltelijk is gecremeerd in het crematorium daar. De kleur van zijn haar klopt, toevallig, en de kleur van het shirt van Leeds ook, maar iedere keer dat ik het beeld zie, moet ik lachen omdat ik zeker weet dat Billy er een bloedhekel aan zou hebben. Zelfs het standbeeld van Michael Jackson dat bij Craven Cottage stond, was een getrouwere kopie van de werkelijkheid dan het standbeeld van Billy. Gek genoeg is Billy zwarter dan Michael, al is dat misschien ook wel weer niet zó gek. Hoe dan ook, Billy ziet er eng uit, als een stompzinnig kunstwerk van Jeff Koons, of het beeld van een heilige op een graftombe op Cuba of Haïti, alsof hij zo tot leven kan komen en de tegenstander die naar Elland Road komt om tegen Leeds te spelen, kan slaan met de toorn van God en voodoo. Misschien is dat de bedoeling. Als dat zo is, zou het misschien wel beter werken als de supporters voor aanvang van de wedstrijd een keer met het beeld om het veld zouden marcheren, want het werkte in ieder geval niet toen London City er op bezoek kwam voor de return van de derde ronde League Cup.

Niets hielp ze.

Zelfs een uitermate smakeloos lied over Zarco niet, dat door de supporters van Leeds ten gehore werd gebracht.

Het was de tweede verliespartij van Leeds in het nieuwe jaar, dat nog maar zeven dagen oud was, en het slechtste resultaat sinds ze in maart 2012 met 7-3 hadden verloren van Nottingham Forest. Christoph Bündchen, die Ayrton Taylor verving als diepe spits, vergastte de supporters van City met een laat cadeautje voor Driekoningen in de vorm van vijf goals van de acht waarmee Leeds zonder weerwoord werd verpletterd. Het was de grootste overwinning in de geschiedenis van onze club. Een mooie bijkomstigheid was dat Viktor Sokolnikov in zijn Boeing 767 vanuit de Caraïbische Zee was overgekomen om de wedstrijd te zien.

Bündchen was de held van City, maar Juan-Luis Dominguin scoorde ook twee keer, nadat Xavier Pepe de eerste van de avond had gemaakt met een schot van veertig meter, een goal die nu al aanspraak kan maken op de titel 'mooiste goal van het seizoen'. Een goal van de bovenste plank die uit het niets kwam, een streep. Je kon de goal van Pepe onmogelijk een gelukstreffer noemen. Het zwabberschot waarmee Andrea Pirlo in 2010 voor Milaan tegen Parma scoorde, leek in vergelijking hiermee meer op een wanhoopsschot. Dit was iets heel anders. Met gebogen hoofd en elke zenuw in zijn lijf gespannen wist Pepe heel goed wat hij deed en de bal ging als een kanonskogel door de lucht. Tegen de tijd dat de keeper van Leeds, Paddy Kenny, in beweging kwam, lag de bal al achter hem in de kruising tegen het net. Het is niet zo verbazingwekkend dat Bloomberg Pepe onlangs als zevende op de lijst met beste Europese voetballers zette.

Het was echter Christoph Bündchen die de manager van Leeds nachtmerries bezorgde. En misschien wel niet alleen hem. Bündchen is net eenentwintig en is nog niet eens geselecteerd voor het Duitse elftal. Dat deed mij denken dat als Joachim Löw, de bondscoach van Duitsland, in zijn elftal nog geen plek heeft kunnen vinden voor iemand die zo gemakkelijk scoort als Bündchen, het Engelse elftal van Roy Hodgson wel heel beducht mag zijn voor de spelers die Löw wel heeft opgesteld. Natuurlijk, de eerste goal die Bündchen maakte, was een goed genomen penalty nadat Pepe in het strafschopgebied tegen het gras ging na een onhandige tackle bij een stand van 'slechts' 3-0, maar de vier goals die de jonge Duitser daarna scoorde, waren van uitzonderlijke klasse. Op een gegeven moment had het veel weg van een wedstrijd van Leeds tegen Christoph Bündchen die, onbegrijpelijk, nog helemaal niet voorkomt op de lijsten van Bloomberg. Wat het voor mij persoonlijk nog bevredigender maakte, was dat ik Zarco had overtuigd om hem afgelopen zomer voor vier miljoen pond los te weken van Augsburg.

Je kon onmogelijk beweren dat Leeds verzuimde om kansen te benutten. In feite had de ploeg in de hele wedstrijd maar één kans gehad, niet lang na de goal van Pepe. Lewis Walters onderschepte een slordige pass van Ross Field, die bij ons centraal achterin speelde, en stiftte de bal over onze reservekeeper Roberto Forlan, die de rest van de avond vrijwel niets te doen had, maar in dit geval werd geholpen door onze altijd betrouwbare aanvoerder Ken Okri, die de bal van de lijn roeide.

Bij de rust was het 4-0 en de jongens leken precies te gaan doen wat Zarco hun opdroeg: maak er een feest van en doe wat je de eerste helft hebt gedaan nog eens over.

In de tweede helft vormde Leeds geen enkele bedreiging. De vijfde goal viel binnen luttele seconden na het fluitsignaal, toen een nieuw ziedend schot van Pepe bekwaam werd gestopt door Paddy Kenny. Hij rolde de bal uit naar Kevin Beech, die onmiddellijk op de huid werd gezeten door Bündchen. Beech probeerde wanhopig de bal in de breedte naar Stefan Signoret te spelen, maar Bündchen doorzag zijn opzet alsof die in letters van een meter hoog op het reclamebord werd aangekondigd. Hij onderschepte de bal in de loop, legde de arme keeper in de luren met een schijnbeweging en tikte de bal over de lijn. Vijf-nul.

De derde goal die Bündchen maakte, was een kwestie van pure magie. Des te indrukwekkender door zijn uitzonderlijk lange pas. Bündchen is een flink eind langer dan een meter tachtig en heeft een postuur dat meer aan een verdediger doet denken dan aan een aanvaller. Dat maakt het nogal intimiderend als hij in volle run recht op je af komt. De Duitser voerde een ware hordenloop uit over uitgestoken benen die stuk voor stuk een penalty waard waren, maakte schijnbewegingen die spelers van Leeds deden lijken op peuters in kinderstoelen, en kapte en draaide minstens drie keer een andere kant op voordat hij de ruimte vond voor een schot dat hij uit het gras leek op te graven. De keeper bleef op zijn rug liggen met zijn handen voor zijn gezicht. Het leek alsof hij maar eens controleerde of hij met zijn handen nog wel iets kon vasthouden wat rond was. Zarco rende feestvierend door zijn coachvak, liet zich op zijn knieën vallen en gleed een paar meter door. Hij ruïneerde de broek van een mooi pak en vertoonde verdacht veel overeenkomsten met iemand die in training is voor *Strictly Come Dancing*.

Met nog een kwartier te spelen verliet een stroom supporters van Leeds de tribunes op weg naar de uitgang, alsof ze passagier waren op de Titanic terwijl de reddingssloepen al weg waren. Waarschijnlijk keek niemand er nog van op toen Bündchen zich achter de bal zette om een vrije schop te nemen en prompt opnieuw scoorde met een lage schuiver onder het muurtje door, dat als één man opsprong om een hoge bal richting de kruising weg te koppen.

We waren in de dug-out nog druk bezig om die goal te vieren toen Christoph de laatste goal van de wedstrijd scoorde. Pure slapstick: Dominguin ving een bal op die door Paddy Kenny van de lijn was gehaald, en volleerde hem in één keer door naar Bündchen, alsof hij wilde bevestigen dat daar een speler liep in de vorm van zijn leven. Het Duitse wonderkind ging zonder omhaal op de keeper af met de bal balancerend op zijn hoofd om precies op het juiste moment de bal op zijn voet te laten vallen en langs de keeper in de goal te tikken.

Ze zeggen dat de FA CUP niet meer is wat hij was, dat het vele extra geld dat in de Premier League kan worden opgehaald, betekent dat niemand nog veel waarde hecht aan de FA CUP, maar zo voelde dat niet voor ons. Nooit heeft een koude avond in januari zo goed gevoeld als die dag in Leeds. We namen de bal mee toen we in de bus stapten die ons naar Leeds Bradford International Airport zou brengen en gaven hem cadeau aan Christoph, die hem op zijn beurt, met een diplomatiek gebaar dat ongekend was voor zijn leeftijd, prompt cadeau deed aan de absurd dankbare Oekraïense eigenaar van de club. Toen we wegreden, was het net alsof Billy Bremner zijn beide vuisten balde naar de lucht en de wispelturige goden die het voetbal bestieren.

In de bus moest ik me al bezighouden met een waslijst aan blessures, bijna even lang als de gezichten van de Leeds-supporters bij het stadion.

De ergste blessure was die van onze centrale verdediger Gary Ferguson, wiens enkel weer op slot was gegaan.

'Er is geen sprake van diffuse idiopathische skeletale hyperostose,' legde Nick Scott uit. Nick Scott is de teamarts. 'Hij is alleen maar overbelast. Dat is een goed teken.'

'Shit,' zei ik, terwijl ik wist dat Ferguson, afkomstig uit Liverpool, pal achter me zat. 'Het enige wat ik daarvan begrijp is dat hij een idioot is.'

'Waarschijnlijk zwerven er alleen een paar osteofyten rond in het gewricht, waardoor zijn enkel gaat vastzitten.'

'Dat verklaart waarom zijn passing zo slecht was,' zei ik.

'Bedankt,' zei Ferguson. 'Ik deed mijn best.'

'Dat weet ik, daarom was het zo pijnlijk om naar te kijken.'

'We moeten er dit keer een röntgenfoto van maken,' zei de arts. 'Ik ben bang dat we niet verder komen met ontstekingsremmers.'

'We kunnen de klootzak ook gewoon afmaken,' zei ik. 'Dat is misschien wel veel barmhartiger. En goedkoper.'

Osteofyten. Vroeger noemden we die botsplinters of papegaaienbekken, maar hoe je ze ook noemt, het resultaat is het hetzelfde: ze beperken de mobiliteit van het gewricht enorm en doen vreselijk pijn. Ik weet precies hoe dat voelt omdat mijn eigen enkels er na tien jaar voetbal ook niet al te best aan toe waren. Soms denk ik wel eens dat ik geluk heb gehad dat ze me hebben opgesloten, zodat ik niet tot in de dertig ben blijven voetballen met behulp van injecties met corticosteroïden in mijn ouder wordende gewrichten. Ik hobbel nu al 's morgens door de flat alsof ik op zoek ben naar mijn rollator. Een paar jaar geleden zag ik Tommy Smith een speech houden bij een diner. Het was schokkend om te zien hoe de hardste voetballer die ooit aanvoerder is geweest van Liverpool, nu krukken of een rolstoel nodig heeft om zich te verplaatsen. Het is iets wat je liever niet wilt horen, maar tegenwoordig kun je zelfs als sportman invalide raken.

'Zoiets noem je een pyrrusoverwinning,' zei ik tegen de pil. 'Het is de vloek van Billy Bremner.'

'Wie is Billy Bremner?' vroeg Ferguson.

'Een zwarte jongen die ooit voor Leeds heeft gespeeld,' legde ik geduldig uit.

'En wat is een pyrrusoverwinning?'

Ik zag het nut er niet van in om een lesje geschiedenis te verspillen aan iemand voor wie Napoleon een merk cognac was en Nelson een fucking worstelaar. Het is waar dat ik een universitaire graad heb, maar die heb ik gehaald in Birmingham, niet in Oxford of Cambridge, en hoewel ik denk dat mijn intelligentie bovengemiddeld is, vergeleken bij sommige van de jongens in ons elftal ben ik een ware Richard Dawkins.

'Dat betekent een overwinning die zo verdomd goed is dat je er een stijve van krijgt,' zei ik.

Nog voordat we de luchthaven hadden bereikt, sloeg het weer plotseling om. De spelersbus leek ineens wel onze eigen privésneeuwbol.

# 10

We waren laat terug uit Leeds. Onze vlucht liep vertraging op door de sneeuw. Zoals gewoonlijk maalden mijn hersens na de wedstrijd en het was bijna twee uur toen ik naar bed ging. In de logeerkamer, om Sonja niet wakker te maken. Zij slaapt heel licht. Toen ik de volgende ochtend wakker werd, was zij al naar haar werk – ze heeft een praktijk in Knightsbridge, waar ze mensen behandelt met eetstoornissen, mensen die te dik zijn of aan anorexia lijden. Het drong tot me door dat er iemand aanbelde.

Ik gleed uit bed, hobbelde naar de intercom en zag een vrouw die in de camera staarde. Even dacht ik dat het een patiënt van Sonja moest zijn, maar zij was niet dik en niet mager. Ze had precies het juiste postuur.

'Scott Manson?'

'Ja?'

'Het spijt me dat ik je stoor. Maar we hadden een afspraak om tien uur vanochtend. Ik ben inspecteur Louise Considine, van bureau Brent. Ik onderzoek de dood van Matt Drennan.'

'Juist. Het spijt me. Het is laat geworden gisteravond. Kom maar boven.'

Ik drukte op de knop om de deur voor haar open te maken, schoot een spijkerbroek en een trui aan en goot mineraalwater uit een fles in mijn magische koffiezetapparaat van bijna vierduizend pond, dat met één druk op de knop van bonen een kop koffie maakt. Het was het pronkstuk van mijn keuken. Ik kan niet zo best koken, maar ik maak een heerlijke café latte.

Ze was aangenamer om naar te kijken dan de meeste politieagenten die ik ben tegengekomen – en geloof me maar, ik heb er al heel wat gezien. Ze had een gezonde uitstraling, een beetje feeachtig. Ze had lang blond haar, grote blauwe ogen en een neus die een beetje puntig was. Ze droeg een kort grijs jasje en leren handschoenen.

'Was je het vergeten? Dat we een afspraak hadden? O jee, het spijt me. Je ziet eruit alsof je het vergeten was.'

'We moesten gisteravond spelen. En onze vlucht terug liep vertraging op door de sneeuw. Maar trek je jas uit en ga zitten.'

'Bedankt.'

'Wil je koffie?'

'Graag, als je toch zet. Melk, zonder suiker.'

Ik knikte en drukte op een schakelaar op het apparaat.

'Dat ziet er indrukwekkend uit,' zei ze. Ze klonk chic, te chic voor iemand die bij de politie werkte.

'Hij doet alles behalve de kopjes afwassen.'

Ze schudde de jas van haar schouders en bekeek een paar schilderijen aan de muur.

'Deze is goed,' zei ze terwijl ze een groot schilderij bekeek van een man met een boeventronie, een kaalgeschoren schedel, de vuisten geheven. Hij zag eruit als een negentiende-eeuwse vuistvechter. 'Nogal angstaanjagend, niet?'

'Die is van Peter Howson,' zei ik. 'Een Schotse kunstenaar. Ik heb dat schilderij gekocht als herinnering hoe het in de gevangenis was. Ik heb een paar keer een cel gedeeld met zulke kerels. Mannen die altijd bereid zijn om je zonder reden een oplawaai te geven. Iedere keer dat ik naar dat schilderij kijk, zeg ik tegen mezelf hoeveel mazzel ik heb. Dat ik de mazzel heb gehad dat ik dat allemaal achter me heb kunnen laten. In tegenstelling tot bijna iedereen die uit de bak komt.'

'Dit is een mooie flat, Scott. Je hebt smaak.'

'Voor een voetballer, bedoel je.'

'Je moet vast rijk zijn om hier te wonen.'

'Voetbal is alleen maar mijn werk,' zei ik. 'Geld verdien ik met iets anders waarvoor ik geen poot hoef uit te steken.'

'Ja, je bent directeur bij Pedila Sportschoenen.' Ze glimlachte. 'Ik heb je gegoogeld. Dat was gemakkelijker dan je telefoon afluisteren of je vierentwintig uur per dag laten volgen. Vandaag de dag wordt het meeste politiewerk gedaan met webcrawlers en hyperlinks, html en metatags.'

'Dat verklaart waarom je er niet uitziet als iemand van de politie.'

Ze glimlachte. 'Hoe zien mensen van de politie eruit?'

'Niet zoals jij. Jij ziet eruit alsof je net bent afgestudeerd in de rechten.' Ik glimlachte ook. 'Ik heb je visitekaartje gelezen. Of tenminste, je digitale kaartje op mijn iPhone. Bachelor, toch?'

Ze trok een wenkbrauw op. 'Ik heb net zulke erge platvoeten als een oude veteraan die veertig jaar zijn ronde heeft gelopen, en ik kan ook heel goed "fuck" zeggen. Misschien helpt dat?'

Ik bracht haar de koffie en ging tegenover haar zitten.

'Fuck, dat ding maakt twee koppen koffie in één keer.'

'Tijd kost ook thuis geld.'

'Ja?' Ze proefde haar koffie en knikte instemmend. 'Mm, lekker, ook nog.'

'Javabonen. Van de Algerian Coffee Stores in Soho.'

'Geweldige winkel. Ik waarschuw je: ik kom hier vast weer terug. Dit is veel lekkerder dan dat van mijn eigen koffiewinkeltje.'

'En ik moet jou waarschuwen, want ik ben niet zo dol op de politie.'

'Dat weet ik. Ik ben al gewaarschuwd. Door de commissaris. En na alles wat ik over je gelezen heb, verbaast het me dat er geen gif in de koffie zit.'

Ik glimlachte. 'Wacht maar af, juffrouw Considine.'

'Ik neem het je niet kwalijk dat je zo'n lage dunk hebt van de politie. Ik wil wedden dat ik me ook zo zou voelen als ik ergens onschuldig voor was veroordeeld.'

'Ze hebben mij erin geluisd. Dat is wat er is gebeurd.'

'Maar de Metropolitan Police is niet meer zoals het was, zelfs vergeleken met een paar jaar geleden.'

Ze praatte op een sexy manier, alsof ze wist wat het effect was van haar sensuele mond op zulke doodgewone dingen als woorden. Het leek wel of elke zin eindigde met een pruilmondje. Ze nam een slokje van haar koffie en keek de kamer rond.

'Ik zal maar geloven wat je zegt.'

'Graag. Ik vind het heel erg wat Matt Drennan is overkomen. Maar als ik eerlijk ben, moet ik zeggen dat het enige wat ik van hem weet, is dat hij een reputatie had dat hij altijd dronken was en zichzelf voortdurend in de nesten werkte. Ik vind het moeilijk om iemand die zo'n mislukt leven leidt, te zien als een topsporter.'

'Je moet niet vergeten dat veel voetballers – en dan bedoel ik echt heel veel – niet meer zijn dan uit de kluiten gewassen schooljongens. In ieder elftal zit wel zo'n clown als Drenno was. Maar er is maar zelden een elftal met iemand die zo veel talent heeft als hij had. In zijn tijd was hij misschien wel de beste voetballer van het land. Er zijn een heleboel voetballers die niet deugen, kijk maar naar Sky Sports op tv op zaterdagavond, maar zo was Matt Drennan niet.'

'Ja, ik heb je tweets over hem gelezen. En ik heb een paar goals van hem gezien op YouTube.' Ze haalde haar schouders op alsof ze niet erg onder de indruk was van wat ze had gezien.

'Ben jij supporter van een club?'

'Chelsea.'

'Dat verbaast me niets.'

'Nee? O jee, dan ben ik wel heel voorspelbaar. In tegenstelling tot Matt Drennan. Ik bedoel, ik weet dat hij jouw vriend was en het spijt me dat ik het moet zeggen, maar ik heb altijd gedacht dat het niet goed met hem kon aflopen.'

'Niet op die manier.'

'Nee?'

'Ik had nooit verwacht dat hij zich zou ophangen, als je dat wilt weten.'

Ze knikte. 'Onder andere.'

'Ik neem aan dat er sectie wordt verricht en dat er een onderzoek komt,' zei ik.

Ze knikte opnieuw.

'Word ik opgeroepen als getuige?'

'Misschien. Kende je zijn vrouw ook?'

'Ja. Ik was erbij toen ze trouwden. In feite ben ik er beide keren bij geweest toen hij trouwde.'

'Ze zegt dat ze hem al de deur uit had gegooid. Dit keer voorgoed, volgens haar. En dat was voordat hij haar in elkaar sloeg.'

'Dat had ik begrepen. Hoe gaat het trouwens met haar?'

'Ze is weer thuis. Ze probeert zich de kranten van het lijf te houden en de verslaggevers die op de oprit kamperen.'

'Ik heb geprobeerd haar te bellen, maar...'

'Ze neemt de telefoon niet op. Goed, ik weet dat het misschien moeilijk voor je is, maar ik moet je een paar vragen stellen over toen hij hier was. Per slot van rekening ben jij een van de laatste mensen geweest die Matt Drennan heeft gesproken voordat hij zelfmoord pleegde. Tenminste volgens Maurice McShane. Hij heeft in opdracht van jou contact met ons opgenomen, toch?'

'Ja, ik wilde helpen bij het onderzoek.'

'Natuurlijk.'

'En ik denk dat ik waarschijnlijk inderdaad een van de laatste mensen ben geweest die Matt heeft gezien.'

Ik vertelde haar nauwkeurig wat er was gebeurd.

'Dus hij was dronken en depressief,' zei ze.

Ik knikte. 'Absoluut. Ik heb zelfs aangeboden hem naar de Priory te brengen. Ik kon aan hem zien dat het niet goed ging. Maar dat wilde hij niet. Ik bedoel, hij was dronken, maar ook weer niet zo dronken. Niet voor zijn doen. Ik bedoel, hij kon nog op zijn benen staan. Bovendien was hij al eerder in de Priory geweest en dat had niet geholpen.'

'Heeft hij ook gezegd waarom hij zo depressief was?'

'Hoeveel tijd heb je? Die ruzie met zijn vrouw moet hem depressief hebben gemaakt. Hij was zijn diamanten oorknop kwijt, uit zijn oor. Hij zei dat zijn vrouw een rijlaars naar zijn hoofd had gegooid, maar hij vertelde niet dat hij haar had mishandeld. Ik vermoed dat hem dat een gevangenisstraf had opgeleverd omdat het al eens eerder was gebeurd. Dat zal hem ongetwijfeld ook depressief hebben gemaakt.' Ik haalde mijn schouders op. 'En verder? Dat hij niet meer kon voetballen. Dat hij ouder werd. Zijn gezondheid. Weer aan de drank. Dat hij blut was. Het leven in het algemeen. Het is een typisch voetbalverhaal, ben ik bang. Luister, hij heeft absoluut niet gezegd dat hij zelfmoord zou plegen. Maar als hij dat wel had gedaan, had ik waarschijnlijk niet geweten wat ik eraan had moeten doen.'

'Je had hem hier kunnen houden en het hem misschien uit zijn hoofd kunnen praten.'

'Het is duidelijk dat je Matt Drennan niet hebt gekend. Je kon hem nog niet de kroeg uit praten of voorkomen dat hij nog een laatste potje ging biljarten, laat staan wat jij denkt.'

‘Dus hij heeft niets tegen jou gezegd over zijn beste vriend uit Glasgow, Tommy MacDonald?’

‘Mackie? Helemaal niets.’

‘Je weet dat die in het leger zat. In Afghanistan.’

‘Min of meer. Hé, is er iets gebeurd met Mackie?’

‘Sergeant Thomas MacDonald is afgelopen dinsdag op een bermbom gestapt tijdens een patrouille in de provincie Helmand.’

‘Jezus christus.’

‘Hij is later overleden in het ziekenhuis.’

‘Nee, dat wist ik niet.’ Ik knikte. ‘Maar het verklaart veel van de somberheid van Drenno. Hij zei nooit zo veel over Mackie. Niet tegen mij in ieder geval. Maar ik weet dat Mackie en hij goede vrienden waren. Zelfs partners in de misdaad, zou je kunnen zeggen, want ze kwamen altijd met zijn tweeën in de problemen: vechten, vandalisme, zieke grappen die uit de hand liepen, misdragingen in het algemeen. Het had bijna altijd met drank te maken. Ik denk dat mijn oude club Arsenal behoorlijk opgelucht was toen Mackie in het leger ging. Ze vonden dat hij een slechte invloed had op Drenno. Maar volgens mij was het net andersom. Mackie is in het leger gegaan om Drenno en de drank te ontlopen. Dat zei Drenno tenminste altijd.’

‘Kende je sergeant MacDonald?’

‘Ik heb hem een paar keer ontmoet. Maar ik zou niet zeggen dat we vrienden waren. Dat niet. Eerlijk gezegd mocht ik hem niet. Ik vind het erg dat hij dood is. Hij diende zijn land en daar moet je respect voor hebben.’

‘Waarom mocht je hem niet? Had je daar een reden voor?’

Ik haalde mijn schouders op. ‘Zoals ik al zei, ik vond dat hij een slechte invloed had. Het verbaasde me dat hij het leger in ging. Hij had zijn halve leven lopen teren op Drenno en het was de meest hopeloze idioot die je ooit tegen het lijf kon lopen. Een typische ruziezoekende Schot. Het was voor mij onbegrijpelijk wat hem ertoe had gebracht om zo plotseling in het leger te gaan. Tenzij het zijn bedoeling was om uit de buurt van Drenno te komen.’

‘Vertel eens, wat had Matt Drennan aan toen hij bij jou kwam?’

‘Bedoel je, of hij het shirt van het Engelse elftal aan had?’

‘Nee, ik bedoel: wat had hij aan?’

'Een leren jack. Spijkerbroek. Sportschoenen. Een gewoon wit shirt. Er zat bloed op de kraag. En op zijn oorlel. Dat heb ik al uitgelegd. Had hij echt dat shirt van het Engelse elftal aan toen hij zich ophing?'

'Dat mag ik niet zeggen.'

'Het stond in de *Daily Mail.*'

'Dan zal het vast wel waar zijn.'

'Waarom krijg ik het gevoel dat je geen open kaart met me speelt?'

'In de eerste plaats omdat jij de politie niet mag, dat heb je zelf gezegd. En in de tweede plaats speel ik geen open kaart, omdat ik hier ben om vragen te stellen, niet om vragen te beantwoorden. Het spijt me. Dit is een politieonderzoek naar de dood van een man. Ook al heeft het er alle schijn van dat het om zelfmoord gaat, ik moet me houden aan bepaalde regels voor het verzamelen van bewijsmateriaal. Als politievrouw werk ik met andere normen dan de *Daily Mail.* Luister, ik probeer alleen een beeld op te bouwen van de laatste uren van Matt Drennan, zodat elke mogelijke twijfel wordt uitgesloten. En als dat een nogal omslachtige manier lijkt om de puntjes op de i te zetten, dan moet dat maar. Maar we leven in een tijd van complottheorieën en het zal niet lang duren voordat iemand die het boek *Wie vermoordde Kurt Cobain?* of *Wie vermoordde prinses Diana?* of *Wie vermoordde Michael Jackson?* heeft gelezen, de neiging krijgt om een boek te schrijven met de titel *Wie vermoordde Matt Drennan?* Dat probeer ik te voorkomen. Voor zijn eigen nagedachtenis. Voor de bestwil van zijn familie en vrienden.'

'Oké. En ik waardeer het dat je dat zegt.'

'Daar ben ik blij om. Ik zou het vervelend vinden als je opnieuw een rechtszaak zou aanspannen tegen de Metropolitan Police omdat ik in gebreke was gebleven, of oneerlijk.'

Ik knikte. 'Ik begin te begrijpen waarom ze jou hiernaartoe hebben gestuurd.'

'O, goed zo, dan boeken we vooruitgang.'

'Jij wel, wat de Met betreft weet ik dat nog niet zo.'

'Vind je het erg als ik je een vraag stel die niet erg getuigt van fijngevoeligheid?'

'Bedoel je de vragen over Drenno als mislukkeling?'

'Dat zei ik niet.'

Ik haalde mijn schouders op. 'Ga je gang.'

'Bedankt. Goed. Het gaat hierom: ik ben een beetje in de war. Jij hebt een universitaire graad. Je spreekt een paar talen. Je woont in een appartement van vijftien miljoen pond in Chelsea. Waarom heeft iemand die zo duidelijk succes heeft als jij, nog steeds een vriend die zo'n verschrikkelijke loser is als Matt Drennan?'

'Dat heeft niets met een gebrek aan fijngevoeligheid te maken. Het komt doordat je niet echt weet waar het bij voetbal om draait. Kijk, voetbal is een internationale club, een broederschap, zoiets als de vrijmetselaars. Waar je ook maar komt, je loopt bijna altijd iemand tegen het lijf met wie of tegen wie je hebt gespeeld. Matt Drennan was een voetbalmaatje. Sterker nog, hij was de enige voetbalmaat die bij me op bezoek kwam in de gevangenis. Dat deed hij zelfs terwijl mensen die zich om zijn imago bekommerden, tegen hem zeiden dat hij dat niet moest doen. In die tijd was ik de loser, niet hij. Ik was tuig. Een verkrachter. Dat schilderij van Peter Howson. Zo dachten mensen over mij als ze aan me dachten. Iedereen behalve Drenno. Er zijn niet veel mensen die het weten, maar Drenno raakte een contract voor sponsoring door een farmaceutisch bedrijf kwijt omdat hij mij opzocht in de bak. Dus, ondanks alles wat er niet aan hem deugt, heeft hij een goed hart en daarom hield ik van hem.'

Ze knikte en zette haar koffiekopje op het lage tafeltje voor haar.

'Bedankt voor je hulp,' zei ze. 'En bedankt voor de uitstekende koffie. Tussen twee haakjes, hebben jullie gewonnen gisteravond?'

'Ja, we hebben gewonnen. Acht-nul.' Ik glimlachte. 'En dat is goed, trouwens. Heel goed, voor het geval je je dat zou afvragen.'

# 11

In de week die voorafging aan de wedstrijd tegen Newcastle kwam Kenny Trevor over naar de club en gaf hij zijn eerste interview op het sportkanaal van PressBureauTV. Onze nieuwe keeper was een grote, blonde kerel met een spontane glimlach en een afgrijselijk zwaar Schots accent. Als hij iets zei, was het alsof je Spud Boy hoorde in *Trainspotting*. Zarco stond er dan ook op dat ik samen met hem zou optreden voor de uitgenodigde pers om te tolken, wat de saaie vertoning een komische noot gaf. Voor het overige was het de gebruikelijke flauwekul over hoe Traynor zich echt verheugde 'op de uitdaging van de Premier League en de samenwerking met een manager van wereldklasse als João Zarco'. Toen hem werd gevraagd waarom hij had gekozen voor City en niet voor een club als Man United, zei Traynor niets over de vijftigduizend pond per week, maar weidde hij uit over de kwaliteiten van het elftal en het aantrekkelijke van wonen in een fantastische stad als Londen. Op de vraag wat hij dacht te kunnen bereiken bij een club als City – eigenlijk min of meer dezelfde vraag, als je erover nadenkt – verklaarde Traynor dat hij zo lang mogelijk de nul wilde vasthouden en hoopte een bijdrage te kunnen leveren aan het behalen van het kampioenschap. Champions League… FA CUP… ZZZ.

Traynor en Zarco werden ook gefilmd op de stoep van Hangman's Wood, terwijl ze samen het nieuwe zilverkleurige shirt met Traynors naam erop, dat hij als keeper zou dragen, omhooghielden. Daaraan heb ik in het voetbal de grootste hekel, al die clichés. Dat kun je de voetballers niet kwalijk nemen, de meeste zijn maar gewone jongens. Traynor was nog maar drieëntwintig en hij wist niet beter. Nee, daarvoor zijn die fucking sportverslaggevers verantwoordelijk, die steeds maar dezelfde afgesleten en voorspelbare vragen stellen, waarop steeds maar weer dezelfde clichés als antwoord komen.

Het werd allemaal een beetje interessanter toen Bill Fleming, een doorgewinterde verslaggever van STV in Glasgow, te berde bracht dat het uiterst beledigend was voor Schotse kijkers dat alles wat Kenny Traynor zei, werd 'vertaald in het Engels', alsof Schotten te dom waren om Engels te praten. Zarco bleef even stil en vroeg mij toen om te vertalen wat Fleming had gezegd, met een bulderend gelach tot gevolg. Ik denk dat hij het heel goed had verstaan, maar Zarco's timing bij het maken van grappen was perfect. Hij wachtte tot ik Flemings klacht had herhaald en glimlachte toen.

'Ik wil niemand beledigen,' zei Zarco, 'maar ik heb gehoord dat niet alleen Portugezen moeite hebben met het verstaan van Schotten. De Engelsen vinden het ook lastig. Dus wat is er beledigend aan een tolk? Dat begrijp ik niet. Scott Manson komt uit Schotland en ik begrijp alles wat hij zegt. U, meneer Fleming, komt ook uit Schotland, maar ik begrijp geen woord van wat u zegt. U zegt dat u Engels spreekt, en dat wil ik best geloven, maar zo klinkt het niet in mijn oren. Misschien, beste vriend, ligt het probleem niet bij mij, maar bij u. Misschien moet u beter Engels leren spreken, zoals Scott bijvoorbeeld. Misschien dat dat Kenny ook zal lukken in de tijd dat hij hier voor London City speelt. Ik weet het niet. Ik hoop het, voor zijn bestwil. Jezelf verstaanbaar maken in het buitenland is niet zo moeilijk, denk ik. Maar ik ben geen professor Higgins en het het weer in Spanje interesseert me niet. Ik weet zeker dat ik van Kenny een betere keeper kan maken, maar je moet mij niet vragen voor spraaklessen. Misschien gaat het beter als hij zijn mond een beetje opendoet als hij iets zegt, ik weet het niet. Probeer dat zelf ook eens, Bill.'

Het pleit voor Kenny Traynor dat hij bleef glimlachen terwijl zijn nieuwe baas aan het woord was. Veel van de aanwezigen lachten, maar Bill Fleming hoorde daar niet bij.

Later diezelfde dag speelde taal opnieuw een rol, nu het Duits. Onze nieuwe topspits Christoph Bündchen zocht me op in mijn kantoor op Hangman's Wood. Hij sprak goed Engels, maar om de een of andere reden stond hij erop om Duits te praten, voor het geval iemand ons zou horen.

'Is er iets, Christoph?'

'Nee, niets,' zei hij. 'Maar ik wil graag je advies.'

'Natuurlijk. Zeg het maar.'

'Om te beginnen wil ik je vertellen hoeveel ik van deze club houd en hoe fijn ik het vind om in Londen te wonen.'

Mijn maag speelde een beetje op. Christoph Bündchen was waarschijnlijk een groeibriljant, op wie we ook nog eens goedkoop de hand hadden weten te leggen, maar waar ging dit naartoe? Wat ging hij me vertellen? Dat hij gokverslaafd was, net als 'Fergie Fledgling' Keith Gillespie? Een stille drinker net als Tony Adams? Gokverslaafd en aan de drank net als Paul Merson? Of zou Chelsea de klauwen al naar hem hebben uitgestrekt – daar hadden ze wel een handje van – of een van de andere grote clubs. Al had ik niet zo veel op met het belachelijke verbod van de FA om contractspelers heimelijk te benaderen, want dat gebeurt aan de lopende band. Spelers benaderen zonder dat de club waar hij onder contract staat wordt ingelicht, heeft er altijd al bij gehoord. Ik toverde een magere glimlach op mijn gezicht en probeerde mijn zenuwen in bedwang te houden.

'Dat klinkt onheilspellend. Ga me niet vertellen dat je een transfer wilt naar een andere club. Je bent hier nog maar net en hebt nog maar net laten zien wat je kunt. We hebben je nodig, jongen.'

'Dit is heel moeilijk voor me, Scott.'

'Luister, als het om geld gaat – daar heb ik het al met Zarco over gehad. Hij is ervan overtuigd dat we nog wel ergens tienduizend per week extra voor je kunnen vinden.'

'Dank je, maar het gaat niet om geld. Of een transfer. Het gaat om iets anders. Ik heb het gevoel dat ik niet echt mezelf kan zijn. Ik ben anders dan die andere jongens.'

Hij sloeg zijn armen verdedigend over elkaar, richtte zich op en tikte met een wijsvinger tegen zijn lippen, net zoals Samir Nasri zijn bekende gebaar maakt om tot stilte te manen. (Ik begrijp nog altijd niet waarom hij dat doet. Wie moet er in hemelsnaam zijn fucking mond houden? De supporters?)

'Anders? Hoe anders?'

'Toen ik voor Augsburg speelde, woonde ik in München.'

'Dat weet ik. Daar hebben we elkaar voor het eerst gesproken, weet je nog?'

'Ja, maar wil je ook weten waarom ik in München woonde?'

Even was ik bang dat hij een neonazi was, maar ik verwierp de gedachte meteen weer. Christoph zag er alleen uit als een nazi.

Ik haalde mijn schouders op. 'München is een leukere stad dan Augsburg. Tenminste, dat vind ik.'

'Heb je wel eens gehoord van een wijk in München die het Glockenbachviertel heet?'

'Ja. Trendy wijk. Een heleboel galerieën. Ik ben er vaak geweest, op zoek naar schilderijen.'

Christoph knikte. 'Er wonen veel gays in dat deel van München.' Hij aarzelde even. 'Daarom woonde ik daar, Scott. Omdat ik niet kon leven zoals ik wou in Augsburg. Wat ik bedoel te zeggen, is dat ik in München samenwoonde met een man.'

De moed zonk me in de schoenen. Dit werd op eieren lopen bij het coachen. De enige voetballers die voor zover ik wist ooit uit de kast waren gekomen, waren Thomas Hitzlsperger en Justin Fashanu. Fashanu had zelfmoord gepleegd, nu niet bepaald een lichtend voorbeeld voor andere voetballers die zich geroepen voelden om openlijk voor hun homoseksualiteit uit te komen.

'Juist. Ik begrijp het.'

'Het is gewoon dat meneer Zarco pasgeleden op tv iets zei over het WK in Qatar – over dat hij homo's als vrienden had – dat was heel bemoedigend. En ik dacht dat het bij deze club misschien geen probleem was als je homo was. In tegenstelling tot mijn vorige club, waar ik een leugen overeind moest houden over wie ik was en wat ik was. En dat is moeilijk, hè?'

Ik kromp even in elkaar toen hij Zarco en de Qatari's noemde. Na zijn opmerkingen over het WK 2022 was London City bestookt met bedreigingen door anonieme Arabieren. Er waren drie bommeldingen geweest op Hangman's Wood. Ondertussen bleven de Qatari's stelselmatig onbehoorlijk gedrag ontkennen en had het uitvoerende comité van de FIFA bij de FA een klacht ingediend over Zarco. Als gevolg daarop had de FA zich gedwongen gevoeld om de uitnodiging aan Zarco om zitting te nemen in de denktank rond het Engelse nationale elftal in te trekken. Zarco zou ongetwijfeld op dat alles hebben gereageerd door zijn aantijgingen te herhalen, ware het niet dat Phil Hobday hem had gezegd dat hij zijn mond moest houden.

'Luister, Christoph, als je mij advies vraagt over hoe je je als homo moet gedragen, dan kan ik je dat niet geven. Ik heb een paar vrienden die gay zijn, maar die hebben stuk voor stuk niets met voetbal te maken. Maar als je me vraagt wat ik denk dat je me wilt vragen...'

'Moet ik de jongens in het elftal vertellen dat ik gay ben? Dat wil ik weten. Dat wil ik graag van je horen.'

'Dan is het antwoord: nee, absoluut en keihard nee. Vraag me niet om het te rechtvaardigen, Christoph, want dat kan ik niet, maar homoseksualiteit wordt domweg niet geaccepteerd in het voetbal om de eenvoudige reden dat het spelletje het laatste bolwerk is van onverdraagzaamheid en homofobie. In de hoogste vier klassen van het Engelse betaalde voetbal spelen geen homo's die daar openlijk voor uitkomen. Dat wil niet zeggen dat ze er niet zijn. Iedereen weet wie het zijn, of denkt te weten wie het zijn, maar die voetballers houden het voor zich om één heel eenvoudige reden: angst. Niet voor de andere voetballers, maar angst voor de beledigingen die een voetballer die openlijk homo is, te verduren zou hebben van de supporters. Er zijn nog supporters genoeg op de tribunes die liederen zingen over het vliegtuigongeluk bij München en de ramp op Hillsborough, en die het gesis van gas nabootsen naar supporters van Tottenham, die allemaal onterecht worden aangezien voor joden. In mijn tijd heb ik ze horen zingen over Sol Campbell toen die overspannen was, en over de gehandicapte zoon van Dwight Yorke, over de miskraam van Karen Brady, de overstromingen in Hull, en de geweldige diensten die een aantal moordenaars, onder wie Harold Shipman en Ian Huntley, de gemeenschap hebben bewezen. Dat betekent dat er sowieso al zoveel rotzooi is die ze naar je hoofd kunnen slingeren, en dat je ze niet nog meer aanleiding hoeft te geven. Daarom kun je het tegen niemand zeggen, Christoph. Rijg een paar veters met de kleuren van de regenboog in je voetbalschoenen, als je je daardoor beter voelt. Er zijn in ieder geval een paar voetballers die geen homo zijn, die dat hebben gedaan. Maar voor de rest moet je dit stil houden. Je helpt je carrière om zeep als je nu iets zou zeggen. Ik weet dat je dit liever niet hoort, maar zo is het gewoon. Het spijt me.'

Bündchen zuchtte. Als je hem daar zo zag staan, kon je moeilijk geloven dat de jonge Duitser gay was. Maar aan de andere kant, dat soort dingen vallen mij nooit op. Sonja beweert dat zij het kan zien, maar ik heb er geen oog voor. Het was bewonderenswaardig dat hij uit de kast wilde komen, maar ik vond dat ik hem moest zeggen waar het op stond. Afzonderlijk zouden de meeste voetbalsupporters je waarschijnlijk hebben gezegd dat het ze geen bal interesseerde wat iemands seksuele voorkeur was, maar op de tribune gelden andere normen. De Duitsers hebben daar een woord voor: *Volksgeist.* Daarmee bedoelen ze de 'ziel van het volk', en de ziel van het volk huist maar al te vaak in de buurt van de onderbuik.

'Luister, je hebt enorm veel talent en als ik kijk naar wat je tegen Leeds allemaal liet zien, ga je een geweldige toekomst tegemoet, Christoph. Jij kunt alles bereiken wat er maar te bereiken valt in het voetbal. Je kunt in het nationale elftal spelen, je kunt veel geld verdienen, je kunt de top halen. En als het zover is, wie maalt er dan nog om? Over een paar jaar kun jij misschien vooroplopen en veranderingen op gang brengen. Ik hoop in ieder geval dat er iets verandert. Maar je staat nu aan het begin van je carrière, en mijn advies nu is om hier met geen woord over te praten tegen wie dan ook bij de club. Wie dan ook. Alleen met mij. Hoe minder mensen dit weten, hoe beter.'

'Ik begrijp het.' Hij haalde zijn schouders op. 'Het is treurig.'

'Het spijt me, Christoph. Ik zou willen dat ik iets anders tegen je kon zeggen. Maar houd het voor je. In ieder geval tot je carrière voorbij is. Dan kun je erover praten. Net als je landgenoot Thomas Hitzlsperger.'

Hij knikte. 'Oké, als je denkt dat dat het beste is.'

Ik liet een zucht van opluchting ontsnappen toen hij de deur uit liep.

Christoph Bündchen was echter niet de enige bij London City die met een geheim rondliep en mij in vertrouwen had genomen. Het feit dat Zarco een relatie had met Claire Barry, de acupuncturiste van de club, was een publiek geheim op Hangman's Wood. Zo veel mensen wisten ervan af, dat ik me verplicht had gevoeld er tegen hem over te beginnen. Dat ik nota bene degene moest zijn om hem de vraag stellen hoe wijs het was om een affaire te hebben met een getrouwde vrouw... Claire was zelf een fatsoenlijke vrouw, maar haar man Sean was een crimineel. En als hij het al niet zelf was, dan kende hij er genoeg. Hij stond aan het hoofd van een bedrijf voor particuliere beveiliging dat vooral actief was in de Golfstaten. Dat betekende dat hij veel van huis was. Hij had bovendien nogal wat mensen in dienst die gewend waren om problemen op te lossen met geweld.

'Ze praten over jou en haar,' had ik in de kerstvakantie tegen hem gezegd. Dat is een erg drukke tijd voor een acupuncturist bij een voetbalclub, misschien kun je je dat voorstellen. 'Je mag zeggen dat ik moet opdonderen en me met mijn eigen zaken moet bemoeien, maar ik ben je vriend. Jij bent altijd goed voor mij geweest en ik wil niet dat jou iets overkomt, João. De pers haalt je met plezier door het slijk met zoiets als dit. Weet je nog hoe het John Terry verging? Ze vinden jou een arrogante klootzak en ze wachten op een kans om je te grazen te nemen. Dus doe het alsjeblieft een tijdje kalm aan. Ik zeg niet dat je haar moet opgeven. Dat moet je zelf weten. Ik zeg alleen dat je het een tijdje kalm aan moet doen. Zodat mensen weer over iets anders gaan kletsen.'

Hij luisterde rustig en knikte. 'Je hebt gelijk, Scott. Je hebt groot gelijk om er tegen me over te beginnen. En bedankt. Ik had geen idee dat het zo rondging in de club. Ik waardeer het heel erg, vriend. En ik zal je raad opvolgen. Ik zal tegen haar zeggen dat er een einde aan moet komen.'

Natuurlijk trok Zarco zich er niets van aan. Hoe ik dat weet? Ik weet het niet zeker. Maar een paar dagen voor de wedstrijd tegen Newcastle zag ik een pakje steriele wegwerpnaalden voor acupunctuur op zijn bureau liggen. Hij zag dat ik ze oppakte en begon al uit te leggen waarom ze daar lagen voordat ik ook maar iets kon zeggen.

'Claire heeft me laten zien hoe ik zelf mijn knie kan behandelen,' zei hij, terwijl hij het pakje van me aannam.

'Hier?'

'Ja, hier.'

'Je bedoelt dat je hier zit en naalden in je eigen knie steekt?'

'Ja, natuurlijk. Wat zou ik anders doen met die naalden?'

'Weet ik niet.'

Net als veel andere ex-voetballers had Zarco pijnlijke knieën en als pijnbestrijding was acupunctuur beter en effectiever dan pillen en zalfjes. Dat maakte het niet verdacht. Wat het volstrekt ongeloofwaardig maakte, was dat hij het pakje in de prullenbak liet vallen terwijl hij nog aan het praten was. Het leek alsof hij bewijsmateriaal opruimde, maar als je wist wat hij allemaal wel niet had uitgehaald in zijn leven, dan zou je verwachten dat hij zoiets wel subtieler kon doen. Ik wist bijvoorbeeld dat hij drie mobiele telefoons had: een voor zijn werk, een voor zijn plezier en een voor andere dingen. De telefoons voor plezier en iets anders stopte hij weg in een la van een van de archiefkasten in mijn kantoor. Hij haalde ze op als hij ze nodig had. We wisten allebei zonder iets te zeggen dat hij me niet hoefde te vragen of ik het goed vond. Het was gewoon een van die rare dingen van hem en soms moest je daarmee leven om een vertrouwde vriend van Zarco te zijn. Een soort vriendendienst, zal ik maar zeggen.

'Je moet haar vragen of ze het jou ook wil laten zien,' zei hij. 'Misschien kun je je enkel op dezelfde manier behandelen. Er is geen enkele reden om bang te zijn voor die naalden, het is maar een lullig prikje.'

Even had ik de neiging om hem te zeggen dat hij zelf een lul was, maar ik hield me in. Uiteindelijk was hij de baas, en als hij nog steeds met Claire Barry lag te krikken, was dat mijn zaak niet.

Net zo goed als het mijn zaak niet was toen ik een keer op een middag stopte bij een tankstation van BP in de buurt van Hangman's Wood om benzine in mijn Range Rover te gooien. London City had een rekening bij een Shell-garage vlakbij en Viktor Sokolnikov betaalde daar voor iedereen van de club die er tankte, een extraatje waar de belastinginspecteur niets van afwist, maar dat toch een paarhonderd pond per week bedroeg, vooral als je net als de meeste spelers bij London City in een Ferrari of een Aston Martin reed. Er kwam dan ook nooit iemand bij dat BP-station vijf kilometer verderop, waar je moest betalen voor je benzine. Uitgezonderd ikzelf dan, want ik ben altijd angstvallig eerlijk geweest in mijn zaken met de belastingdienst en ik heb altijd mijn eigen benzine betaald. Niet-belaste extraatjes waren niet mijn ding. Als je eenmaal in de gevangenis hebt gezeten, wil je nooit meer terug.

Zarco zat in zijn links bestuurde Overfinch Range Rover – hetzelfde type waarin ik rij – die geparkeerd stond naast een witte Ferrari. Hij was verwikkeld in een levendig gesprek met de eigenaar van de Ferrari, die ik onmiddellijk herkende. Het was Paolo Gentile, de agent die betrokken was bij de transfer van Kenny Traynor. Als je coach bent, zie je heel veel in en rond een voetbalclub gebeuren, wat niet jouw zaken zijn en leer je om soms je mond te houden als je je baan wilt houden. Dat heb ik wel in de bak geleerd.

Dus reed ik weer weg zonder zelfs maar te stoppen.

# 12

'Je bent een waar genie,' zei ik tegen Colin Evans.

Colin bloosde. Hij en ik en Zarco en Viktor Sokolnikov stonden bij de middenstip op Silvertown Dock. Ik had een bal meegenomen en een paar keer gestuiterd om te testen hoe hij zich gedroeg op het gerepareerde deel van het veld. Toen gooide ik de bal omhoog en huppelde ik rond, al die tijd het balletje hooghoudend, om te testen hoe de ondergrond onder mijn voeten aanvoelde. Ik merkte geen verschil met de rest van het veld.

'Jep,' zei ik. 'Helemaal perfect.'

'Amen,' zei Zarco. Hij sloeg de Welshman op zijn schouder. 'Geweldig gedaan, Colin, ik ben je enorm dankbaar.'

'Uw nederige dienaar,' zei Colin.

Viktor vergeleek de foto die ik hem met mijn iPhone had gestuurd met de grond waarop we stonden. 'Ongelooflijk,' zei hij. 'Als je het niet wist, zou je niet denken dat hier iets is gebeurd.' Hij grinnikte. 'Help me onthouden dat ik jou inschakel, Colin, de volgende keer dat ik met een lijk zit dat snel onder de grond moet zonder sporen na te laten. Doen we gewoon hier.'

Ik hapte bijna naar adem. Dat was typerend voor Viktor Sokolnikov: het lag helemaal in zijn lijn om een grap te maken over iets wat een ander uiterst gênant zou vinden. Maar goed, hij was ook in een opperbeste stemming vanwege iets wat niets met het veld te maken had. Zijn gezicht was zonverbrand en hij droeg een enorme Canada Goose-parka, die Sir Rannulph Fiennes op de zuidpool niet zou hebben misstaan. Ondanks de bittere januarikou lag er een brede grijns op zijn gezicht.

'Nu ik eraan denk,' zei hij, 'ik zou het helemaal niet erg vinden om zelf hier begraven te worden. Voor een mausoleum is de Crown of Thorns zo gek nog niet.'

'Waarom niet?' zei Zarco. 'Je hebt ervoor betaald, Viktor.'

'Maar ik zou het wel stiekem moeten doen,' zei Viktor. 'De gemeente zou nooit instemmen met een ontheffing van het bestemmingsplan om mij hier te begraven. Niet zonder de nodige druk. En smeergeld, natuurlijk. Dat heb je altijd nodig. Zelfs in dit land.'

'We begraven je wel stiekem, als je dat wilt. Ja toch, jongens? Net als Dzjengis Kahn.'

Colin en ik knikten. 'Natuurlijk, je zegt het maar, Viktor.'

Viktor gniffelde. 'Hé, kalm aan, jongens. De berichten over mijn verscheiden zijn zwaar overdreven. Ik heb geen haast om onder de grond te gaan. Laten we morgen maar eerst Newcastle onder de grond schoffelen voordat ik aan de beurt ben.'

'Na Leeds?' vroeg Zarco. 'Niemand kan ons nog tegenhouden. Die goal van Xavier Pepe is waarschijnlijk de mooiste goal die ik in al mijn jaren als manager heb gezien. En Christoph Bündchen speelt nu al de sterren van de hemel. De jongens spelen op een wolk op het moment. Bij Newcastle schijten ze zeven kleuren stront.'

'Laten we het hopen,' zei Viktor. 'Maar we moeten niet overmoedig worden, hè? In Oekraïne hebben we een gezegde: de duivel pakt altijd zijn geschenken terug. Ik heb gehoord dat Aaron Abimbole fit is.'

Voordat hij in de zomer voor Newcastle tekende, speelde Abimbole voor London City. En voor Manchester United. En voor A.C. Milan. Hij verzamelde in feite contracten zoals een ander Air Miles spaart. De Nigeriaan was een van de best betaalde voetballers in de Premier League en werd over het algemeen ook beschouwd als een van de meest temperamentvolle spelers. Als hij in vorm was, was hij uitzonderlijk goed, maar als hij zijn dag niet had, speelde hij werkelijk als een dweil. Abimbole had London City verbitterd verlaten, nadat de betrekkingen tussen hem en de Portugese manager, die hem had gehaald van de Franse club Lens, zo ernstig verstoord waren geraakt dat Abimbole Zarco's spiksplinternieuwe Bentley in brand had gestoken op het parkeerterrein van de club.

'Nou en?' vroeg Zarco. 'Deze Aaron heeft toevallig geen broer die Mozes heet, dus ik denk dat we ons nergens zorgen over hoeven te maken.'

'Hij heeft dit seizoen al twintig keer gescoord voor Newcastle,' zei

Viktor. 'Dat is twee keer zoveel als voor ons toen hij hier speelde. Misschien moeten we ons daar zorgen over maken.'

'Hij is lui,' hield Zarco vol. 'Ik heb nog nooit een speler gezien die zo lui was, en daarom wil niet één club hem houden. Hij scoort alleen als hij de bal voor het inleggen heeft, je ziet hem nooit terugverdedigen. Niet zoals Rooney. Met Rooney heb je een formidabele aanvaller en een verdediger die nooit opgeeft. Met Abimbole heb je alleen een luie flikker.'

Kennelijk dachten de supporters van Manchester United er net zo over als Zarco. Ik herinner me dat ik hem zag spelen met Man U tegen Fulham en dat de supporters zongen: 'Abimbole, Abimbole, kom van je luie gat en doe eens wat.' Ik moest erom lachen.

'Bovendien,' zei Zarco, 'heeft Scott een schitterend plan bedacht om hem op stang te jagen. Wacht maar af, baas. We maken hem dol.'

'Dat is goed om te horen.'

Viktor wierp een blik op zijn horloge. In tegenstelling tot ons droeg hij een goedkope Timex.

De eerste keer dat ik dat horloge zag, heb ik het opgezocht met Google, omdat ik dacht dat het misschien een kostbaar antiek horloge was, maar het kostte niet meer dan zevenenhalve pond, nog een reden waarom ik Viktor mocht – hij kwam absoluut niet poenig over. Mijn pakken van Kilgour waren waarschijnlijk tien keer zo duur als die van hem. Hij had die jas aan omdat het koud was. Alleen de schoenen van Berluti die de miljonair droeg, waren duur. En de Rolls Royce Phantom op het parkeerterrein natuurlijk.

'Maar nu moet ik ervandoor,' zei hij. 'Ik heb een belangrijke vergadering in de City. Ik zie jullie zaterdag bij de wedstrijd. Niet vergeten, João, dat je bij die lunch moet zijn die ik voor de wedstrijd geef in de viproom, voor de RGB.' De RGB was de Royal Borough of Greenwich.

'Dat zou ik niet willen missen, baas,' zei João droog.

'Goed, want jij bent het prijsdier waar ze voor komen,' zei Viktor. 'Tenminste, dat zou je zijn als we überhaupt prijzen hadden gewonnen.' Lachend liep hij terug naar de spelerstunnel en liet hij ons achter, starend naar onze veel goedkopere schoenen.

'Vuile klootzak,' zei Zarco.

'Hij is in een goede bui,' antwoordde ik.

'Dat liep ik ook net te denken,' zei Colin.

'En ik weet ook waarom,' zei Zarco. 'Vanochtend gaat de planologische commissie van de RGB aankondigen dat ze toestemming geven voor de bouw van de nieuwe Thames Gateway-brug. Dat is voor het bedrijf van Viktor een heleboel geld waard, want zij gaan dat ding natuurlijk bouwen. Daarom nodigt hij de RGB zaterdag ook uit voor de lunch. Om het te vieren.'

'Maar hij financiert die brug toch?' zei ik. 'Met een boel geld, als ik de kranten mag geloven.'

'Hij betaalt voor een deel. Maar vergeet niet dat het een tolbrug wordt. De enige brug tussen Tower Bridge en de Queen Elizabeth II Bridge. Dat is precies tien kilometer oever naar weerszijden van die brug. Vijftigduizend voertuigen per dag, schatten ze. Keer vijf pond per keer, dat is tweehonderdvijftigduizend pond per dag, heren.'

'Vijf pond? Wie betaalt dat?' vroeg Colin. 'Het kost zes pond om de Severn Bridge in Wales over te steken.'

'Volkomen terecht dat je zes pond moet betalen om Wales uit te komen,' mompelde ik.

'Het kost maar twee pond door de Dartford Tunnel,' hield Colin vol.

'Ja, maar dat duurt ook eeuwen,' legde ik uit.

'Dat klopt,' zei Zarco. 'Reken maar uit. Ze denken dat die nieuwe brug meer dan acht miljoen per jaar opbrengt, alleen aan tolgeld, en dat hij in vijf jaar is terugverdiend. Snap je? Het ziet er alleen maar vijf jaar uit als liefdadigheid, daarna begint het ineens op verdomd slim zakendoen te lijken. Hij blijft daarna nog tien jaar eigenaar van de brug, voordat hij die teruggeeft aan de RGB. Tegen die tijd heeft hij er minstens achthonderd miljoen aan verdiend. Misschien wel meer.'

'Geen wonder dat hij loopt te grijnzen,' zei ik.

'Hij grijnst niet,' zei Zarco. 'Hij lacht hardop. Het hele eind naar de Sumy Capital Bank in Genève. Die trouwens ook van hem is.'

'Dat is vast wel handig als je een keer krediet nodig hebt,' zei Colin.

'Hoorde je dat?' Zarco schudde zijn hoofd en glimlachte zuur. 'Prijsdier, ja ja. Hij zal geen kans voorbij laten gaan om een steek onder water uit te delen.'

'Nog even over dat gat,' zei Colin. 'Die smeris is hier nog een keer geweest in de Crown of Thorns. Inspecteur Neville. Hij was er niet zo blij mee dat we het hadden dichtgegooid en er zoden op hadden gelegd.'

'Wat had hij dan gedacht?' smaalde Zarco. 'Dat we eromheen zouden dansen?'

'Hij zei dat we het hem hadden moeten laten weten dat we het dicht gingen gooien. Dat het bewijsmateriaal was. Dat ze de tijd niet hadden gekregen om foto's te maken.'

'Ik zal hem een foto sturen van een gat,' zei ik. 'Maar dan niet van een gat in de grond.'

'Wat heb je tegen hem gezegd?' vroeg Zarco. 'Die smeris. Je hebt toch hopelijk niets gezegd over die foto van mij?'

'Nee, natuurlijk niet. Luister, ik heb hem alleen verteld wat ik van Scott moest zeggen. Dat hij de verantwoordelijkheid op zich nam.'

'En wat zei hij toen?'

'Hij zei dat je naast je schoenen bent gaan lopen omdat je de Metropolitan Police met succes hebt aangeklaagd en dat het hoog tijd werd dat iemand je eens een keer goed op je nummer zou zetten.'

'Zei hij dat?'

Colin knikte.

'De droplul. Weet je zeker dat hij het over mij had, en niet over João?'

Colin knikte opnieuw.

'Hé, hou mij erbuiten,' zei Zarco. 'Ik heb al genoeg vijanden.'

'Is dat jou ook opgevallen?'

# 13

João Zarco had op de omslag gestaan van *GQ* en *Esquire* en was meerdere keren gekozen tot best geklede man in de voetbalwereld. Op de dag van een wedstrijd zag hij er keurig verzorgd uit in zijn Zegnapakken, jassen van kasjmier en zijden sjaals. Soms leek het wel of hij net zo beroemd was vanwege zijn stijlvolle stoppelbaard, de Tiffanymanchetknopen en opzichtige horloges, als om zijn openhartige gedachten over voetbal. Misschien is dat niet verrassend. Vandaag de dag beoordeel je een club niet alleen op de resultaten, maar ook op de stijl van de manager, en als je dat betwijfelt, moet je je maar eens het volgende afvragen: als je supporter moest worden van een club óm de manager, wie zou je dan kiezen? José Mourinho of Sir Alex Ferguson? Pep Guardiola of David Moyes? Diego Simeone of Rafa Benitez? André Villas-Boas of Guus Hiddink? Tegenwoordig zijn niet alleen de beeldrechten van voetballers belangrijk voor een club. Hoe de manager eruitziet kan net zo belangrijk zijn voor de koers van de aandelen. Alleen winnen is niet goed genoeg meer. Je moet er goed uitzien als je wint, dat is de essentie van het moderne spelletje.

Ik houd van mooie pakken, maar ik denk dat het belangrijk is dat de coach zich, in tegenstelling tot de manager, net zo kleedt als de spelers. Het ziet er bovendien een beetje raar uit als je de warming-up met ze doet in een maatpak van vijfduizend pond. Ik ben niet erg dol op trainingspakken, maar op de dag van de wedstrijd trek ik altijd een trainingspak aan. Pylonnen oprapen op het veld en *mountain climbers* doen samen met de jongens gaat nu eenmaal gemakkelijker in een trainingspak.

Ze noemen London City gekscherend Vitamine C omdat de clubkleur oranje is en omdat de club goed voor je is. Niemand in Oost-Londen interesseert het een bal dat er in 2004 in Oekraïne een Oranjerevolutie plaatsvond, de echte reden waarom de clubkleur oranje is. Veel moderne shirtjes zien eruit alsof ze tijdens de tekenles op de basisschool zijn ontworpen. Je zou het normaal vinden als Afrikaanse landen die meedoen aan het WK zulk spul aan hebben, en zelfs sommige Schotse clubs, maar zeker geen grote Europese clubs. Is er ooit op de velden een afgrijselijker shirt te zien geweest dan dat van Athletico Bibao in 2004, dat eruitzag als de darmen van iemand met obesitas?

Het tenue van City was evenals het trainingspak ontworpen door Stella McCartney. Ik ben er niet zo kapot van, maar in oranje zijn je spelers goed te volgen op het veld, en op een mistige avond in Leeds kan dat echt een voordeel zijn. Het is net zoiets als golfen met een oranje bal. Het schijnt dat drieënzeventig procent van de golfers het gemakkelijker vindt om een felgekleurde bal door de lucht te volgen en terug te vinden in het gras. Misschien is dat eigenlijk wel de reden waarom ik er zo weinig van bak bij het golfen.

Eerlijk gezegd vindt Sonja het trainingspak van City mooier dan ik. Het scheelt natuurlijk dat haar trainingspak een maatje te klein is, waardoor ze eruitziet als Uma Thurman in *Kill Bill: Volume 1*, maar dan zonder Hattori Hanzō-zwaard. Als ik mijn trainingspak aantrek, zie ik eruit als een fucking wortel. Wij allemaal. Daarom noemen sommige rivaliserende supporters ons kattenstront. Kennelijk bestaat er oranje kattenstront. Je bent nooit te oud om iets te leren.

Als Sonja haar trainingspak aantrekt, moet ik moeite te doen om me te beheersen en niet mijn handen in haar broek over haar billen te schuiven, dus meestal doe ik geen moeite om de verleiding te weerstaan. Tenzij het de dag is van een grote wedstrijd, wanneer ik uit solidariteit met mijn spelers mijn best doe om van haar af te blijven. De spelers worden geacht zich op de dag van de wedstrijd te onthouden van seks om hun testosteronspiegel hoog te houden. Testosteron helpt om agressief te blijven en het wordt algemeen erkend dat agressie in de sport helpt om te winnen. Natuurlijk weet Sonja heel goed dat ik haar sexy vind als ze dat trainingspak aan heeft, dus op wedstrijddagen trekt ze het met opzet 's morgens aan en spant ze zich tot het uiterste in om mij te verleiden. Ik zou niet weten hoe je het anders zou moeten noemen als de trainingsbroek een beetje afgezakt op haar billen hangt, zodat een dun draadje tandzijde dat voor lingerie door moet gaan zichtbaar wordt. Maar heel erg lang heeft ze daar geen last van, in ieder geval niet als ik in de buurt ben.

Je zou je ogen niet geloven als je Sonja zou zien op weg naar haar praktijkruimte in Knightsbridge om te luisteren naar meisjes die over hun eetstoornissen praten – anorexia op dinsdag en donderdag, boulemia op maandag en woensdag: je kon ze moeilijk bij elkaar in de wachtkamer stoppen. Ze vindt echter grapjes die ik over dat onderwerp maak, niet erg leuk.

Sonja draagt veel mooie pakjes van Max Mara, mooie schoenen en nylons. Het is haar Dr. Melfi-look, bijna net zo aantrekkelijk, vind ik, als haar achterwerk in een oranje trainingsbroek. In tegenstelling tot veel van de meisjes die ze behandelt, heeft Sonja een fantastisch achterwerk – ze zit vaak in de sportschool – en als ik met zo veel genoegen over haar achterwerk uitweid, is het omdat de voetballer in mij, die nooit helemaal verdwijnt, het nog steeds gemakkelijker vindt om te zeggen dat mijn vriendin sexy en aantrekkelijk is dan dat ik van haar houd, wat echt zo is. Net als veel voetballers vind ik het moeilijk om over gevoelens te praten. Als psychiater heeft ze daar begrip voor. Dat denk ik tenminste. Ze wist dat ik uit mijn doen was door wat er met Didier Cassell was gebeurd, en daarna met Drenno, en dat ik er daarom niet over praatte. Maar tot de dag van de wedstrijd tegen Newcastle dacht ik echt dat ik het ergste achter de rug had. En dat was niet zo, bij lange na niet.

Oekraïners zoals Viktor Sokolnikov hebben er vast allerlei poëtische gezegden en spreekwoorden voor, maar waar ik vandaan kom, zeggen we gewoon dat een ongeluk nooit alleen komt.

# 14

Zarco en ik maakten de opstelling altijd in zijn kantoor op Hangman's Wood voordat we in de bus stapten naar Silvertown Dock. Het organiseren van een elftal overbetaalde, intellectueel veelal niet al te sterk ontwikkelde jongemannen is een bijna ondoenlijke klus en het is veel beter om als team in het stadion aan te komen om verwarring te voorkomen.

Er wordt altijd een heleboel onzin verkocht over de sterkste tactische opstelling, maar het is heel eenvoudig: tenzij je iemand rust wilt gunnen voor een wedstrijd die nog belangrijker is, stel je de beste spelers op die je tot je beschikking hebt. Heel eenvoudig. Al het andere is luchtfietserij. De pers vindt het heerlijk om erover te speculeren dat de ene speler is geselecteerd ten koste van de ander – om te stoken, als ze de kans krijgt – maar als iemand op de bank zit, is daar meestal een heel goede reden voor, en vaak heeft het gewoon te maken met conditie en instelling. Instelling is nog belangrijker dan conditie, want zelfs een speler die topfit is, kan het in de kop hebben dat hij niet in vorm is. En als er één ding is waarvoor managers en coaches worden betaald, dan is het wel voor het gladstrijken van wat er allemaal aan onrust in de kop van een speler zit. Wat dat betreft is het wel handig dat ik samenwoon met een psychiater, want ze heeft me al een aantal zeer bruikbare tips gegeven om voetballers te motiveren.

Natuurlijk, zo nu en dan heb je een speler die zich aanstelt en beweert dat hij niet helemaal fit is, al komt dat tegenwoordig gelukkig minder voor. Fysiotherapeuten zijn beter dan ooit in staat om erachter te komen of een speler je voor de gek houdt met een zeurende hamstring of zo. En de behandelmethoden zijn ook veel beter geworden: elektrotherapie, ultrageluid, lasers, magnetotherapie, diathermie en tractietherapie kunnen veel problemen in korte tijd verhelpen. Als niets helpt, kun je altijd nog Cortison injecteren in een pijnlijk gewricht, maar weinig spelers geven aan die oplossing de voorkeur, want het doet pijn als ze een injectienaald vier, vijf millimeter in je been duwen. Het doet verrekte veel pijn.

Toen we de opstelling rond hadden, vertrok Zarco vroeg in zijn eigen auto voor de lunch met Viktor, mopperend dat hij wel betere dingen te doen had op een wedstrijddag dan te gaan lunchen met een zootje ambtenaren planologie en raadsleden uit Greenwich. Maar los daarvan was hij in een opperbeste stemming en vol vertrouwen dat we de *Toon*, Newcastle United dus, een pak slaag zouden geven.

Ik wachtte tot de spelers zich hadden verzameld op het trainingsveld en stapte samen met hen in de bus. Er zijn er altijd een of twee die het lukt om te laat te komen en dan moet ik ze een boete laten betalen. Maar vandaag was het anders. Weliswaar waren er twee te laat, maar dat waren mijn twee Afrikanen, Kwame Botchwey en John Ayensu, allebei uit Ghana. Ik had goede redenen om ze niet tegen me in het harnas te jagen, dus legde ik ze geen boete op.

We kwamen ongeveer op hetzelfde moment als Newcastle United aan bij Silvertown Dock. Ik liet hen eerst naar binnen gaan om verwarring te voorkomen bij de sportverslaggevers die in de spelerstunnel stonden te kijken hoe de jongens de kleedkamer in gingen. Met hun wollen mutsen, Dr Dre-koptelefoon en trolleys met persoonlijke spullen verschillen die jongens van ons amper van die van Newcastle. Ik had bovendien een extra reden om beide teams zo lang mogelijk gescheiden te houden.

Fit of niet, alle spelers rijden met de bus mee op de wedstrijddag. Zo werkt dat. Zelfs spelers die geblesseerd zijn of op de transferlijst staan zoals Ayrton Taylor, moeten opdraven, al mogen ze dat normaal gesproken wel doen in hun gewone kleren. In het geval van Taylor betekende dat kennelijk dat hij er als een schooier uit moest zien, wat hem na de wedstrijd op een boete zou komen te staan: bij Silvertown Dock worden jasjes en stropdassen gedragen door spelers die geblesseerd zijn of geschorst.

Ik schudde de handen van de managers en coaches van Newcastle United: Alan Pardew, John Carver, Steve Stone en Peter Beardsley. Ik heb een hoge dunk van Beardsley. De mensen praten veel over Lionel

Messi, maar in zijn beste tijd voor Newcastle United speelde Beardsley heel vergelijkbaar met Messi. Hij kon net als Messi drie man omspelen, gehaakt worden, maar overeind blijven en met beide voeten de prachtigste goals maken. Sommige van die arrogante klootzakjes van tegenwoordig zouden zich vereerd moeten voelen dat ze in dezelfde bus mogen zitten als Peter Beardsley.

We wisselden papieren met de opstelling uit en ik gaf beide opstellingen aan een persvoorlichter, die ze zou doorgeven aan de pers. Zoals gewoonlijk werd het allemaal opgenomen voor London City Football Television, uiterst saai om naar te kijken. Maar ja, sommige supporters willen alles zien wat met voetbal te maken heeft.

Met de eerste kriebels in de buik – Ik krijg altijd last van kriebels in mijn buik voor een wedstrijd, nu ik niet meer speel zelfs erger dan vroeger – liep ik naar onze kleedkamer en wachtte tot Zarco zou komen opdagen om zijn peptalk voor de wedstrijd te doen. Hij kon dat behoorlijk goed. Niemand begreep beter dan hij wat er speelde en niemand kon een elftal beter motiveren. Hij riep gevoelens van loyaliteit op, zodat spelers voor hem door het vuur wilden gaan. Als hij geen voetbalmanager was geworden, had hij het vast heel goed gedaan als generaal, denk ik. Maar niet als politicus: hij praatte veel te direct en met het hart op de tong om politicus te kunnen zijn, ook al denk ik dat dit land heel goed iemand kan gebruiken die ons plompverloren vertelt dat we met z'n allen een stelletje luie donders zijn.

De aftrap van de wedstrijd stond gepland voor vier uur, maar het was nu bijna drie uur en Zarco was er nog steeds niet, dus pakte ik de telefoon van de vaste lijn in de kleedkamer. Ik stond op het punt om het restaurant te bellen toen Phil Hobday zijn hoofd om de deur stak. Hij mocht dan voorzitter zijn van de club, hij was niet te beroerd om een boodschap te doen voor Viktor Sokolnikov. Phil was een gladde jongen en praatte net als Viktor. Hij deed niets liever dan betaald-voetbalorganisaties vergelijken met grote ondernemingen als Rolls Royce, of Jaguar, of Barclays Bank. Voor Phil was London City een bedrijf net als Thames Water, het waterbedrijf van Londen. Ik had veel geleerd van Phil Hobday.

'Weet jij waar João is, Scott?'

'Nee. Ik stond zelf net op het punt om het restaurant te bellen en hem te vertellen dat hij als de bliksem naar beneden moet komen.'

Hobday schudde zijn hoofd. 'Hij is daar geweest tot een uur geleden. Toen werd hij gebeld en is hij vertrokken. Toen hij niet terugkwam, dachten we dat hij hier zou zijn. Viktor is behoorlijk chagrijnig dat hij zomaar is vertrokken zonder afscheid te nemen van zijn gasten. Zelfs hij is op zoek naar hem.'

'Nou, Zarco is in ieder geval niet hier, zoals je ziet. Al zou ik willen dat hij hier wel was.' Ik haalde mijn schouders op. 'Ik neem aan dat je hem hebt gebeld op zijn mobiel?'

'Geprobeerd. Een paar keer, maar het heeft geen zin. Op een wedstrijddag is er geen doorkomen aan hier, zoals je vast zelf ook wel weet.'

Ik knikte. 'Zestigduizend mensen die proberen verbinding te krijgen. Je kunt net zo goed proberen om God op te bellen.'

'Kan het zijn dat hij de manager van Newcastle United heeft opgezocht?'

'Dat lijkt me hoogstonwaarschijnlijk. Die twee hebben het niet zo op elkaar begrepen. Bovendien hoort het niet om naar de kleedkamer van de tegenpartij te gaan voor de wedstrijd, omdat je er iets zou kunnen opvangen wat niet voor jouw oren bestemd is.'

'Nu je het daar toch over hebt... Luister, je denkt toch niet...'

Hobday wenkte me mee de kleedkamer uit.

'Je denkt toch niet dat hij met... met haar is?'

'Met wie bedoel je, Phil?'

'Kom op, Scott. Hou op hem in bescherming te nemen. Je weet precies over wie ik het heb: onze dame van de naalden, Claire Barry. Ik weet dat ze in het stadion is, want ik heb net haar man gezien in een van de bars voor genodigden boven.'

'Echt? Ik ben ervan overtuigd dat hij niet bij haar is. Luister, niets is voor João belangrijker voor een wedstrijd dan de wedstrijd zelf. Dat weet je. De Greenwich Borough Council niet, zij niet en ook geen snelle wip in de bezemkast. Als hij niet bij jullie is, zou hij hier moeten zijn.' Ik fronste mijn wenkbrauwen. 'Je houdt toch niets achter, Phil, of wel?'

'Wat bedoel je?'

'Dat hij ruzie heeft gekregen met Viktor en de benen heeft genomen. Je weet hoe hij is. Soms kan hij ontzettend kinderachtig doen.'

Phil schudde zijn hoofd. 'Nee, absoluut niet. Ze waren beste maatjes boven. Echt.'

Ik schudde op mijn beurt mijn hoofd. 'Misschien moest hij ineens nodig. Misschien zit hij op de plee. Hij komt vast wel weer boven water. Dit is een belangrijke wedstrijd. Ik zou naar hem op zoek gaan, maar ik moet de warming-up doen. Ik zal Maurice bellen en kijken of hij hem kan zoeken. Als iemand hem kan vinden, dan is hij het wel.'

'Oké, bedankt, Scott.'

Phil keerde terug naar de belangrijke gasten van Viktor die zich waarschijnlijk te goed deden aan de lunch. Hobday dronk niet. Dat was jammer, want Viktor schonk in het restaurant altijd de beste wijnen. Ik zou zelf best een groot glas Puligny-Montrachet hebben gelust.

Ik belde Maurice met de vaste lijn en legde de situatie uit.

'Ik ga er direct mee aan de slag,' zei hij.

'En controleer de toiletten, voor het geval er iets is gebeurd.'

Ik denk dat dat misschien wel de eerste keer was dat het bij me opkwam dat Zarco iets zou kunnen overkomen. Hij was weliswaar sterk en fit, maar je leest voortdurend over managers die een hartaanval krijgen. Zo ongeveer de helft van de voetbalmanagers in de Premier League heeft serieuze hartproblemen: Gérard Houllier, Glenn Roeder, Dario Gradi, Alex Ferguson, Joe Kinnear, Barry Fry, Graeme Souness. Nergens is de kans op een hoge bloeddruk groter dan onder voetbalmanagers. Als je zelf speelt, kun je de druk van je af rennen zodra je het veld op komt, maar een manager kan alleen maar langs de kant zitten en toekijken. Kijk maar eens naar het gezicht van Arsène Wenger tijdens een wedstrijd in het Emirates Stadium en stel jezelf dan de vraag of daar iemand ontspannen zit te kijken naar de verrichtingen van zijn elftal. En dat terwijl Arsenal het op het moment heel aardig doet.

Ik nam de jongens mee naar buiten voor de warming-up en probeerde me te concentreren op de wedstrijd. De muziek uit de luidsprekers was niet erg behulpzaam. Het was *I'll be Missing You* van Puff Daddy. Ik was er zo langzamerhand van overtuigd dat er iets moest zijn gebeurd met de Portugees. Had ik vanochtend niet gezien dat hij over zijn arm wreef en over zijn borst alsof hij pijn had? Ik keek ook nog een tijdje naar de tegenstander, die op de andere helft de warming-up deed. Aaron Abimbole zou ook spelen. Hij deed me altijd denken aan Patrick Vieira, zoals die de middenlinie domineerde. Snel, lichtvoetig, goede techniek, agressief en onverschrokken, alles wat je bij een speler wil zien. Nou ja, bijna alles. Het ging op twee punten fout: hij was verliefd op de bal en hij was aartslui. Soms had hij gewoon geen zin. Dat was de reden waarom London City hem had laten gaan. Maar die middag leek het of hij erop gebrand was om te scoren tegen zijn oude club. Dat gaf mij een ongemakkelijk gevoel. Een beetje extra bloeddruk waar ik niet op zat te wachten.

Na de warming-up nam ik de jongens mee terug naar de kleedkamer, in de hoop dat ik daar Zarco zou aantreffen, maar Maurice stond me hoofdschuddend op te wachten bij de deur.

'Ik kan de lul niet vinden,' mompelde hij.

'Blijf zoeken.'

Maurice knikte. 'Maar ik zal je wat vertellen. Er lopen daarbuiten een paar echte klootzakken als hij zoek is.'

'Wat bedoel je?'

'Onvriendelijke koppen. Tenminste, onvriendelijk tegen Zarco. Sean Barry, om maar iemand te noemen.'

'Dat is een supporter van City. Waarom zou hij in godsnaam onvriendelijk zijn?'

'Omdat hij weet dat Zarco zijn vrouw neukt.'

'Shit. Hé, Maurice, ik heb geen tijd voor al die onzin. Bel naar zijn huis, bel goddomme naar het Ivy-restaurant als het moet, maar zorg dat je hem vindt.'

Ik draaide me om naar de kleedkamer.

'Luister,' zei ik, 'allemaal. De baas voelt zich niet helemaal lekker, dus doe ik vandaag het praatje. Dat betekent dat ik iets zeg en dat jullie je mond houden. Duidelijk?' Ik herhaalde het in het Spaans en ging toen weer verder in het Engels. Dat deed ik de hele peptalk.

'Oké, we doen het als volgt. Normaal zou ik je nu vertellen dat de grootste dreiging op het veld vanmiddag van Aaron Abimbole komt en dat je hem met zijn allen in de gaten moet houden alsof je met een touwtje aan hem vastzit. Maar we gaan hem vanmiddag op de kast jagen. Als volgt. We gaan hem neutraliseren. En dat geldt vooral voor jou, Kwame, en voor jou, John.'

Beiden knikten gretig.

'De laatste keer dat we tegen de Geordie Boys speelden, is het me opgevallen dat jullie met z'n tweeën dikke maatjes waren met Aaron, ook al speelde hij niet eens. Prima, dat snap ik. Jullie zijn vrienden. Maar dit is een grote wedstrijd en deze keer gaat het anders. Het gaat erom dat de man zich nog steeds een beetje schuldig voelt over de manier waarop hij hier is weggegaan voor meer geld. Daar wil ik gebruik van maken. Dus als we straks in de spelerstunnel staan te wachten om naar buiten te gaan, wil ik dat je dwars door hem heen kijkt, alsof hij in zijn eentje een grotere schurk is dan Idi Amin en Charles Taylor en Laurent Kabila en Jerry Rawlings bij elkaar. Kwame en John zullen jullie straks wel vertellen wie al die smeerlappen zijn. Begrijp me goed. Aaron is een aardige jongen. Ik ben nog nooit een jongen tegengekomen die zo aardig is. Maar het is niet zo gemakkelijk voor hem om in Engeland te zijn. Hij heeft hier nooit z'n plekje gevonden en ik vermoed dat hij barst van de heimwee. Als hij hier twee jongens tegenkomt, die ook uit Afrika komen, heeft hij het gevoel dat hij een beetje dichter bij huis is. Alleen gaan jullie hem teleurstellen, oké? Na de wedstrijd mag je zo aardig tegen hem doen als je maar wilt. Maar als je hem zo meteen in de tunnel ziet, wil ik dat je hem behandelt als een geslachtsziekte. Dat geldt voor jullie allemaal. Geen hand geven. Niet naar hem glimlachen. Als de blanke jongens dat doen, heeft hij daar niet zo veel last van, maar als Kwame en John het doen, komt het hard aan. Dit is zijn oude club, hè? Hij denkt dat hij hier zomaar terug kan komen, even goede vrienden. Nou, daar zullen we hem nog eens een tweede keer over na laten denken. En om zout in de wonde te strooien wil ik dat jullie in de tunnel tegen de rest van de Toons doen alsof het jullie beste maatjes zijn. Stuk voor stuk. De enige die de speciale behandeling krijgt is Aaron. Ik wil zijn onderlip zien trillen als hij het veld op loopt. Alsof iemand net zijn spoortreintje heeft afgepakt.'

Kwame en John vonden het een geweldig plan. Ze stonden naar elkaar te lachen en te grinniken.

'Die lul ontploft na de wedstrijd als we het hem vertellen,' zeiden ze.

'Ja... Maar vertel hem niet dat ik het bedacht heb. Ik heb al genoeg om me mee bezig te houden vanmiddag, zonder dat ik me zorgen hoef te maken dat hij me een oplawaai geeft.'

‘En bij het officiële handjes schudden voor de wedstrijd?’ vroeg Kwame. ‘Moeten we hem dan ook negeren?’

‘Absoluut, ja,’ zei ik. ‘Alsof hij onzichtbaar is.’

Een paar minuten later keek ik nauwlettend toe terwijl onze jongens zich opstelden in de spelerstunnel, klaar om het veld op te gaan. Aaron Abimbole kwam met opgeheven hoofd de kleedkamer uit. Ongetwijfeld voelde hij zich helemaal thuis. Hij grijnsde breed en drukte een paar officials vriendelijk de hand. Hij leek echt van zijn stuk toen hij voor een *brother’s handshake* naar Kwame Botchwey liep, maar de Ghanees hem de rug toekeerde. Ik kon bijna horen hoe hij zijn teleurstelling wegslikte toen John Ayensu hetzelfde deed. Hij bleef nog een tijdje grinniken alsof hij niet echt kon geloven wat er gebeurde.

‘Wat is er mis met jullie? Waarom doen jullie zo lullig?’ vroeg de Nigeriaan. ‘Mankeert jullie iets?’

Ayensu negeerde hem en boog zich om hem heen om de keeper van Newcastle United de hand te schudden.

Sinds zijn komst naar Londen had Abimbole zich aardig leren uitdrukken in het Engels. Hij leerde snel.

‘Hé, man, wat gebeurt hier? Leg eens uit. Waarom doe je net alsof ik niet besta?’

Tegen die tijd wist hij zich geen houding meer te geven en stond hij er eenzaam en verlaten bij, alsof hij alweer op een transferlijst stond: zelfs de spelers van zijn eigen elftal leken door te hebben dat er iets aan de hand was en begonnen hem te negeren, wat raar was. De twee Ghanezen speelden hun rol perfect, zozeer zelfs dat ik bang was dat Abimbole een potje zou gaan huilen. Hij liep als laatste de tunnel uit.

Maar in het begin van de wedstrijd leek het alsof de tactiek een averechts effect had. Toen de wedstrijd amper tien minuten oud was, scoorde Abimbole met een knap stiftje: hij had gezien dat onze gloednieuwe keeper net iets te ver voor zijn goal stond. Het was een onnozele goal die mij het gevoel gaf dat ik een idioot was geweest om negen miljoen pond uit te geven voor een keeper die leek te denken dat hij nog steeds op Tynecastle onder de lat stond, waar niet zo veel jongens op het veld lopen met de vaardigheden van Abimbole. Daar ging de schone belofte van de nieuwe keeper om de rest van het seizoen de nul te houden. Flikker toch op.

Abimbole liep er triomfantelijk bij, opgepompt als een autoband, met een goal tegen zijn oude club. Nog geen drie minuten later verscheen hij opnieuw dreigend voor de goal. Dit keer verrichtte onze nieuwe aanwinst een prachtige save, waarmee hij voorkwam dat veel mensen in verlegenheid werden gebracht, en het moet gezegd dat misschien iedereen dat wippertje van Abimbole had kunnen houden, maar dat niemand anders dan Traynor dat tweede schot had kunnen houden. Plotseling leek negen miljoen een verantwoorde uitgave.

En toen – ik was mijn handen in onschuld – ging het helemaal fout met Abimbole. Minutenlang was hij overal en nergens, hij zwoegde als een paard, je kon je geen betere instelling wensen, maar ik vond dat hij kalmer aan moest doen: het was net alsof hij iets moest bewijzen, niet alleen voor de supporters van Newcastle United, maar ook voor onze eigen supporters, die hem uitjouwden wanneer hij maar in de buurt van de bal kwam. Ik kon zien dat Alan Pardew er ook zo over dacht. Hij stond aan de rand van zijn coachvak te roepen dat Abimbole in zijn positie moest blijven spelen. Maar de Nigeriaan luisterde naar niemand, slechts naar het razen van het bloed in zijn merkwaardig gevormde oren.

Een paar minuten later leek hij een pass van Dominguin naar Xavier Pepe op de rand van het strafschopgebied te lezen alsof hij met een telegram was aangekondigd. Hij wierp zich van achteren met twee benen in de richting van de kleine Spanjaard, met zijn hele, niet onaanzienlijke gewicht en meer noppen zichtbaar dan in een kluwen rugbyspelers, en zaagde Pepes benen bijna doormidden. Ik heb motorcoureurs op Monza door de lucht zien vliegen met minder snelheid dan Abimbole toen hij Pepe attaqueerde. Het was niet zozeer een vliegende tackle als wel een aanslag met de bedoeling zwaar lichamelijk letsel toe te brengen. De scheidsrechter aarzelde dan ook geen moment en trok direct een rode kaart, die al het publiek in Silvertown Dock op de banken joeg, luid juichend, want ook al stonden we dan achter met 1-0, je kon zien welk effect het op de spelers van Newcastle United had dat Abimbole van het veld werd gestuurd. Ik had medelijden met hem kunnen krijgen als ik me niet zo veel zorgen had gemaakt om Xavier Pepe, die nog niet overeind was gekomen na de tackle.

Gelukkig had hij bij het voorval geen blessure opgelopen en hobbelde hij al snel weer langs de zijlijn. Vier minuten later was hij terug in het veld en scoorde hij de gelijkmaker nadat hij doorliep op een schitterende steekpass van Christoph Bündchen. Daarna voerde Newcastle United een verbeten strijd om te overleven met een man minder, maar bij de rust stonden we met 2-1 voor.

Toen we in de kleedkamer kwamen, was João nog steeds spoorloos. Maurice McShane liep rond met een zorgelijke trek op zijn gezicht.

'En?'

Maurice schudde zijn hoofd. 'Ik heb overal gezocht.' Hij haalde zijn schouders op. 'Nou ja, niet overal. Het stadion zit vol vandaag: vijfenzestigduizend man. Je vindt geen hond op de tribunes, Scott. Maar ik heb op alle voor de hand liggende plaatsen gezocht en op een heleboel plaatsen die niet zo voor de hand liggen. Ik heb zijn vrouw gebeld, zijn agent, zijn ghostwriter...'

'Zijn ghostwriter?'

'De man die zijn boek heeft geschreven, *Geen spelletjes, gewoon voetbal*, Phil Kerr. Hij is er ook vanmiddag. Hij is er altijd. De loser. Ik heb Claire gebeld. Ik heb zelfs zijn aannemer gebeld. Ik heb heel voorzichtig contact gezocht met de politie om te kijken of die kan helpen om hem te vinden. Het enige wat ik niet heb gedaan is de stadionspeaker inschakelen.'

'Als je dat maar uit je hoofd laat,' zei ik. 'De pers doet het in de broek van opwinding als ze er lucht van krijgen dat hij zoek is.'

'Ik ben bang dat het kwaad al is geschied, Scott. Sky Sports heeft in de gaten gekregen dat hij niet in de dug-out zit. Die zeikwijven speculeren aan een stuk door over waar hij kan zijn.'

'Heeft Jeff Stelling nog iets slims bedacht?'

'Alleen dat we Chris Kamar eropuit moeten sturen om te zoeken. Kammy weet alles over zoek zijn.'

'Heel grappig.' Ik glimlachte. 'Nee, echt. Als ik me niet zo beroerd voelde, zou ik misschien zelfs lachen. Ik voel me even belabberd als het haar op de kop van Charlie Nicholas.'

'Ze suggereerden dat hij er misschien vandoor is gegaan. Dat Viktor en hij ruzie hebben gehad en dat João een vinger heeft opgestoken en de deur achter zich heeft dichtgetrokken.'

'Als dat zo was, zou Phil Hobday iets hebben gezegd, maar dat heeft hij niet gedaan.'

'Oké, maar die twee hebben wel een verleden samen. Dat weet iedereen. Zelfs Chris Kamara.'

'Luister, probeer het nog eens in een paar skyboxen. Laat de jongens van de beveiliging maar helpen. Maar maak er geen grote zaak van. Zeg maar dat Zarco zijn mobiele telefoon in de kleedkamer heeft laten liggen en dat we niet weten hoe we hem moeten bereiken. Of nog beter, laat ze de tribunes maar afzoeken met de Mobotix-camera's, alsof we naar een hooligan zoeken.'

Het Mobotix-videosysteem bestond uit zevenenzeventig HR-camera's voor een geavanceerde beveiliging en het beheersen van ongeregeldheden in het publiek. Het werkte erg goed tijdens de wedstrijden. Het was jammer dat het niet ingeschakeld was toen iemand een graf op de middenstip had gegraven.

Toen we weer het veld opkwamen voor de tweede helft, mopperden de Toons nog steeds tegen de scheidsrechter over de rode kaart voor Abimbole, ook al was er op dat moment natuurlijk niets meer aan te doen. Aaron Abimbole zat al in een taxi en was op weg naar huis. Prima, wat mij betrof. Pardew had een paar spelers vervangen en was overgestapt op een 3-5-1-opstelling, maar de ploeg liep achter de feiten aan en na een kwartier in de tweede helft scoorde Christoph Bündchen twee goals vlak na elkaar; toen de negentig minuten verstreken waren, stond het 4-1.

Ik zag op tegen het interview op Sky Sports na de wedstrijd. Sky Sports betaalde voor de wedstrijd en dus waren we verplicht iemand voor de camera's te laten verschijnen. Ik had er geen zin in, maar ik had geen keus. Nu Zarco er niet was, was er niemand anders om het te doen. Geoff Shreeves zou me vragen waar Zarco was en ik wist bij god niet wat ik dan moest zeggen. Shreeves kon zich als een terriër vastbijten in een vraag, en ik hoopte maar dat hij het zou laten passeren. Dat ik niet net als Kenny Dalglish mijn hoofd zou verliezen, live op tv. Bij een Schot ligt zoiets altijd op de loer.

'Dat is een fantastisch resultaat, Scott, en gefeliciteerd met de overwinning, maar het onderwerp van gesprek vandaag, en ik weet zeker dat je dat met me eens zult zijn, is de afwezigheid van João Gonzales Zarco in de dug-out van City. Kun jij een einde maken aan de speculaties over waar jullie manager vanmiddag was, Scott – en misschien nu is?'

'Dat zou ik graag doen, maar ik ben bang dat ik dat niet kan, Geoff, want ik heb zelf geen flauw idee. Het is een raadsel. Ik heb hem niet meer gezien sinds elf uur vanochtend.'

'Er doet een sterk gerucht de ronde in de Crown of Thorns dat Viktor Sokolnikov en hij weer eens onenigheid hebben gehad en dat João de club heeft verlaten. Wat kun je daarover zeggen?'

'Ik zou liever iets zeggen over de wedstrijd van vanmiddag, Geoff. Ik ben heel tevreden met de manier waarop we hebben gespeeld. Een achterstand van 1-0 ombuigen in een voorsprong van 4-1 is een veel mooier verhaal, als ik daar even over mag praten.'

'Maar João heeft een explosief, nogal controversieel karakter. Het zou helemaal in zijn stijl zijn om zoiets te doen, of niet?'

'Dat ben ik niet met je eens, het zou absoluut niet zijn stijl zijn. João Zarco is altijd heel professioneel in zijn optreden als manager van de club. Luister, Geoff, ik zou je dolgraag willen vertellen waar João op dit moment is, maar niemand weet het. Voor zover mij bekend is er geen onenigheid tussen João en meneer Sokolnikov. Ik durf wel te beweren dat de betrekkingen tussen beiden uitstekend zijn. Ik denk dat ik erbij moet zeggen dat we ons een beetje zorgen maken of João Zarco iets is overkomen. Daarom doorzoeken we het hele stadion. Dus als er iemand is die informatie heeft over waar hij is, zouden we daar graag mee in contact komen. En misschien wil jij het ons ook laten weten als je iets hoort, Geoff.'

'Natuurlijk, Scott.'

Eindelijk ging het interview over de wedstrijd, maar ik was met mijn hoofd niet bij de manier waarop Kenny Traynor zich had hersteld met een schitterende redding, en de goals die we hadden gemaakt, en de rode kaart. Ik dacht voortdurend aan Zarco en vroeg me af of zijn verdwijning te maken kon hebben met de foto die Colin van hem gevonden had onder in het graf op de middenstip.

En ik heb er geen moeite mee om toe te geven dat ik me zorgen maakte.

# 15

Ondanks de overwinning met 4-1 en het feit dat London City naar de zesde plaats in de Premier League was geklommen, was de sfeer in de kleedkamer na de wedstrijd een beetje bedrukt, omdat de jongens ook voelden dat er iets ergs aan de hand was.

We waren een geweldige manager kwijtgeraakt of we stonden op het punt om hem kwijt te raken. Niemand die wist hoe de vork in de steel stak.

Maar we stapten zoals altijd in de bus en reden terug naar Hangman's Wood, zodat de spelers konden worden behandeld voor vermoeide en geblesseerde ledematen. Xavier Pepe had twee enorme bloeduitstortingen op zijn kuiten waar Abimbole hem had getackeld, en Kwame Botchwey had een verrekte spier in zijn dijbeen die hem misschien wel een paar weken op de bank zou houden. Terwijl de bus vertrok van Silvertown Dock zag ik al hun gezichten, verlicht door de schermpjes van de mobiele telefoons waarnaar ze zaten te staren als bijen in een zwerm en het leek me maar het beste om een duidelijke richtlijn uit te vaardigen voor wat wel en niet met Twitter de wereld in mocht.

'Hé jongens, er wordt al genoeg gespeculeerd over waar Zarco is zonder tweets van jullie. Dus wat zouden jullie ervan zeggen om de duimen eens een keertje stil te houden vanavond, hè? We komen er snel genoeg achter wat er met de ouwe man aan de hand is. We hoeven niet met zijn allen mee te helpen aan het verzinnen van mooie complottheorieën voor de kranten van morgen.'

Terug op Hangman's Wood stuurde de fysiotherapeut Pepe, Botchwey en een paar anderen naar het ijsbad. Ik had verslagen van een paar onderzoeken gelezen waarin werd gesuggereerd dat een ijsbad na inspanning geen bijdrage levert aan herstel, maar al onze ervaring leert ons dat het wel werkt en zolang het tegendeel niet echt wordt bewezen, zullen we onze spelers tot ijsbaden veroordelen. Maar ijsbaden zijn geen slappe hap en je moet spelers in een ijsbad goed in de gaten houden, omdat je het risico loopt op dingen als een anafylactische shock en hartritmestoornissen als je te lang in een ijsbad zit.

Ik had dan wel niet in een ijsbad gezeten op Hangman's Wood, maar ik leed evengoed aan een shock en onderging iets uiterst onaangenaams toen Phil Hobday me die avond om halfacht op mijn mobiel belde met echt slecht nieuws.

'Scott? Ik denk dat je je moet voorbereiden op iets ergs. João Zarco is een ongeveer een halfuur geleden dood aangetroffen op Silvertown Dock.'

'Jezus christus. Wat is er gebeurd? Hartaanval?'

'Het is moeilijk precies te zeggen waaraan hij is doodgegaan. Maar in ieder geval was het geen hartaanval, dat kan ik wel zeggen. Hij zag eruit alsof hij behoorlijk was afgerost.'

'Heb jij hem gezien?'

'Ja. Zijn schedel was ingeslagen en... Het was vreselijk. Hoe dan ook, hij is dood.'

'Waar hebben ze hem gevonden?'

'Iemand van de beveiliging vond hem in een soort serviceruimte in de stalen buitenring, de eigenlijke doornenkroon van het stadion. Het is een beetje een dode hoek, daarom hebben ze hem niet eerder gevonden. De politie is er al een tijdje, natuurlijk, maar er zijn ook een plaats delict-team en een paar rechercheurs op weg hiernaartoe. Het is nu een moordonderzoek.'

'Weet Toyah het al?'

'Ja. En ik heb net Viktor gebeld. Thuis. Hij was behoorlijk geschokt, dat kan ik je wel vertellen.'

'Dat geloof ik. Jezus christus. Ik ben zelf geschokt.'

'Scott, ik wil graag dat jij de spelers inlicht. Ik denk dat het goed zou zijn als ze vanavond allemaal thuisblijven, uit respect voor João. De pers ruikt dat er iets ergs is gebeurd hier en ik zou niet willen dat een van de jongens vanavond op stap gaat en morgen breeduit in de *Daily Mail* staat.'

'Natuurlijk. Ik zal ze inlichten en een noodverordening afkondigen.'

'En misschien kunnen ze hun plannen voor morgen ook maar beter annuleren. Ik weet wel dat het morgen zondag is, maar de politie zal iedereen willen ondervragen die Zarco vandaag heeft gesproken.'

Ik dacht even na.

'Phil, er is iets wat ik je moet vertellen. Misschien kan ik beter naar Silvertown Dock komen en het je vertellen.'

'Zeg het nu maar en laat mij beslissen wat we moeten doen. Het heeft geen zin voor jou om hiernaartoe te komen, tenzij ze je hier nodig hebben.'

Ik vertelde Phil over de foto van Zarco die we in het graf hadden gevonden en dat Zarco Colin en mij had gevraagd er niet over te praten.

'Hoe kan het dat de politie die foto niet heeft gezien toen ze er was?'

'Omdat de politie de politie is. Die heeft al vuile handen zonder ermee in de modder te wroeten.'

'Oké, Scott,' zei Phil. 'Waarschijnlijk kun je maar beter hierheen komen om het de politie zelf te vertellen. Onder de omstandigheden denk ik dat het beter is als Ronnie Leishmann ook hierheen komt.'

Ronnie Leishmann was London City's advocaat.

'Welke omstandigheden bedoel je?'

'Jou, natuurlijk. En dat je dingen zegt zoals zo net over politiemensen met vuile handen. Het lijkt me niet onverstandig als je je afkeer van de politie een beetje tempert zolang die onderzoek doet naar wat er met Zarco is gebeurd.'

'Oké.'

'Waar is die foto nu trouwens?' vroeg Phil.

'Op het kantoor van Colin. João zei dat hij hem mocht houden als aandenken.'

'Dat scheelt, misschien, denk ik.'

'Ik kom zo snel mogelijk, Phil.'

Toen ik het gesprek met de voorzitter van de club had beëindigd, kreeg ik een sms van de vrouw van Didier Cassell: onze Franse keeper was eindelijk weer bij bewustzijn gekomen. Goed om te weten, maar het was een schrale troost, die de bittere pil die ik het elftal moest laten slikken, niet kon vergulden. Daar bestond geen remedie voor.

Ik verzamelde iedereen die op Hangman's Wood was in de spelersbar. Ik denk dat een paar het al in mijn ogen hadden gezien, dat ze mijn adamsappel hadden zien bewegen, en al hadden begrepen dat het ergste gebeurd was wat er maar had kunnen gebeuren.

'Onder andere omstandigheden,' zei ik, 'zou het nieuws dat Didier Cassell, onze vriend en medespeler, weer bij bewustzijn is en waarschijnlijk volledig zal herstellen, reden zijn om feest te vieren. Maar Didier zou de eerste zijn om jullie te vertellen dat een feest nu niet op zijn plaats is. Geen feest voor hem. Niet voor mij. Niet voor ons. Niet voor deze club. En geen feest voor iedereen die van voetbal houdt. Want wat ik jullie moet vertellen, is dat João Gonzales Zarco dood is.'

Je kon mensen naar adem horen happen. Een paar spelers gingen op de grond zitten.

'Ik kan jullie niet veel vertellen van wat er is gebeurd. Nog niet. Maar je moet ervan uitgaan dat de politie iedereen hier morgen zal willen spreken. Wat ik je wel kan vertellen, is dit. Toen ik onlangs mijn vriend Matt Drennan verloor, dacht ik dat ik wist hoe de pijn van het verlies aanvoelt. Maar dat was niet zo. Want, hoeveel ik ook hield van Drenno, nu João Zarco er niet meer is, besef ik dat ik nog veel meer van hem hield. João was niet zomaar mijn baas, hij was mijn vriend. En niet alleen dat. Hij was mijn mentor, mijn inspirator en mijn voorbeeld, de enige echte filosoof die ik ooit heb gekend, en de beste voetbalmanager die ooit heeft geleefd.

Ik kijk om me heen in deze bar en dan ben ik trots dat ik Engelsen zie, Schotten, Ieren, Welshmen, Fransen, Brazilianen, Spanjaarden, Duitsers, Italianen, Ghanezen, Oekraïners, Russen, Joden en niet-Joden, blanken en zwarten die allemaal met elkaar voor één team spelen. Maar dat is niet wat João Zarco zag. Helemaal niet. Zarco zag geen rassen of religies. Hij hoorde niet allerlei verschillende talen. Hij zag zelfs niet eens een geweldig elftal als hij naar jullie keek. Als hij er was, zag en hoorde hij iets heel anders. Iets heel inspirerends. Wat João Zarco zag als hij naar jullie keek, was de ware voetbalfamilie, zijn familie en mijn familie. En hij hoorde alleen maar altijd dit: dat we allemaal dezelfde taal spreken, een taal die over de hele wereld wordt gesproken, in alle landen en onder alle goden, een taal die ons verenigt, en dat is de taal van de liefde voor dit prachtige spel.

Op dit moment worden wij verenigd door dit verschrikkelijke, onverdraaglijke verlies. Verenigd in rouw. Verenigd door de herinnering aan de vader van onze voetbalfamilie. Dit is een heel speciale dag. Onthoud die dag zoals ik hem altijd zal onthouden. Want dit was niet de dag waarop Zarco is overleden, dit was de dag waarop zijn familie de vloer aanveegde met een geweldige tegenstander. Hij kan er niet bij zijn om die overwinning te vieren. Maar ik garandeer je dat hij het ziet en dat hij jullie erom bewondert, net zo goed als ik weet dat jullie hem bewonderen. En ik vraag jullie om vanavond niet de deur uit te gaan, maar om thuis te blijven en hem in jullie gebeden te herdenken, om aan ons allemaal te denken die lijden onder het verlies van de man van wie we hielden, die prachtige man uit Portugal.'

Verder zei ik niets. Om je de waarheid te zeggen was ik ook niet meer in staat om nog iets te zeggen. Ik liep zwijgend naar het parkeerterrein en stapte in mijn auto. Een tijdje zat ik zonder iets te doen in de veilige stille beschutting van hout en leer in de Range Rover. Toen huilde ik.

Toen ik uitgehuild was, reed ik naar het westen, naar Silvertown Dock.

# 16

Oost-Londen. Zaterdagavond. Afgrijselijk januariweer. De lucht was vol van een mengsel van natte sneeuw en sneeuw alsof de stad getuige was van een terugkerende ijstijd. De zwarte rivier de Theems was een gigantische, slijmerige anaconda, koud als de dood zelf. Natte, vuile auto's vochten om voorrang, de gevoelens van verbroedering en menslievendheid van de kerst en oud en nieuw waren weer volledig verdwenen, vermorzeld onder de zware last die het leven in de duurste stad op aarde op de schouders legt van hen die er wonen, of gewoon aan de straat gezet met de kerstboom. Mensen haastten zich naar binnen bij pubs en kroegen om maar zo veel mogelijk drank naar binnen te slaan voordat ze een schimmige nachtclub in duiken. De stank van bier en sigaretten en uitlaatgassen, gemengd tot een dikke, gele, alles doordringende mist. Lelijke gebouwen, donker en vervallen en onmetelijk oud, alsof de voetstappen van Dickens er nog weerklinken of zelfs de hand van Shakespeare er gebaart.

En dan uiteindelijk het onmiskenbare silhouet van Silvertown Dock. De naam Crown of Thorns was goed gekozen. Met donker, subtiel vlechtwerk, wreed en puntig, lag de stalen buitenring er in het duister vaag heilig bij, alsof het bloedende, gehavende hoofd van de Heer er elk moment onder kon verschijnen. Misschien wel in een sterke gelijkenis met João Zarco.

De politie was massaal aanwezig op Silvertown Dock, evenals tv-camera's en de schrijvende pers. Het had veel weg van een herhaling van het optreden op de avond dat Drenno zich had opgehangen en ik vroeg me af waarom ze niet gewoon een paar foto's gebruikten van het moment waarop ik op die avond was aangekomen. Mijn gezicht moet me toen even miserabel uit de achteruitkijkspiegel hebben aangekeken als nu.

Ik parkeerde de auto, liep het stadion in en bedacht dat ik de laatste keer dat ik er was, niet had geweten dat Zarco dood was. Zonder erbij na te denken liep ik naar de viproom. Het lag voor de hand dat de politie daar zijn hoofdkwartier voor het onderzoek zou inrichten. Aan de wanden van de gang naar het restaurant hingen foto's waarop Zarco werd afgebeeld als de knappe en raadselachtige man die hij was geweest. Ik kon nog steeds niet geloven dat ik hem niet meer zou tegenkomen, in zijn N.Peal zip-up en jas van kasjmier, het gezicht ongeschoren, maar toch knap, de volle haardos even grijs als het staal van de buitenring.

Iemand van de beveiliging zei iets. Ik schudde zijn hand alsof ik op de automatische piloot functioneerde.

'Dank je,' mompelde ik.

Bij de deur van de viproom werd ik begroet door Phil Hobday, Maurice McShane en Ronnie Leishmann. Rond een grote ronde tafel waarop een Apple Mac stond zat een aantal mensen die ik niet kende. De tafel was ontworpen door de kunstenaar Lee J. Rowland. Het tafelblad was van leer en leek op een voetbal, een ouderwetse voetbal met veters. Bij een eerdere gelegenheid had Phil Hobday me verteld dat het ding een kolossale vijftigduizend pond had gekost. Vanaf het moment dat hij een plaats had gekregen in de viproom, had iedereen die bij London City Football Club had gespeeld of gecoacht er zijn handtekening op gezet. Ook Zarco en ik.

De foto van Zarco die we onder in het graf hadden gevonden lag in een plastic zak op tafel. Aan een hoek van de zak was een nummer geniet.

Een goed verzorgde, androgyne vrouw van in de veertig, met kort geknipt bijna wit haar en een krachtig, maar ook zeer bleek gezicht, stond op. Ze zag er goed uit, aantrekkelijk zoals vrouwen er boven de veertig aantrekkelijk uit kunnen zien. Ze droeg een paarse jurk en een donkerblauwe getailleerde jas. Ze hield een iPad in haar hand, wat haar een efficiënte en moderne uitstraling gaf.

'Dit is Scott Manson, onze elftalcoach,' zei Phil Hobday.

'Ik weet het,' zei de vrouw kalm.

'Scott, dit is hoofdinspecteur recherche Jane Byrne van New Scotland Yard.'

'Ik weet dat het u erg aangrijpt, meneer Manson. Dat weet ik omdat we hier net met z'n allen naar uw toespraak hebben gekeken op YouTube.'

'Wat?'

'Ja, het lijkt erop dat iemand het heeft opgenomen met een mobiele telefoon en het heeft geüpload terwijl u onderweg was hiernaartoe.'

'Het was de bedoeling dat het onder ons zou blijven,' mompelde ik.

'Stomme voetballers,' zei Phil. 'Sommigen hebben nog minder verstand dan waarmee ze zijn geboren.' Hij schudde vermoeid het hoofd en wees toen naar een trolley met zo veel flessen drank en glazen dat het wel de skyline van Londen leek. 'Wil je iets drinken, Scott? Je ziet eruit alsof je wel iets kunt gebruiken.'

'Dank je. Doe mij maar een groot glas cognac.'

'En u, hoofdinspecteur?'

'Nee, dank u.' Ze gaf me haar iPad. 'Hier, Kijk zelf maar.'

Ik keek naar het scherm van de iPad en zag een bevroren beeld van mijzelf tegen het einde van mijn kleine lofzang op Zarco. De titel van het filmpje was: *Een eerbetoon aan João Zarco: 'De beste voetbalmanager die ooit heeft geleefd', door Scott Manson.* Iemand die zich Voetbalsupporter 69 noemde, had het geüpload.

'Het was een mooie toespraak, Scott,' zei Ronnie. 'Je kunt trots zijn.'

'Vijftienduizend keer bekeken,' zei Maurice. 'En het staat er nog geen uur op.'

'Het was de bedoeling dat het onder ons zou blijven,' herhaalde ik aangeslagen. Ik gaf haar de iPad terug en pakte het grote glas cognac aan van Phil Hobday.

'Niets wat met João Zarco te maken heeft, is nu nog privé,' zei Jane Byrne. 'Tenminste niet tot de moordenaar is gevonden.'

'De moordenaar?'

'Zo ziet het er in ieder geval wel uit,' zei ze. 'Het lichaam was behoorlijk toegetakeld.'

Met een handgebaar nodigde ze me uit om te gaan zitten. Ze sprak heel duidelijk en nadrukkelijk alsof ze tegen iemand praatte die niet al te slim was. Of misschien realiseerde ze zich dat ik nog steeds verdoofd moest zijn door de schok.

'Ik leid dit onderzoek,' legde ze uit. Ze introduceerde een paar van de andere politiemensen die in de viproom aanwezig waren. Namen die het ene oor in gingen en het andere weer uit.

Ze bestudeerde me nauwlettend terwijl ik mijn glas cognac leegdronk en me een tweede glas liet inschenken door Phil.

'Ik weet even weinig als u, meneer Manson, over wat er is gebeurd, dus als u het niet erg vindt, stel ik voorlopig de vragen.'

Ik knikte terwijl ze een app op de iPhone startte om het gesprek op te nemen.

'Wanneer en waar hebt u meneer Zarco voor het laatst gezien?'

'Vanochtend rond elf uur. We waren op het trainingscomplex van de club op Hangman's Wood, waar we zoals gewoonlijk op de dag van de wedstrijd de opstelling maakten. Daarna is hij vertrokken voor een lunch hier in de viproom. Tenminste, hij zei dat hij hiernaartoe ging.' Ik zuchtte omdat het me weer in zijn volle omvang trof. 'Ja, dat was de laatste keer dat ik hem heb gezien. En de laatste keer dat ik hem heb gesproken.'

'Hoe laat kwam hij hier aan?' vroeg ze aan Phil.

'Rond halftwaalf.'

'Hoe was zijn humeur toen hij Hangman's Wood verliet?'

'Hij leek in een opperbeste stemming,' zei ik. 'We hebben afgelopen week een goed resultaat behaald tegen Leeds en we vertrouwden er allebei op dat we vanmiddag weer zouden winnen. Dat is ook gebeurd.'

Ze keek naar Phil. 'En toen hij hier aankwam? Hoe was hij toen?'

'Nog steeds in een opperbest humeur,' bevestigde Phil. 'Kon niet beter.'

'Ik wil graag iedereen ondervragen die bij die lunch is geweest,' zei ze.

'Natuurlijk,' zei Phil. 'Ik zal het regelen.'

Jane Byrne keek mij aan. 'Meneer Hobday heeft me verteld van het graf dat een dag of tien geleden op de middenstip is gegraven. Ik heb het proces-verbaal gelezen dat erover is opgemaakt. Volgens inspecteur Neville, die met het onderzoek was belast, was u niet erg bereid om mee te werken aan het onderzoek, meneer Manson. Kunt u uitleggen waarom?'

'Dat is een lang verhaal. Laat ik zeggen dat ik meer dan uw inspecteur bereid was om te geloven dat het gewoon een gat in de grond was dat daar was gegraven door een stelletje vandalen. Een onvermijdelijk bijverschijnsel van het fanatisme waarmee supporters tegenwoordig hun club steunen.'

'Het lijkt erop dat u het bij het verkeerde eind had, is het niet? Vooral tegen het licht van de foto van meneer Zarco die in het graf is gevonden. Deze foto.'

'Het lijkt er wel op, ja.'

'Lijkt het erop dat dit de foto is, of lijkt het erop dat u het bij het verkeerde eind had?'

Ik haalde mijn schouders op. 'Beide.'

'Waarom hebt u ervoor gekozen om inspecteur Neville niet te informeren over de vondst van die foto?'

'Zoals ik al heb gezegd, de politie heeft die foto niet gevonden en het leek de moeite niet waard om ze opnieuw hiernaartoe te halen. Ik was van mening dat ze die foto wel zouden hebben gevonden als ze hun werk goed hadden gedaan. Hoe dan ook, het was niet echt mijn besluit. Per slot van rekening hebben we het niet over een foto van mij. Zarco was hier de baas. Zo werkt dat met een voetbalmanager, mevrouw. Als hij zei dat we moesten springen, vroegen wij hoe hoog. Soms heel letterlijk. Het was dus aan hem om te bepalen wat we moesten doen en hij zei dat we het maar moesten vergeten.'

'Hij leek er niet door gealarmeerd?'

'In het geheel niet. U moet niet vergeten dat bedreiging van voetbalmanagers een beroepsrisico is. Gaat u maar eens praten met Neil Lennon bij Celtic, of Ally McCoist bij de Rangers. Die kunnen erover meepraten.'

'Maar dat is in Glasgow, toch? Dit is Londen. Het is hier toch zeker iets minder een stammenstrijd?'

'Misschien. Daarom nam Zarco het waarschijnlijk niet serieus toen we zijn foto in dat graf vonden. En daarom wilde hij het waarschijnlijk niet rapporteren aan inspecteur Neville.'

'Maar nu zitten we hier met een onopgelost mysterie.'

'Daar heeft het veel van weg. Het mysterie van Silvertown Dock.'

'Wat bedoelt u?'

'Niets,' zei ik.

'Nee, zeg het eens.'

'Er is gewoon een eeuwigheid geleden ooit een film gemaakt. Een krasserige oude zwart-witfilm die *Het mysterie van het Arsenal Stadion* heette. In die film werd een van de spelers vermoord.'

'Ik zal eens kijken of ik die op dvd kan vinden.'

'U zou hem van mij kunnen lenen, maar om eerlijk te zijn, zou ik er geen moeite voor doen. Het is echt een heel oude film en volstrekt niet relevant.'

'Hebt u enig idee wie meneer Zarco zou kunnen hebben vermoord?'

'Geen flauw idee.'

'Meent u dat?'

'Ja. Luister, dit is voetbal, niet de georganiseerde misdaad.'

'Echt? Kom, meneer Manson. Alles wat ik heb gelezen en gehoord, maakt duidelijk dat meneer Zarco een man was die veel vijanden maakte.'

'Wie maakt er geen vijanden in het voetbal? Ik ga hier niet zitten vertellen wie dat waren. Zarco was een man met uitgesproken meningen. Soms was zijn passie voor voetbal schokkend voor andere mensen. Maar vijanden die hem zouden vermoorden?' Ik schudde mijn hoofd. 'Ik heb geen idee.'

'Vijanden zoals...'

'Alstublieft, ik heb net een heel goede vriend verloren. Boven op de zelfmoord onlangs van een andere man die ik graag mocht. Matt Drennan. Misschien moet u me die vraag nog maar eens stellen als ik weer normaal kan nadenken. Op dit moment ben ik echt niet in de stemming om u een lijst met mogelijke daders te geven. Misschien morgen.'

'Wilt u niet dat wij de man vinden die hem heeft vermoord?'

'Natuurlijk wel.'

'Hoe eerder u ons helpt, des te sneller pakken wij degene die hem heeft vermoord.'

'Dat is uw mening.'

'Ah.'

'Wat?'

'Nu komt de aap uit de mouw,' zei ze. 'De ware reden waarom u ons misschien niet wilt helpen bij het onderzoek.'

'Met alle respect, en onder de omstandigheden, denk ik dat meneer Manson tot dusverre zeer behulpzaam is geweest,' zei Ronnie Leishmann.

'Dat is uw mening,' zei de hoofdinspecteur. 'De vijandige houding van meneer Manson jegens de politie is een publiek geheim.'

'Evenals de vijandige houding van de politie jegens mij,' zei ik. 'Ik geloof dat het genoegzaam bekend is dat de politie consistent over mij heeft gelogen in de rechtszaal en heeft samengezworen om mij op grond van een valse beschuldiging veroordeeld te krijgen. En trouwens, voor het geval u deze zaak even snel wilt afhandelen, ik heb voor de hele dag een alibi. Er zijn meer dan zestigduizend mensen die mij de hele middag onder ogen hebben gehad. Nog afgezien van die tweeënhalf miljoen op tv. Op die momenten dat ze mij niet angstvallig in de gaten hielden, was ik in de kleedkamer met het elftal. Ik loop graag naakt rond tussen andere mannen, voor het geval u dat mocht interesseren.'

Ze leek iets te willen zeggen, maar glimlachte toen.

'Het spijt me,' zei ze. 'U hebt natuurlijk gelijk. Ik bied mijn verontschuldigingen aan. Als ik had meegemaakt wat u hebt meegemaakt, zou ik, denk ik, misschien wel net zo over de politie denken als u. Het is schandalig wat u is overkomen, meneer Manson. Werkelijk. Laten we opnieuw beginnen, ja?' Ze stond op en stak haar hand uit. 'Jane Byrne. Wilt u mij op mijn woord geloven dat ik hier niet ben om de reputatie van de Met te beschermen, maar om de moordenaar te pakken van meneer Zarco? En mag ik u mijn welgemeende condoleances aanbieden met de dood van meneer Zarco?'

Ik schudde haar de hand. 'Weet u, u bent de tweede politiefunctionaris die mij een aardige persoon lijkt.'

'Bedoelt u dat we met z'n tweeën zijn? Jezus, wie is die andere?'

'Inspecteur Louise Considine, van bureau Brent.'

'Misschien geeft u de voorkeur aan vrouwelijke politiefunctionarissen.'

'Daar zou iets van waar kunnen zijn. Hoe dan ook, zij is belast met het onderzoek naar de zelfmoord van Matt Drennan.'

'Tja, dat is ook een soort misdaad, denk ik.' Ze fronste haar wenkbrauwen. 'Dat was het in ieder geval ooit wel. Tussen twee haakjes, hoe goed kende u Zarco?'

'Zarco? Niet beter of minder goed dan iemand anders, denk ik. Ik ken hem al sinds ik een kleine jongen was. Toen hij destijds in de jaren negentig aan het einde van zijn carrière voor Celtic speelde, was hij de eerste voetballer die koos voor voetbalschoenen van Pedila. Pedila is het bedrijf van mijn vader.'

'En hoe is de samenwerking tussen u beiden tot stand gekomen?'

'Ik heb in 2010 mijn UEFA-certificaten gehaald en ben ik begonnen als assistent-trainer van Pep Guardiola in Barcelona. In 2011 werd ik veldtrainer van het eerste elftal van Bayern München, waar ik samenwerkte met Jupp Heynckes, ook een oude vriend van mijn vader. En toen Zarco hier deze zomer terugkwam, ben ik zijn assistent-manager geworden.'

'Hoe bedoelt u: "terugkwam"?'

Ik glimlachte. 'Ik denk dat ik meneer Hobday dat maar laat uitleggen.'

'O, Zarco is al eerder manager geweest bij deze club,' legde Phil uit. 'Zeven jaar geleden. Voordat we in de Premier League speelden. Hij was toen ook heel succesvol als manager. João heeft ons destijds aan promotie geholpen. Maar daarna is hij vertrokken.'

'Waarom?'

'Eh, hij werd de laan uitgestuurd door meneer Sokolnikov. Hun ideeën over hoe je de club moest runnen, liepen mijlenver uiteen. Dat zou je ook mogen verwachten, omdat het beiden heel krachtige persoonlijkheden zijn, met als gevolg dat ze niet zo heel goed met elkaar konden opschieten. Toen niet. Na die tijd hebben we een hele reeks managers gehad. Maar daar was er niet een bij die zo goed presteerde als Zarco en de supporters bleven vragen om zijn terugkeer. Dus dat is wat er is gebeurd. En deze tweede keer konden ze geweldig goed met elkaar overweg. Vind je ook niet, Scott?'

Ik knikte. 'Ze waren allebei ouder en rijker geworden,' zei ik. 'Misschien ook wel een beetje wijzer.'

'Ik wil ook graag praten met meneer Sokolnikov,' zei Jane Byrne. 'Morgen, denk ik.'

'Natuurlijk,' zei Phil. 'Zeg maar wanneer, dan regel ik dat.'

'Trouwens,' zei ik. 'Zarco's vrouw, Toyah.' Ik schudde mijn hoofd. 'Vraag haar niet om het lichaam officieel te identificeren. Ze is nogal gevoelig. Ik doe het wel.'

Ze knikte. 'Zo u wilt. Omdat u zegt dat u hem zo goed kent.'

'Morgen zal ik al uw vragen beantwoorden,' zei ik. 'Wat u maar wilt weten. En de spelers ook. Nou ja, u hebt in ieder geval al gezien wat ik hun heb verteld, op uw iPad. Ik zal de spelers en de staf bij elkaar roepen op Hangman's Wood en dan met de bus hiernaartoe komen.'

'Dank u. Zullen we zeggen om tien uur?'

Ik keek Phil aan, die knikte.

'Tot dan,' zei ik, 'heb ik maar één verzoek. Ik zou graag willen zien waar het is gebeurd.'

Ze bleef even stil, terwijl ze nadacht.

'Ik ga er geen bloemen neerleggen of een teddybeer,' zei ik. 'Ik zou alleen graag de plek willen zien waar hij is overleden en kort willen bidden.'

Ze knikte. 'Oké. Maar ik heb een paar minuten nodig om dat met de eenheid op de plaats delict te regelen.'

'Goed,' zei ik. 'Ik wil toch nog even iets ophalen uit mijn kantoor. Dan kom ik hier bij u terug. Oké?'

Jane Byrne wierp een blik op haar horloge. 'Negen uur?'

'Oké.'

Voordat ik naar mijn kantoor ging, liep ik een toilet in om water in mijn gezicht te spetteren. Ik had die twee glazen cognac niet moeten drinken.

Toen ik het toilet weer uit kwam, zag ik Jane Byrne in de gang staan. Ze stond met haar rug naar mij toe met haar mobiel tegen haar oor gedrukt. Ze dook het damestoilet in om ongestoord te kunnen telefoneren. Ik bleef even voor de deur staan en duwde die toen zacht open. Halverwege de ruimte, tussen de deur en de toilethokjes was een muur. Ik hoorde haar aan de andere kant van die muur op en neer lopen tijdens het telefoneren. Op de tegelvloer klonken haar hoge hakken hoger dan ik me kon herinneren. Zonder geluid te maken stapte ik over de drempel en luisterde naar wat ze zei. Het is altijd handig om te weten wat de politie in haar schild voert. En aangezien Jane Byrne op dat moment zo ongeveer de enige vrouw in het stadion was, was ik niet bang te worden betrapt.

Het accent van de hoofdinspecteur klonk anders. Er zat nu meer Zuid-Londen in en wat ze zei, klonk heel wat boosaardiger dan zelfs ik had kunnen vermoeden:

'... heeft hem verrot geslagen, blijkbaar. Zo ziet het er in ieder geval wel uit. Zarco's hoofd was behoorlijk opgezwollen... Ja, meer dan normaal... De technische eenheid zegt dat de kans groot is dat hij er hersenletsel aan had overgehouden, als hij het had overleefd... Waar hij lag? Dat is moeilijk te beschrijven. Het probleem met moderne architectuur is dat het wemelt van de vergeten hoekjes en zo ziet dit er ook uit. Het houdt het midden tussen een schacht en een soort alkoof. Betonvloer, stalen balken, een hek van gaas, maar wel open van boven en onder de vogelstront. De man van de beveiliging die ik heb gesproken zei dat het een soort werkhok was, maar als dat zo is, zou ik niet weten wat voor werk daar werd verricht. Het enige wat er is, zijn de stalen balken van die buitenring die die doornenkroon vormt. Op de begane grond was een deur... Klopt... Ja, een ideale plek om iemand af te rossen, maar dan moet degene die dat gedaan heeft, wel een sleutel hebben, want die deur zat op slot... Ik neem aan dat Zarco er een had. Hij moet er vrijwillig heen zijn gegaan met degene die hem te grazen heeft genomen... Nee, gevallen lijkt niet logisch; ik heb niets gezien waar hij vanaf gevallen zou kunnen zijn... Ja, ik ben er nu... Nou, ja, je weet het, het zijn voetballers, bij de meesten is het een combinatie van domheid en een opgeblazen ego... Er zit hier een clubvoorzitter die zo glad is als een aal en een coach die zich gedraagt alsof hij Derek Bentley is die de Guilford Four onder zijn hoede heeft. Ja... Scott Manson. En ik heb de Russische oliebaron die de eigenaar is van het hele spul nog niet eens gezien. Ik zou maar al te graag het dossier lezen dat de politie in Oekraïne van die klootzak heeft. Ik wil wedden dat het dikker is dan de Bijbel. O, dat doet me eraan denken, Clive, ik wil de dossiers over Manson. Ik wil zijn hele levensverhaal op mijn bureau als ik straks terugkom op de Yard. O, en Clive, die klootzak moet even aangepakt, zodat hij wat meer bereid is om mee te werken. Inspecteur Neville, dat is de man die hiernaartoe moest vanwege dat graf op het veld, zei dat Manson een lastige klootzak was. Op het moment moet ik zo ongeveer zijn ballen likken om de namen van potentiële verdachten uit hem los te krijgen. Dus laat een surveillancewagen hier uit de buurt hem maar aan de kant zetten straks voor een alcoholcontrole. Hij heeft twee flinke glazen op sinds hij hier aankwam. Ik zal zometeen een van mijn mensen zijn kenteken laten sms'en. En Clive? Probeer inspecteur Louise Considine van bureau Brent in te lijven bij mijn team. Neville ook, als zijn baas hem wil laten gaan...'

Ik had genoeg gehoord om te weten hoe de verhoudingen lagen tussen de aardige hoofdinspecteur en mij.

Ik liep het damestoilet uit en de gang door naar mijn kantoor. Phil Hobday kwam de viproom uit en liep met me mee. Zijn kantoor was in de buurt van het mijne, hij zei dat hij een paar telefoongesprekken moest voeren. Maar halverwege hield hij me staande.

'Als je met haar klaar bent,' zei hij, 'wil Viktor graag dat je hem opzoekt in Kensington Palace Gardens voor een gesprek.'

Kensington Palace Gardens is de uiterst exclusieve straat in Kensington waar Viktor woonde in een villa van zeventig miljoen pond.

Ik bleef even stil. 'Waarover?'

Phil haalde zijn schouders op. 'Ik weet het niet. Nee, echt, ik heb geen idee. En ik ben absoluut niet van plan om te gaan gissen naar wat er in Viktor Sokolnikov omgaat. Maar je komt erlangs op weg naar huis.'

'Oké.' Ik wierp een blik op de enorme Hublot om mijn pols. 'Maar het wordt misschien wel laat.'

'Hoeveel tijd heb je nodig om te bidden? Ik wist niet eens dat jij gelovig was.'

'Wel als het om mensen gaat van wie ik hou.'

'Hoe laat moet ik zeggen dat je komt dan?'

Ik dacht even na. 'Ik weet het niet.'

'Kom op, Scott. We hebben het over Viktor, niet over een borrel in de Star Tavern.'

De Star was de modieuze pub in Belgravia waar ik soms iets ging drinken met Phil. De Star een pub noemen was eigenlijk net zoiets als een Rolls Royce een auto noemen.

'Zeg dan maar halfelf.'

'Oké. Trouwens, goed gedaan daarnet, je hebt die hoofdinspecteur mooi bakzeil laten halen.'

'Daar ben ik nog niet zo van overtuigd.'

'Maar niet vervelend om naar te kijken, toch?'

'Als je daarvan houdt.'

Phil grinnikte. 'Daar hou ik van. Daar hou ik heel veel van.'

'Ambitieus, zou ik zeggen.'

'Daar hou ik ook van.'

Voor de deur van Zarco's kantoor stond een agent in uniform op zijn mobiele telefoon te kijken. Ik knikte naar hem en liep mijn eigen, aangrenzende kantoor in. De arme man wist uiteraard niet dat er een deur was die mijn kantoor verbond met dat van Zarco. Ik trok de deur van mijn kantoor achter me dicht en liep meteen door naar het kantoor van Zarco, waar ik met de zaklantaarn-app op mijn mobiele telefoon rondkeek wat er op zijn bureau en in de laden te vinden zou zijn. Ik wist dat er seksspeeltjes waren en spullen voor bondage – een vibrator met afstandsbediening en handboeien – waar niemand iets mee te maken had. Het ging er niet alleen om dat ik vond dat de politie zo onbekwaam was dat ze hun eigen kont nog niet eens zouden kunnen vinden, laat staan de moordenaar van Zarco – ik moest ook zijn reputatie beschermen, en die van de club. Bij de Met maken ze er een gewoonte van om sappige verhalen aan de kranten te verkopen, terwijl ze worden geacht iets anders te doen. En kranten doen niets liever dan mensen onderuithalen die ze eerst de hemel in hebben geprezen. Zoals mijn oude vriend Gary Speed. Als je dood bent en ze eenmaal een paar aardige dingen over je hebben gezegd en een paar tranen hebben weggepinkt, kunnen ze vervolgens over je schrijven wat ze willen. Natuurlijk had ik de telefoons voor plezier en iets anders van Zarco al bij mij in een la liggen, maar ik wilde zeker weten dat er niets was wat zijn nabestaanden zou blootstellen aan onthullingen in de tabloids: *De Echte João Zarco* of *De João Zarco Die Niemand Kende*. Of minstens zo erg, een heuse twitterstorm. Fuck.

Als het om eigen gewin gaat, houd ik me keurig aan de regels, maar als het om mijn vrienden of de club gaat, ben ik graag bereid de regels een beetje op te rekken.

# 17

'Shit,' zei Maurice. 'Moet je eens kijken wat een mensen.' Hij knikte. 'Dat wordt een groot eerbetoon.'

'Het lijkt er wel op.'

We zaten in mijn Range Rover en reden weg van London City Football Club richting Kensington Palace Gardens. Het was donker en bitter koud, natte sneeuw joeg door de lucht, maar desondanks hadden honderden supporters zich verzameld om eer te betonen aan João Zarco. Aan de hekken van Silvertown Dock waren zo veel oranje sjaals vastgeknoopt dat het nu al veel weg had van een Hindoe-tombe. Sommige supporters zongen clubliederen. Natuurlijk ook, hoe kon het anders, The Clash.

*London calling to the faraway towns, now war is declared – and battle come down…*

Sommigen probeerden zelfs het gehuil van de weerwolf van Joe Strummer aan het einde van het refrein na te bootsen.

Ik zat een tijdje zwijgend met *London Calling* en het gehuil nog steeds in mijn hoofd. Het bezorgde me kippenvel.

'Dat is het mooie van voetbal,' zei Maurice. 'Als het met je gedaan is, willen mensen hun respect betuigen. Wie krijgt dat verder nog voor elkaar tegenwoordig?'

'Michael Jackson?' zei ik. 'Dat hotel waar we zaten in München. De Bayerische Hof. Die hebben nog steeds een monument bij de voordeur.'

Maurice kromp in elkaar. 'Dat zijn Duitsers.'

'Hé, voorzichtig een beetje met wat je over Duitsers zegt. Ik ben voor de helft Duitser, weet je nog?'

'Oké, Fritz, geef dan maar eens antwoord op de volgende vraag. Waarom doen ze dat – een monument oprichten – voor iemand van wie iedereen weet dat hij pedofiel was? Dat is toch belachelijk.'

'In bepaalde opzichten willen de Duitsers, vooral die uit Beieren, dat soort dingen liever niet weten.'

'Ja... Dat konden ze toch heel mooi onder woorden brengen?' gromde Maurice. 'Dat ze liever niet weten wat iemand in het verleden gedaan heeft?'

'Ik wou dat hij dat had kunnen zien,' zei ik. Ik negeerde het geschiedenislesje. 'Zarco, bedoel ik, niet de man van plastic.'

'Heb je zijn stoffelijk overschot gezien?' vroeg Maurice.

'Niet echt,' zei ik. 'Zijn benen, denk ik. 'Waar het lichaam lag – het was maar een kleine ruimte. Er liepen drie, vier rechercheurs omheen met allemaal spullen, schijnwerpers, statieven, camera's, laptops. Een plaats delict lijkt tegenwoordig meer op een filmlocatie waar ze een reclamespotje opnemen.'

'Wat verschrikkelijk dat iemand als João zoiets moet overkomen,' zei Maurice. 'Hoe oud was hij eigenlijk?'

'Negenenveertig.'

'Jezus. Dat zet je aan het denken, toch?' Hij tuitte zijn lippen. 'Tragisch, dat is het. Zonder meer. Maar het was absoluut geen moord.'

'Hoor, hoor, inspecteur Morse.'

'Tenminste geen moord in de ouderwetse betekenis van het woord, met voorbedachten rade. Ja... het is redelijk voorspelbaar dat iemand de pijp uitgaat als je hem zwaar lichamelijk letsel toebrengt. Maar ik kan hier geen voorbedachten rade in zien, als je bedenkt hoe de meeste mensen in ons wereldje hiertegen aan zouden kijken.'

'Ga door.'

'Je weet nog wel hoe het in de bak was. Negen van de tien keer dat ze iemand om zeep wilden helpen, sloegen ze hem niet in elkaar. Dan gebruikten ze een mes. Of ze wurgden hem. En buiten de muren zouden ze hem neerschieten of laten neerschieten. Maar ze zouden hem niet verrot schoppen. Als iemand de pijp uitgaat na een pak ransel, dan is er iets fout gegaan bij dat pak ransel, of is het uit de hand gelopen. Meer een ongeluk. Doodslag. Nee, als je het mij vraagt, was er iemand die Zarco pijn wilde doen, niet vermoorden. Het was wraak, of een waarschuwing, maar geen "zeg maar dag met het handje".'

'Ik ben geen jurist, maar volgens mij staat het anders in de wet.'

'Ja... De wet, hè? Er staat niet veel zinnigs in wetboeken tegenwoordig. Als dat wel zo was, zaten we niet in de EU, toch? En dan hadden we niet die rare mensenrechtenwet en al die flauwekul. Abu Hamza. Dat soort klootzakken maakt een apenkooi van de rechtbanken in dit land.' Maurice bleef even stil toen een blauw zwaailicht door de Range Rover spoelde. 'Als je het over de duivel hebt...' zei hij. 'Er rijden wetshandhavers achter ons.'

Ik keek in mijn buitenspiegel en knikte.

'Laat mij m'n gang maar gaan, oké?'

'Van mij mag je.'

We stopten langs de kant en ik draaide het getinte raam een paar centimeter omlaag.

Een verkeersagent meldde zich naast de Range Rover. Hij had al een blaaspijpje in zijn ene hand en zette met zijn andere hand zijn pet recht.

'Wilt u even uitstappen, meneer?'

'Zeker.'

Ik stapte uit en deed het portier achter me dicht.

'Is dit uw voertuig, meneer?'

'Ja.' Ik gaf hem mijn plastic kentekenregistratie. 'Wat is het probleem?'

Hij wierp een blik op de registratie. U reed onregelmatig, meneer. En u reed zesenvijftig kilometer per uur waar u slechts vijftig kilometer per uur mag rijden.'

'Als u het zegt,' zei ik. 'Ik heb niet echt op de snelheid gelet.'

'Hebt u vanavond alcohol gedronken, meneer?'

'Een paar glazen cognac. Ik had slecht nieuws gehad.'

'Het spijt me dat te horen, meneer. Ik ben echter bang dat ik u moet vragen mee te werken aan een ademtest.'

'Oké. Maar u begaat een vergissing. Als u me toestaat om uit te leggen...'

'Weigert u mee te werken aan een ademtest, meneer?'

'Helemaal niet, ik probeer u alleen uit te leggen dat...'

'Meneer, ik vraag u mee te werken aan een ademtest. Of u werkt mee of ik moet u arresteren.'

'Goed dan. Als u erop staat. Hier, kom hier met dat ding.' Ik pakte het kleine grijze apparaatje, volgde braaf de instructies van de verkeersagent en gaf hem het apparaatje terug.

We wachtten een paar seconden.

'Ik ben bang dat het rode lampje is gaan branden, meneer. De ademtest wijst op een alcoholgehalte van meer dan vijfendertig milliliter per honderd milliliter bloed. Dat betekent dat u onder arrest staat. Wilt u mij volgen naar de surveillance-auto?'

Ik glimlachte. 'Waarom?'

'U heb net een ademtest met een negatief resultaat afgelegd,' zei de verkeersagent. 'Daarom.'

'Ja, maar wat ik u al eerder probeerde uit te leggen, ik reed niet. Mijn vriend reed.'

'Wat zegt u?'

'Dit is een auto met het stuur links, ziet u?'

Het bleef een hele tijd stil en ik probeerde niet te glimlachen.

De verkeersagent marcheerde naar de linkerkant van de auto en trok het portier open. Maurice grinnikte hem toe.

'Avond, agent,' zei hij opgewekt. 'Ik ben geheelonthouder. Diabetes, ziet u? Dus het zou verspilde moeite zijn.'

'Tussen twee haakjes,' zei ik, 'dit is een Overfinch Range Rover. Hij heeft niet alleen het stuur links, hij is ook uitgerust met een Roadhawk – een blackboxcamera die alles vastlegt wat er voor, achter en aan beide kanten naast de auto gebeurt. Bij ongelukken, begrijpt u?'

De agent stopte het blaaspijpje in zijn zak. Zijn gezicht had de kleur van de nachtlucht in dat deel van Londen: een kunstmatig soort donkerpaars. Hij sloeg het portier dicht in het grinnikende gezicht van Maurice.

'Neemt dat systeem ook geluid op, meneer?'

'Nee, helaas niet.'

Hij knikte grimmig en boog zich toen zo dicht naar mij toe dat ik de geur van koffie in zijn adem kon ruiken.

'Lul.'

Toen draaide hij zich om en liep weg.

'U ook nog een goedenavond verder, agent,' zei ik. ik stapte weer in de Range Rover.

Maurice lachte. 'Dat was onbetaalbaar,' gierde hij. 'Ik kan niet wachten om het weer te zien. Dat moet je op YouTube zetten.'

'Ik denk dat ik voor vandaag wel genoeg op YouTube ben geweest,' zei ik.

'Nee, echt. Anders gelooft niemand het. Die smeris was er zo tuk op om je te pakken dat hij niet eens in de gaten had dat dit een auto met een links stuur is. Zonder gekheid. Dat was pure slapstick.'

'Ik kan het beter achter de hand houden. Een volgende keer heb ik misschien minder mazzel.'

'Onder de omstandigheden heb je waarschijnlijk gelijk. Ik dacht dat je een grapje maakte over die trut in de Crown of Thorns. Maar het lijkt erop dat ze het op je gemunt heeft, jongen.'

'Er is niets nieuws onder de zon.'

We reden naar de noordelijke ingang van Kensington Palace Gardens bij Notting Hill Gate. De zuidelijke ingang, in Kensington High Street, is gereserveerd voor de bewoners van het koninklijk paleis. Ook al zagen alle andere huizen in Kensington Palace Gardens er ook als paleizen uit. Volgens mij is het echt de meest exclusieve straat in Londen om te wonen, als je maar tussen de vijftig en honderd miljoen pond kunt betalen voor een huis. Het enige wat een beetje afbreuk doet aan het geheel is de grimmig uitziende Russische ambassade aan de noordkant.

Het huis van Viktor had drie verdiepingen, opgetrokken uit portlandsteen, met vier vierkante torentjes op de hoeken, in alle opzichten een kasteel, zij het dat de gracht, een vlag en een erewacht ontbraken. De enige in Londen die een groter gebouw bewoont, is de koningin.

Ik stapte uit de auto en leunde door het open raam naar binnen.

'Neem jij de auto maar mee,' zei ik tegen Maurice. 'Ik pak wel een taxi naar huis. Het is niet zo ver.'

'Moet ik je morgenvroeg oppikken?'

Ik schudde mijn hoofd. 'Dan ga ik ook wel met een taxi.'

'Bel me als je thuis bent, wil je? Laat het me even weten als hij jou de baan aanbiedt.'

'Denk je echt dat hij dat doet?'

'Wat kan het anders zijn?'

# 18

Ik draaide me om en gaf de gorilla in het wachthuisje mijn naam. Hij zette een vinkje bij mijn naam op zijn klembord en wuifde me verder. Ik hoefde niet aan te bellen. Een tweede lijfwacht deed de gepolijste zwarte deur al open. Een butler kwam uit het niets tevoorschijn in de hal, die gedomineerd werd door een levensgrote Giacometti van een lopende man, dun als een pijpenrager. Het beeld deed me aan Peter Crouch deed denken. Ik had dat Viktor al eens verteld en hield mezelf voor dat ik dat niet weer moest doen. Als je eigenaar bent van een beroemd kunstwerk, en het gaat om de vraag op wie of wat je kunstwerk lijkt, zal je gevoel voor humor wel omgekeerd evenredig zijn met de prijs die je ervoor hebt betaald. Bij de Giacometti ging het om honderd miljoen dollar, dus reken maar uit. De veilinghuizen Sotheby's en Christie's waren kennelijk met een beter gevoel voor humor bedeeld dan wie ook.

Hoe dan ook, ik was niet echt in de stemming voor grapjes. Het enige wat ik eigenlijk wilde, was mijn hoofd onder een kussen stoppen en twaalf uur achter elkaar doorslapen.

De butler bracht me naar een kamer die de vergelijking met Giacometti glansrijk kon doorstaan. Het was zo'n moderne 'minder is meer'-kamer, die eruitziet als de met nieuw geld aangebouwde vleugel van een nationaal museum. Alleen de kolossale, crèmekleurige sofa's weerhielden me ervan op zoek te gaan naar een loket waar ik een kaartje en een audiotour kon kopen. Het grote zwarte blok hout op de haardijzers zag eruit alsof het zojuist op Hiroshima was geland en zelfs het bescheiden sliertje rook dat omhoog kringelde, de enorme schoorsteen in, had een geruststellende exclusieve geur, alsof ik me in een duur chalet in een skioord bevond.

Viktor liet de *Financial Times* vallen en liep om een sofa heen. Dat duurde even en gaf mij genoeg tijd om de Lucian Freud boven de haard te bewonderen. Al is bewonderen waarschijnlijk niet het juiste woord, *waarderend bekijken* dekt de lading misschien beter. Ik weet niet of ik een achteroverleunende naakte man met gespreide benen zou willen zien, steeds als ik maar opkeek uit de krant. Dat soort dingen zie ik al genoeg onder de douches op Silvertown Dock.

We omhelsden elkaar zwijgend, op zijn Russisch. De butler was blijven hangen op de achtergrond, als een verkoudheid. Viktor vroeg me wat ik wilde drinken.

'Een glas water graag.'

De butler verdween.

Ik ging zitten, plooide een glimlach op mijn gezicht, alleen om beleefd te zijn, en vertelde alles wat ik wist van wat er was gebeurd. Dat was niet veel, maar toch leek het meer dan je zou wensen.

Viktor Sokolnikov was in de veertig, denk ik. Zijn terugwijkende, zilverkleurige haarlijn werd meer dan gecompenseerd door de haargroei tussen zijn wenkbrauwen en op zijn gewoonlijk ongeschoren wangen. Hij had een paar scherpe, donkere ogen, de sluwste ogen die ik ooit had gezien. Hij was iets te zwaar en had een paar hangwangen, terwijl er permanent een glimlachje om zijn lippen speelde. Per slot van rekening viel er ook heel wat te glimlachen in zijn geval. Er gaat niets boven zeven miljard op de bank om je permanent aan een goed humeur te helpen. Hij was natuurlijk niet altijd in een goed humeur, maar op het moment was het moeilijk om je voor te stellen dat deze hoffelijke, glimlachende man dezelfde was die zijn collega-oligarch Alisjer Aksjonov live op de Russische tv een kopstoot had gegeven nadat de twee ruzie hadden gekregen. Ik had het filmpje op YouTube gezien en omdat ik geen Russisch spreek, had ik geen idee waarover de ruzie ging, maar er kon geen twijfel over bestaan dat Viktor de ander, die groter was, een zo effectieve kopstoot had gegeven dat hij onderuit was gegaan. Ik had het zelf niet beter kunnen doen.

'Ik mocht João graag,' zei Viktor. 'We waren het niet altijd met elkaar eens, dat weet je. Maar met hem in de buurt werd het nooit saai. Ik zal de man heel erg missen. João was bijzonder. Uniek, als je het mij vraagt. En een geweldige manager. Het was een goed resultaat vandaag, hij zou trots zijn geweest. Vandaag ben ik, meer dan anders, blij dat we hebben gewonnen.'

De butler kwam terug met een glas water, dat ik bijna meteen leegdronk. Viktor vroeg me of ik nog een glas wilde. Ik schudde mijn hoofd, wierp een blik op de gigantische pik boven me en bedacht dat ik wist waar ik moest zijn als ik mijn glas nog een keer wilde bijvullen. Na twee grote glazen cognac voelde ik me een beetje onbehouwen.

We praatten nog een tijdje over Zarco, over plannen die Viktor en hij hadden gesmeed voor London City, en over de onverbloemde, soms zelfs ongehoorde uitspraken die de Portugees kon doen, zodat we beiden moesten lachen.

'Hoe was dat ook weer,' vroeg Viktor. 'Wat zei hij tegen die kerel op Sky Sports toen de voorzitter van de FA publiekelijk zijn uitnodiging introk voor de denktank rond het Engelse elftal?'

Ik grinnikte. 'Hij noemde de commissie een "club vol sigaren rokende ouwe hoeren". Natuurlijk bedoelde hij "ouwe heren". Tenminste, dat dacht iedereen. Maar het was geen vergissing. Hij wist heel goed wat hij zei. Zelfs nog voordat Jeff Stelling hem corrigeerde.'

'Denk je?'

'Ik weet het wel zeker. Soms deed hij net of hij minder goed Engels sprak dan in werkelijkheid.'

'Dat ken ik,' zei Viktor. 'Het is een handige truc. Soms doe ik het zelf ook.'

'Hoe dan ook, als zo'n commissie vol hoeren zou zitten, zou hij net zo weinig kunnen betekenen voor het Engelse voetbal. Er waren er wel bij ons die vonden dat de FA maar eens moest nadenken over het teruglopende aantal Engelsen in de Premier League. Je kunt je moeilijk iets anders voorstellen waar een dergelijk stelletje vetkleppen goed voor zou kunnen zijn. Niet een van die klootzakken in het bestuur van de FA heeft ooit professioneel gevoetbald, en dan weet je genoeg. Eerlijk, dat zelfgenoegzame tuig heeft niets meer voor het voetbal gedaan sinds de dag dat ze in de Freemason's Tavern in 1863 de regels op papier zetten. En je hebt er geen denktank rond het Engelse elftal voor nodig om duidelijk te maken dat het grootste probleem met het Engelse voetbal de Football Association zelf is.'

Viktor grinnikte. 'Volgens mij kun jij net zo onverbloemd uit de hoek komen als Zarco, Scott.'

Ik schudde mijn hoofd. 'Sorry, Viktor. Ik liet me gaan. Uit mijn doen, denk ik. Een beetje aangeschoten ook. Ik heb twee grote glazen cognac achterovergeslagen op Silvertown Dock. Van drank word ik altijd een beetje recalcitrant. Dat zal mijn Schotse aard wel zijn.'

'In dat opzicht heb je veel van een Oekraïner of een Rus,' zei Viktor. 'Maar je hoeft je niet te verontschuldigen. Ik houd van mannen met een uitgesproken mening. Vooral als die mening samenvalt met wat ik zelf denk. Dat is geen voorwaarde om manager te worden van London City, al doet de pers je maar al te graag anders geloven. Ja, er zijn genoeg meningsverschillen geweest tussen Zarco en mij. Maar over één ding waren we het altijd eens, en dat was dat jij de juiste man zou zijn om hem op te volgen als het weer een keer helemaal mis zou gaan.'

'Dat is heel aardig van je. En van hem.'

'De spelers hebben respect voor je en Phil Hobday geeft hoog van je op, net als Zarco. Je bent hooggekwalificeerd, universiteit, alle coachcertificaten, en je bent de meest voor de hand liggende kandidaat. Ik zou alleen willen dat ik dit niet vanavond hoefde te doen. Maar ik vlieg morgen naar Moskou en dan blijf ik een paar dagen weg. We hebben een speler gekocht. Van Dinamo Sint-Petersburg.'

'Ik wist niet dat we op jacht waren naar iemand.'

'Niet zomaar iemand.'

'Je hebt toch zeker niet de rooie duivel gekocht?'

Viktor knikte en mijn mond viel open. Bekim Develi werd door iedereen beschouwd als de beste middenvelder van Europa. Hij was een in Turkije geboren Rus, die voor Paris Saint-Germain had gespeeld tot een belastingpercentage van vijfenzeventig procent hem had teruggedreven naar Sint-Petersburg, de stad waar hij was opgegroeid. Viktor had er altijd op geaasd om Develi naar London City te halen. Om te beginnen waren het oude vrienden. Maar Zarco had was erop tegen geweest. We hadden mogelijkheden genoeg op het middenveld en voor zover mij bekend had Viktor zich moeten neerleggen bij de beslissing van zijn net opnieuw door hem benoemde manager.

'Goddomme.'

'Ja. Ik ga de zaak deze week rondmaken. Dinamo is me geld schuldig. Nogal veel geld, toevallig, dus in plaats van te incasseren wat ze me schuldig zijn in geld, ga ik Develi ophalen. Ik wilde onder vier ogen met jou praten voordat ik vertrek. Om zaken te doen. Van man tot man.'

Ik knikte.

'Ik bied je de baan aan van manager van London City, in ieder geval tot het einde van het seizoen. Laten we maar eens kijken hoe goed we kunnen samenwerken. Als jij zorgt dat we in de Premier League blijven, is dat een goede reden om door te gaan. Een FA CUP en een plaats bij de eerste vier, om in de Champions League te spelen, zou ook heel aardig zijn.'

'Dat hoop ik wel, ja,' zei ik.

Viktor zweeg en stak een sigaar op. Niet iets heel bijzonders zoals een Cohiba, gewoon een Villiger die je in zo ongeveer elke kiosk in Londen kunt kopen.

'Maar om eerlijk te zijn, heeft dat voor mij allemaal niet de hoogste prioriteit.'

'Niet?'

Viktor schudde zijn hoofd. 'Nee.'

'Dat vind ik nogal bijzonder voor iemand die eigenaar is van een voetbalclub in de Premier League.'

'Gisteren zou ik misschien iets anders hebben gezegd. Maar vandaag zeg ik je ronduit dat bekers en kampioenschappen me geen reet interesseren. Er staat iets op het spel wat belangrijker is dan al het andere.'

'Ik vind het vervelend om met je van mening te verschillen, Viktor. Voor mij zijn dat de belangrijkste dingen die er bestaan.'

'Ik wil dat de mensen die voor me werken, dat met passie doen, absoluut. En daarom bied ik je die baan ook aan. Maar er zit wel iets aan vast. En dat probeer ik je uit te leggen. Weet je, er is één ding waar ik hartstochtelijk veel om geef, veel meer dan om voetbal, en dat is mijn privacy. Er is niets wat voor mij belangrijker is.

Ik geef nooit interviews. Ik mijd de schijnwerpers als een vampier. Iedereen denkt dat ik op Silvertown Dock achter een plaat kogelvrij glas zit. Maar dat is het niet, het is glas dat camera's neutraliseert. Het staat ook in het contract van London City met Sky Sports dat ze geen beelden schieten van mij in het stadion. Ik ga zelden naar filmpremières of feestjes. Maar het is niet altijd even gemakkelijk om de publiciteit te mijden. Zeker niet met de media hier in dit land. En de politie, ook dat. Jij weet zelf als geen ander dat de media en de politie akelig goede vrienden zijn. Als de politie iemand om zes uur 's morgens wil arresteren, vertelt ze dat graag aan de pers. Alleen is dat geen publieke dienstverlening. Iemand bij de politie wordt betaald voor de tip. En zo gaat het ook met andere verhalen.'

Ik knikte. 'Waar wil je naartoe, Viktor?'

'In ons land hebben we een spreekwoord: als je iemand op pad stuurt om een vos te schieten, moet je niet verbaasd zijn als hij thuiskomt met een konijn. Bij een moordonderzoek kan de politie ongehinderd overal zijn neus in steken. Bijna overal. Dus zal de politie niet alleen op zoek gaan naar de moordenaar van Zarco. De politie zal de moord op Zarco gebruiken als aanleiding om al mijn zaken door te lichten. Alles wat ze vinden, vindt zijn weg naar de media. Naar 's rijks belastingdienst en de douane. Naar de Autoriteit Financiële Markten. Naar de veiligheidsdiensten – MI5 en MI6.'

'Met alle respect, Viktor, maar dit land zit toch wel iets anders in elkaar dan jouw land. Ik weet dat de politie zich schandalig kan gedragen, maar wat jij suggereert...'

'Is al gebeurd, Scott. Het spijt me dat ik je moet teleurstellen, maar als het om de nationale veiligheid gaat, lijkt dit land veel meer op Oekraïne en Rusland dan je zou denken. Ik heb bronnen in kringen van de Britse overheid die me op de hoogte houden van zaken die mij zouden kunnen raken. Ik betaal heel goed voor die informatie, die afkomstig is uit de hoogste regionen, dus je kunt ervan op aan dat die informatie betrouwbaar is. De baas van jouw hoofdinspecteur is commandeur Clive Talbot OBE. Op dit moment is hij in vergadering met een paar onduidelijke mensen op het ministerie van Binnenlandse Zaken.'

'Ik begrijp het. Hoe sneller de moord op Zarco wordt opgelost, hoe beter.'

'Juist.'

'Ik begrijp het.' Ik fronste mijn wenkbrauwen. 'Eigenlijk, nee, ik begrijp het niet. Je zegt dat je wilt dat de moord op Zarco snel wordt opgelost. Dat betekent toch zeker dat we moeten samenwerken met de politie? Ik bedoel, hoe komen we er anders achter wie hem heeft vermoord, als we niet meewerken? Ik zie niet goed hoe we ze anders op de vos kunnen laten jagen. Als ik jouw beeldspraak even mag lenen, is het risico dat er een konijn wordt geraakt toch zeker de prijs die we moeten betalen om de vos te schieten?'

'Ik zal het uitleggen. Ik wil dat jij op jacht gaat naar de vos, Scott.'

'Ik?'

Viktor knikte.

'Je wilt dat ik voor detective ga spelen?'

'Ik beroep me erop dat ik de mensen ken die voor me werken en ik denk dat jij er ook de voorkeur aan zou geven om de zaak zo discreet mogelijk op te lossen, uit loyaliteit aan de club en Zarco. Klopt dat?'

Ik dacht aan de twee mobiele telefoons die ik al had meegenomen van Silvertown Dock en die in de tas zaten aan mijn voeten. Ik moest toegeven dat Viktor Sokolnikov me aardig in de smiezen had.

'Ja, dat klopt.'

'We weten allebei dat Zarco heel wat streken heeft uitgehaald in de tijd dat hij manager was van City. Het zou hem zeker geen goed doen – en mij waarschijnlijk ook niet – als sommige van die streken breed zouden worden uitgemeten in de pers.'

'Mee eens.'

'Jij bent niet bang voor de politie, Scott. Dat maakt jou een bijzonder man. Dat maakt je uitermate geschikt om je eigen gang te gaan bij dit onderzoek. Om het risico te lopen dat je ze massaal tegen je in het harnas jaagt. Begrijp je?'

'Ja, ik denk het wel.'

'Ik heb bovendien de indruk dat jij er wel plezier aan zou beleven om de politie een beetje voor schut te zetten. Klopt dat?'

'Natuurlijk. Maar Viktor, ik ben geen politieman.'

'In Oekraïne zeggen we dat een politieman gewoon een dief zonder manieren is. Zeg eens eerlijk, Scott, heb jij ooit een politieman ontmoet die goed gekwalificeerd was voor zijn werk? Nee, natuurlijk niet. Automobilisten zijn de enige criminelen in dit land die met de regelmaat van de klok worden opgepakt en vervolgd. Waarom? Omdat ze een kenteken hebben. De politie arresteert iemand die iets racistisch op Twitter zet, of een manager in de gezondheidszorg die fraude heeft gepleegd, maar geef ze de opdracht om een inbreker te arresteren en ze weten niet eens hoe ze daaraan moeten beginnen. We wonen in een land waar het minder tijd kost om sushi thuis te laten bezorgen dan de politie aan je deur te krijgen als je die nodig hebt.'

'Het klopt dat ik de politie niet mag en niet vertrouw. Maar detectives gaan op een bepaalde manier te werk. Onderzoekstechnieken. Forensische rapporten. Informanten.'

'Ik denk om een aantal redenen dat jij de moordenaar van Zarco sneller kunt opsporen dan de politie, Scott. Je bent intelligent, hoogopgeleid, je spreekt meerdere talen, je bent vindingrijk, je hebt Zarco beter gekend dan wie ook, je kent de club, je kent Silvertown Dock, je kent Hangman's Wood, en je weet alles van voetbal. Die vrouw van de Yard – hoofdinspecteur Jane Byrne – ik wil wedden dat de zaak kan worden opgelost in de tijd die nodig is om haar alles bij te brengen wat jíj weet.'

Ik knikte. 'Misschien.'

'Forensische rapporten. Ik zal zorgen dat je ze krijgt. Geloof me maar, News International is niet als enige in staat om de politie voor informatie te betalen. Ik garandeer je dat ik je een exemplaar van het rapport van de patholoog kan bezorgen voordat die hoofdinspecteur zelfs maar weet dat dat rapport af is. En informanten? Jij kent dezelfde mensen die de politie kent. Mensen die gevangen hebben gezeten. Onze duvelstoejager, Maurice McShane, bijvoorbeeld. Ja? Misschien valt er informatie te halen uit die hoek. De wereld van de misdaad.'

'Daar zou je gelijk in kunnen hebben, Viktor. In feite heeft Maurice al geopperd dat de dood van Zarco een ongeluk was. Een pak slaag dat uit de hand is gelopen.'

Ik vertelde wat Maurice had gezegd in de auto.

Viktor knikte. 'Weet je, ik heb zelf een beetje ervaring op dat terrein. Destijds in Oekraïne, tijdens de nadagen van het communisme en het begin van de nieuwe republiek, was er geen ondernemingsrecht, geen wetgeving voor overeenkomsten, geen handelsrecht, dus regelden we de zaken zelf. Geen maffia, gewoon zakenlieden. Om eerlijk te zijn, Scott, ging het daar soms ook wel een beetje te ver. Dus die gedachtegang van Maurice lijkt me heel plausibel.'

Ik knikte.

'Ik ben blij dat je het met me eens bent,' zei Viktor. 'Maar voordat je ja zegt, Scott, wil ik je nog twee heel belangrijke drijfveren geven om de moordenaar van Zarco te vinden, twee drijfveren die hoofdinspecteur Jane Byrne en de politie niet hebben.'

'En dat is?'

'De baan als manager, om te beginnen. Als jij ontdekt wie Zarco heeft vermoord, en snel, zodat wij verlost zijn van de politie, krijg je de baan bij City. Vast. Een contract voor vijf jaar. Tegen hetzelfde salaris dat Zarco kreeg. Zelfde bonussen. Zelfde alles.'

'Dat is heel genereus, Viktor. En de tweede drijfveer?'

'Ik weet dat je van schilderijen houdt, Scott.' Viktor keek schuin omhoog naar het schilderij met de naakte man. 'Hoe vind je dat portret?'

'Het gezicht was me nog niet erg opgevallen.'

'Mijn vrouw, Elizabeth, vindt het niet mooi. Zij is een Engelse, zoals je weet, en ze voelt zich ongemakkelijk bij het menselijk lichaam, zou je kunnen zeggen. Toen ik haar leerde kennen, droeg ze een badpak in de *banya*.'

*Banya* is wat de Russen de sauna noemen.

'Hoe dan ook, ik heb tien miljoen voor dit schilderij betaald in 2008. Nu Freud dood is, is het twee keer zo veel waard. Misschien wel meer.' Viktor stond op. 'Loop eens mee. Ik wil je nog een ander portret laten zien.'

We liepen door het huis naar zijn studeerkamer, waar boven een bureau zo groot als dat van Hitler destijds, een groot en indrukwekkend portret hing van João Zarco. Ik had erover gelezen in de *Evening Standard* in de tijd dat de opdracht was gegeven. Het was geschilderd door Jonathan Yeo, een van de door verzamelaars meest gewilde jonge kunstenaars van Groot-Brittannië.

'Vind je het mooi?' vroeg hij.

'Heel erg mooi,' zei ik. 'Ik wist niet dat het van jou was, Viktor.'

'Ik heb het van João gekregen. Ik denk dat hij dat grappig vond om mij een portret van zichzelf te geven. Maar het is een fraai schilderij, vind je niet? Hij kwam op het idee om zijn portret te laten schilderen toen hij zich liet fotograferen door Mario Testino – precies, die foto.'

Ik knikte. 'Ik zal niet zeggen dat de gelijkenis opvallend is. Dat is duidelijk. Maar het heeft iets heel vitaals. En ik vind het wel mooi zoals de kleren onbelangrijk zijn, de manier waarop ze vervagen. Dat doet hem beter uitkomen. Hij glimlacht niet, maar er fonkelt iets in zijn ogen, alsof hij op het punt staat iets te zeggen waardoor hij in problemen zal komen.'

'Je zegt meer dan je weet, Scott. Toen Jonathan Yeo João het portret liet zien, zei hij dat hij het niet mooi vond. Hij zei dat hij er te lelijk en te knorrig uitzag. Daarom gaf hij het aan mij. Maar ik vind het een uitstekend portret. Ik denk dat over een paar jaar een schilderij van Jonathan Yeo even gewild zal zijn als een schilderij van Lucian Freud. In ieder geval wil ik het aan jou geven, Scott. Dat is de tweede drijfveer waarover ik het had.'

'Je maakt een grapje.'

Viktor tilde het portret van de muur. Het feit dat er een glasplaat voor zat, maakte het schilderij zwaar, zodat ik hem moest helpen.

'Ik meen het echt, Scott. Dit schilderij is voor jou. Neem maar mee naar huis straks. Ik wil dat jij ernaar kunt kijken en dan iedere keer João Zarco hoort zeggen wat ik nu ga zeggen: "Zoek uit wie mij heeft vermoord, Scott. Zoek mijn moordenaar. Ik heb niet verdiend wat er vandaag is gebeurd. Absoluut niet. Dus neem de zaak in eigen handen en laat het niet over aan anderen, zeker niet aan de politie. Alsjeblieft, Scott, je moet erachter komen wie mij heeft vermoord, voor mij en voor mijn vrouw Toyah, oké? De volgende keer dat je mij in de ogen kijkt, wil ik weten dat je je best doet om ze te pakken. Echt, ik krijg geen rust voordat je dit voor me hebt gedaan."'

Viktor was er altijd al erg goed in geweest om João's droge, monotone stem na te bootsen en heel even leek dit meer dan een imitatie.

'Het lijkt alsof hij dat zegt,' zei Viktor. 'Vind je ook niet?'

Ik staarde naar het schilderij dat nu tegen Viktors bureau geleund stond. De man die erop was geportretteerd, leek me recht aan te kijken, alsof hij mij dezelfde vraag stelde als Viktor Sokolnikov.

'Ja.'

Het was nu ook weer niet de geestverschijning van Hamlets vader, maar één ding moet je Viktor Sokolnikov toegeven: hij wist altijd precies voor elkaar te krijgen wat hij wilde.

# 19

Viktors Rolls Royce vervoerde mij en het olieverfschilderij van Zarco terug naar mijn flat in Chelsea, maar de eerlijkheid gebiedt me te zeggen dat ik naar Kensington High Street zou zijn gelopen om een taxi te nemen als ik het schilderij niet bij me had gehad. Als kleine jongen had ik altijd een Rolls Royce willen hebben, maar nu voelde ik me in verlegenheid gebracht iedere keer dat ik in een Rolls Royce zat. Ik had een hekel aan de blikken die me werden toegeworpen als de auto voor een stoplicht stond te wachten. Je kon zien wat er door het hoofd ging van de Londenaren die naar binnen keken, zelfs in Kensington en Chelsea. *Rijke stinkerd. Klootzak.* En wie zou het hun kwalijk moeten nemen dat ze dat dachten van iemand met zo weinig tact dat hij rondreed achter in een auto die tien keer zo veel kostte als een gemiddelde Londenaar in een jaar verdiende? Het was niet eens een erg comfortabele auto. De zitting van de stoelen was te hard. Dat was al erg genoeg, maar ik had volstrekt geen belang bij de zwerm journalisten en tv-camera's voor de deur van mijn huis aan Manresa Road, en voelde me dubbel in verlegenheid gebracht omdat ik onder het oog van de pers uit een Rolls Royce moest stappen, ook nog met een schilderij van João Zarco in mijn handen. Om door de menigte heen bij mijn voordeur te kunnen komen moest ik me wel inhouden en de mensen op de treden voor de flat en het trottoir toespreken. Waarschijnlijk was het maar goed dat de cognac tegen die tijd een beetje uitgewerkt was.

'João Gonzales Zarco was zonder meer de beste voetbalmanager van zijn generatie,' zei ik, voorzichtig formulerend. 'En een van de opmerkelijkste mensen die ik ooit heb ontmoet. Ik beschouw het als een voorrecht dat ik hem mijn vriend en collega mocht noemen. Het voetbal is verarmd door zijn plotselinge dood. Hij was genereus, een gentleman, een beminnelijke man die ik altijd zal blijven missen. Ik leef mee met zijn vrouw en zijn gezin en wil alle supporters bedanken die Zarco nu al eer hebben bewezen. Je zou kunnen zeggen dat ik op het punt sta hetzelfde te doen. Zoals u kunt zien, is dit een portret van João Zarco, geschilderd door Jonathan Yeo. Dat ga ik bij mij thuis aan de muur hangen. Dank u. Op dit moment heb ik verder geen commentaar.'

Natuurlijk wilden alle verslaggevers weten hoe Zarco aan zijn eind was gekomen en of ik zijn baan als manager van London City zou overnemen, maar het leek me verstandig om niet in te gaan op de talloze manieren waarop ze die twee vragen steeds opnieuw net even iets anders stelden. Desondanks kostte het me nog een aantal minuten en de hulp van de portier om veilig met het schilderij door de voordeur te komen.

Toen ik eindelijk mijn flat had bereikt, herinnerde ik me dat Sonja naar een conferentie in Parijs was. Het eerste wat ik deed, was haar bellen, gewoon om weer vaste grond onder de voeten te hebben. Alleen al luisteren naar haar stem was een ideale therapie. Het kostte geen enkele moeite om te begrijpen waarom ze goed was in haar werk, al snap ik nog steeds niet waarom je een psychiater nodig hebt om van de tweede donut af te blijven.

Daarna belde ik mijn vader, die natuurlijk geschokt was door het nieuws. Hij was vaak met Zarco gaan golfen in de Algarve in Portugal, waar ze beiden nog een huis hadden.

Nadat ik met hem had gesproken, hing ik Zarco's schilderij in mijn studeerkamer, waar ik al mijn voetbalsouvenirs bewaar. Bijvoorbeeld een tweeëntwintigkaraats medaille voor het winnen van de FA CUP in 1888 – West Bromwich Albion, voor het geval je je afvraagt wie er toen heeft gewonnen – en het shirt dat George Best droeg toen hij er zes maakte tegen Northampton Town in de vierde ronde FA CUP in februari 1970. Toen het schilderij naar tevredenheid aan de muur hing, ging ik zitten en keek ik er een tijdje naar. Ik hoorde steeds opnieuw Viktors imitatie van Zarco in mijn hoofd. Dat is wat ik psychologie noem.

Ik belde Maurice.

'Je had gelijk. Viktor heeft me de baan als manager aangeboden.'

'Gefeliciteerd. Je hebt het verdiend, jongen.'

‘Maar alleen tijdelijk. Tot ik er een puinhoop van maak.’

‘Dus geen druk.’

‘Het komt allemaal een beetje snel. Ik bedoel, Zarco ligt nog niet eens onder de grond.’

‘Aan de andere kant,’ zei Maurice, ‘spelen we dinsdag wel thuis de return tegen West Ham in de Capital One Cup.’

‘En ik neem aan dat we dan inderdaad spelen. Tenzij we van de FA te horen krijgen dat we uit respect de wedstrijd mogen uitstellen.’

‘West Ham van de mat spelen. Dat is de enige vorm van respect die Zarco van City zou willen. Bovendien komt de wedstrijd op tv, dus kun je uitstel wel schudden.’

‘Je zult wel gelijk hebben. Hé, jij zei vanmiddag iets toen we aan het zoeken waren op Silvertown Dock. Je zei dat Sean Barry erachter was gekomen dat Claire het met Zarco deed.’

‘Klopt.’

‘Hoe weet je dat?’

‘Dat heb ik van Sarah Crompton gehoord.’

‘En hoe wist die dat?’

‘Zij en Claire zijn dikke vriendinnen.’

‘Maar waarom heeft Claire het jou verteld dan?’

‘Omdat, eh... laten we zeggen, omdat ik goed bevriend ben met Sarah. Oké?’

‘Ben ik de enige op Silvertown Dock die niet plat gaat met iemand anders die daar ook werkt?’

‘Nee, die Duitse jongen, Christoph Bündchen, is de andere uitzondering.’

‘Wat is er met hem?’ vroeg ik langs mijn neus weg.

‘Sommige jongens denken dat hij niet in meisjes is geïnteresseerd.’

‘Sommige jongens raken te gemakkelijk opgewonden en trekken rare conclusies die nergens op gebaseerd zijn.’

‘Misschien. Maar hij had pas geleden een stijve onder de douche. Dat noem ik opgewonden.’

‘Heb je dat ook van Sarah?’

‘Nee, van Kwame. Dat is niet bepaald iets wat je niet ziet, toch?’

‘Weet ik niet. Ik heb het niet gezien. Die stijve, bedoel ik.’

‘Een joekel, volgens Kwame. En die kan het weten.’

‘Echt.’ Ik veranderde van onderwerp. Ik zei: ‘Sean Barry raakt ook gemakkelijk opgewonden, toch?’

‘O ja, zeker.’

‘Dus misschien heeft hij Zarco vermoord. Een jaloerse echtgenoot en zo.’

‘Misschien wel. Aan de andere kant heb ik hem meteen na de wedstrijd gezien en toen maakte hij een heel normale indruk. In zijn schik met het resultaat. Ik bedoel, hij zag er niet uit alsof hij net iemand een pak slaag had gegeven. Of iemand opdracht had gegeven om dat te doen. Wat ik bedoel is, hij zag er niet schuldig uit. Maar ja, dat weet je natuurlijk nooit met zo iemand als Sean.’

‘Je zei ook dat je een aantal onvriendelijke koppen had gezien toen je in het publiek aan het zoeken was. “Een paar echte klootzakken,” zo zei je dat, geloof ik. Wie bedoelde je daarmee?’

‘Ja, dat zei ik, hè? Eens kijken. Denis Kampfner was er. Die was er bepaald niet blij mee dat Zarco Paolo Gentile inhuurde als agent bij de transfer van Kenny Traynor. Dat kostte hem een miljoen pond commissie. Hij spuwde vuur. Ronan Reilly. Herinner je je nog hoe hij en Zarco het aan de stok kregen bij de BBC SPOTY?’

‘Natuurlijk weet ik dat nog. Het was het enige boeiende van de hele avond. Die toestand is altijd strontvervelend.’

‘Ze hadden echt mot toen, en ik acht ze allebei in staat om er nog eens flink opnieuw tegenaan te gaan.’

‘Dat is zo. Het waren geen vriendjes.’

‘En dan heb je nog die scheidsrechter, die Zarco afbrandde, Lionel Sharp.’

‘Ik hoop niet dat je die hebt gezien, Maurice, want dan moet ik me zorgen over je gaan maken. De man is dood.’

‘Nee, maar zijn zoon was er vandaag. Jimmy heet hij, geloof ik. Die zit bij de marine. Of de mariniers. Dacht ik. Wie nog meer? O ja, een stelletje Qatari’s. Lepe jongens, volgens mij. Banden met bepaalde machtsfactoren in Qatar, waar ze Zarco’s bloed wel kunnen drinken. Ze zitten in een skybox. Nu ik eraan denk, ze hebben drie of vier skyboxen. Ik heb gehoord dat ze in de rust graag genieten van een beetje coke, en dan bedoel ik niet dat spul dat uit blik komt. Coke en Lamborghini’s en genoeg geld om monden met een platina hangslot te vergrendelen.’

'Jezus, Maurice, je hebt meer potentiële verdachten dan je kwijt kunt in de Oriënt Express.'

'En dan heb ik het nog niet gehad over Semion Michailov.'

'Fuck, wie is dat nu weer?'

'Oekraïense rivaal in zaken van Viktor, blijkbaar. Een reus met een kop als een bowlingbal.'

'Wat weet je over hem?'

'Alleen dat iedereen bang voor hem is. Een van de jongens van de beveiliging die de Mobicam bestuurt, een Rus die Oleg heet, zag hem in het publiek. Oleg zei dat hij verbaasd was dat Binnenlandse Zaken de man toelaat in het land. Zit in de top van de maffia, blijkbaar.'

'Ik vraag me af of Viktor wist dat hij er was.'

'Er is weinig wat Viktor niet weet.'

'Veel te veel keuze,' zei ik lachend. 'Hebben we nog iemand vergeten? Al Qaida? Lee Harvey Oswald? Shit, kolere.'

'Het is een rare wereld,' zei Maurice.

'Luister, Maurice, Viktor wil dat ik voor Sherlock Holmes speel en probeer te achterhalen wie het gedaan heeft voordat de politie erachter komt. Dat bespaart hem een boel ellende.'

'Klinkt logisch. Als je zo veel poen hebt, is er ook genoeg te verbergen.'

'Hij denkt dat Binnenlandse Zaken eropuit is om hem te pakken. En hij gelooft dat ik genoeg ballen heb om tegen de politie te zeggen dat ze moet opflikkeren, omdat ik er zo'n pesthekel aan heb.'

'Ik kan me niet herinneren dat Sherlock Holmes dat tegen inspecteur Lestrade zei,' zei Maurice. 'Maar goed. Dan ben ik zeker Watson?'

'Als je wilt. Oké, maak maar een lijst voor me met verdachten. Mensen die iets tegen Zarco hadden en op Silvertown Dock waren. En mensen die domweg crimineel zijn. En leg je oor te luisteren. Maar het moet wel onder ons blijven. Geen wetshandhavers voorlopig, hè?'

'Ik praat evenmin graag met de smerissen als jij, baas. Vooral niet na vanavond. Die vrouw van de Yard probeerde jou echt in te palmen, hè?'

'Dat is het effect dat ik op vrouwen heb,' zei ik. 'En als je toch bezig bent, zoek dan ook uit aan wie Zarco kaartjes heeft uitgedeeld. Wie zijn gasten waren vanmiddag, als hij gasten had. Meestal zijn het alleen familieleden, maar je weet nooit.'

'Oké, baas.'

Ik bracht nog een uur door onder het wakend oog van Zarco met het doornemen van de berichten en gesprekken op zijn mobiele telefoons.

Op zijn telefoon voor plezier stond een verzameling sms'jes van en naar Claire Barry. De meeste van de oudere berichten waren opvallend obsceen. Een paar keer keek ik op naar zijn portret en schudde ik mijn hoofd.

'Ouwe viespeuk,' zei ik. 'Wat had jij in je kop? Veronderstel eens dat Toyah dit had gevonden?'

Maar de toon van de sms'jes veranderde abrupt nadat Claire Zarco had verteld dat haar man erachter was gekomen dat ze een relatie had met de manager van London City. Seans reputatie was hem vooruitgesneld en plotseling werden Zarco's sms'jes formeel en stijfjes. Hij schreef Claire dat hij de relatie verbrak en het was duidelijk te lezen in de antwoorden van onze acupuncturiste dat het haar veel verdriet deed – hem ook trouwens. Het leek alsof ze van elkaar hadden gehouden, hoewel Zarco er, als gelovig katholiek, geen geheim van had gemaakt dat hij Toyah nooit zou verlaten. Ik kon hem niet kwalijk nemen dat hij voor Claire was gevallen, ze was een aantrekkelijke vrouw. Ik stuurde Toyah een bericht van deelneming, vanaf mijn eigen telefoon, en schreef dat ik haar de volgende ochtend zou opzoeken, als zij dat goed vond.

Ondertussen maakte ik een aantekening van het mobiele nummer van Claire en besloot ik om te proberen een gesprek met haar aan te knopen over wat er was gebeurd, de eerstvolgende keer dat ik haar alleen kon spreken op Hangman's Wood.

De batterij van de telefoon voor andere dingen was leeg en ik had niet de goede oplader, dus gooide ik hem in een la van mijn bureau. Ik moest bovendien andere zaken regelen als nieuwe manager van London City. Ik belde Phil Hobday en vertelde hem wat hij al wist. Daarna belde ik Ken Okri, de aanvoerder van het elftal, en vertelde hem dat ik tijdelijk was benoemd als manager. Daarna belde ik Simon Page, de veldtrainer van het eerste elftal, en vroeg hem als mijn assistent. Toen hij daarin toestemde, vroeg ik hem om de ochtendtraining op maandag te doen.

'Heeft de politie iets gezegd over wat Zarco is overkomen? Er doet een gerucht de ronde op Twitter dat hij doodgeslagen is.' Simon kwam uit Doncaster en zodra hij iets zei, deed hij me denken aan Mick McCarthy.

'Blijkbaar is dat de theorie waarmee de politie werkt.'

'Niet iedereen mocht de man even graag als jij en ik, Scott.'

'Dat was gewoon zijn stijl van managen,' zei ik. 'De helft van wat hij zei, meende hij niet. Hij probeerde mensen op de kast te jagen. Hij speelde spelletjes met ze.'

'Misschien kan dat ergens buiten het voetbal wel,' zei Simon. 'Maar voor veel mensen geldt dat ze jouw opmerkingen niet vergeten. Ze vergeten ze niet en baseren er haatgevoelens op. Ik heb commentaar gelezen op Twitter dat niet erg complimenteus was. "Eigen schuld met zijn grote bek" – dat soort dingen. Daarom ben ik blij dat jij die toespraak hebt gehouden op Hangman's Wood vanavond. Ik heb hem opnieuw bekeken op YouTube. Een paar keer eigenlijk. Wat je zei, was goed en het helpt om een boel van dat negatieve commentaar te neutraliseren. Iedereen waardeerde het. Ik hoop dat ik net zo'n goede coach kan zijn als jij was.'

'Bedankt, Simon. En dat gaat je lukken. Daarvan ben ik overtuigd.'

Nadat we hadden overlegd over het elftal en de eerstvolgende wedstrijd, zette ik mijn Mac aan en keek naar mezelf op YouTube, zoals je dat nu eenmaal doet. Ik probeerde uit te maken of ik op gelijke voet kon staan met de man wiens werk ik overnam, die altijd een meester was geweest in het motiveren van mensen. Eerlijk gezegd betwijfelde ik dat.

Iemand achter mij had de toespraak opgenomen met een iPhone – ik wist niet wie en dat was ook niet belangrijk – en ook de reactie van sommige spelers en toen ik ernaar keek, werd ik getroffen door een shot van Ayrton Taylor. Taylor was degene die door Zarco voor het oog van iedereen was vernederd na de training voor de wedstrijd tegen Leeds, en die daarna op de transferlijst was geplaatst. Hij stond direct achter Ken Okri en in eerste instantie wist ik niet wat het was, maar er was iets met Taylor. Toen zag ik het. Taylor fatsoeneerde zijn haar met zijn linkerhand, waar verband omheen zat.

Een goede coach weet alles van de blessures van zijn spelers, vooral de spelers die te koop zijn, omdat het laatste wat er gebeurt voordat een transfer zijn beslag kan krijgen, een medisch onderzoek is. Het verbaasde me dat Taylors geblesseerde hand aan mijn aandacht was ontsnapt, vooral omdat hij linkshandig was.

Ik had Nick Scott kunnen bellen, de teamarts, en hem naar Taylors hand kunnen vragen, maar het was al laat en ik wilde hem niet thuis storen als ik iets fout had gedaan.

Dus zette ik de tv aan en schakelde naar het sportkanaal van London City op de Skybox. Ik spoelde snel door het eerbetoon aan Zarco tot ik vond wat ik zocht, de filmbeelden van beide elftallen op het moment dat ze die middag waren aangekomen op Silvertown Dock. Ik zag mezelf – belachelijk in dat afgrijselijke oranje trainingspak – voor de spelers uit door de tunnel naar de kleedkamer lopen; Ken Okri die grapjes maakte naar Christoph Bündchen; Xavier Pepe en Juan-Luis Dominguin, opgaand in de muziek uit hun koptelefoons; en uiteindelijk Ayrton Taylor in zijn dagelijkse kleren. Ik drukte op de pauzeknop en spoelde het beeld met de afstandsbediening beeldje voor beeldje door tot ik precies in beeld had wat ik zocht: een shot van Ayrtons linkerhand. Ik zag hem duidelijk op de gigantische Hublot kijken om zijn linkerpols, net zo'n horloge als Viktor mij had gegeven met kerst.

Taylors hand was niet verbonden. Welke blessure hij dan ook had opgelopen, het moest zijn gebeurd tussen de aankomst van het elftal op Silvertown Dock en mijn toespraak op Hangman's Wood, de periode waarin João Zarco waarschijnlijk was doodgeslagen.

# 20

Het huis van João en Toyah aan Warwick Square lag tien minuten rijden van mijn flat in Chelsea. Pimlico is heel stil om zeven uur op zondagochtend en terwijl ik langs de Theems reed in de BMW van Sonja, hoopte ik dat ik zo vroeg was dat ik de journalisten en fotografen niet zou tegenkomen, die volgens Toyah tot in de kleine uurtjes hadden gepost voor haar voordeur. Maar ik zat ernaast. Ze waren massaal aanwezig en zagen eruit alsof ze er de hele nacht waren geweest. Verwensingen mompelend reed ik een paar keer rond de openbare parkjes voordat ik de auto aan de andere kant van het plein parkeerde, voor het grote huis dat de Zarco's aan het verbouwen waren, dat in de steigers stond waarop doek was gespannen met een muurschildering die er net zo uitzag als het huis ernaast en die blijkens een opschrift 'geluidwerend' was. Opgetrokken door de aannemer om klachten van buren te voorkomen, leek het scherm zijn werk niet erg goed te doen, want ook al was het een zondag, ik hoorde meteen het geluid van boren. Ik stuurde Toyah een sms'je dat ik voor de deur stond en liep om het plein naar de andere kant, naar de elegante, wit gestucte villa van zes verdiepingen die de Zarco's hadden gehuurd terwijl de Lambton Construction Company probeerde de uitgebreide verbouwing binnen het tijdschema af te ronden.

Op het laatste moment werd ik door de mêlee van verslaggevers en verslaggeefsters herkend. Wanhopig op zoek naar elk woord dat ze konden publiceren dromden ze om me heen als een meute beagles, terwijl een politieagent me hielp de treden op te komen naar de voordeur die al openging.

'Scott! Scott! Deze kant, Scott!'

'Het is heel naar wat meneer Zarco is overkomen, meneer,' zei de politieagent. 'Het is een groot verlies voor het voetbal. Ik ben zelf supporter van London City.'

'Dank je,' zei ik. Ik stapte snel de hal binnen.

De zondagskranten lagen ongelezen op de zwart-wit betegelde vloer. Daar konden ze waarschijnlijk ook maar het beste blijven liggen. Ze stonden natuurlijk vol verhalen over de moord op Zarco, en in de meeste stonden lijsten met uitspraken van Zarco, alsof ze wilden suggereren dat Zarco daarom was vermoord: hij had een grote mond. Ergens in mijn achterhoofd speelde de gedachte dat ik het er niet helemaal mee oneens kon zijn.

Een lange, slanke rossige vrouw die een bril met een zwart montuur droeg, sloot de deur achter me en liet een zucht ontsnappen.

'Hallo Toyah, Hoe gaat het?'

'Niet goed,' zei ze. 'Zonder al dat gedoe erbij zou dit al erg genoeg zijn.' Ze knikte naar de deur. 'Het voelt alsof ik opgesloten zit in mijn eigen huis. Ze hebben daar de hele nacht gezeten. Ik kon ze horen kletsen, alsof ze in de rij stonden voor plaatsen op het Centre Court van Wimbledon. Die lui en de radio van die politieagent. Ik had hem willen vragen om hem zachter te zetten, maar dan had ik de deur open moeten doen.'

Ik hoorde het verdriet in haar verstikte stem. Ze schudde haar hoofd vermoeid, zette haar bril af, wreef zich in haar bleekblauwe ogen en snoot haar neus in een zakdoek die niet groot genoeg leek om zo veel ellende te verwerken. Ze legde haar dunne armen om mijn nek en zei:

'Al kon ik toch niet slapen, zelfs niet als ik het had gewild. Er gaat zo veel door mijn hoofd. Ze spannen zich vast wel in om hun werk goed te doen, maar ik weet echt niet wat ze willen. Een foto van mij, zeker, waarop ik er vreselijk uitzie: de tranen van de rouwende weduwe. Daarmee verkoop je de krant, toch?' Ze zuchtte. 'Gek genoeg heb ik medelijden met de buren. Boven op alles wat ze al van ons te verduren hebben gehad sinds we hier zijn komen wonen, krijgen ze nu ook nog dit mediacircus voor hun deur.'

Ze rook naar witte wijn en parfum en ze zag er erg vermoeid uit. Haar rossige haar was strak van haar voorhoofd naar achteren gekamd en werd bij elkaar gehouden met een haarbandje. Zoals veel Australische vrouwen probeerde Toyah de zon zo veel mogelijk te mijden, maar door het zwarte T-shirt zonder opsmuk en de zwarte broek die ze droeg, leek ze nog bleker dan ze in werkelijkheid was.

'Ik vind het heel erg,' zei ik.

'Bedankt dat je bent gekomen,' zei ze zacht.

'Ik zal hem heel erg missen, meer dan ik kan zeggen.'

'Een vriendin heeft me een link gemaild naar jouw filmpje op YouTube,' zei ze. 'Dat was heel aardig. En ik dacht... Ik zou graag willen dat jij bij de begrafenis zou spreken. Als je dat wilt doen.'

'Natuurlijk. Altijd.'

Ik nam haar in mijn armen en drukte haar stevig tegen me aan toen ze begon te huilen. Na een poosje maakte ze zich van me los en snoot ze opnieuw haar neus. 'Ik zie er vast vreselijk uit,' zei ze.

'Hoe moet je eruitzien als je echtgenoot is overleden?'

'Als Lady MacBeth, denk ik. *Wat gedaan is, is gedaan*. Ik heb die rol gespeeld, weet je. In The Old Vic. Zo hebben we elkaar leren kennen, Zarco en ik. Patrick Stewart, de acteur, stelde ons aan elkaar voor. Die is supporter van Huddersfield Town FC. Zarco vond het leuk dat hij nog steeds supporter was van de club uit de stad waar hij vandaan kwam.'

'Ik weet het. João heeft het me verteld.'

'Wil je koffie, Scott?'

'Graag. Als je koffie wilt zetten.'

We liepen een open, ijzeren trap af, een enorme Bulthaup-keuken in, die er even steriel en functioneel uitzag als een Zwitsers laboratorium. Aan de muur hing een groot schilderij van de Australische bandiet Ned Kelly, van de hand van Sidney Nolan. Ik wist dat Zarco de beruchte bandiet had bewonderd om de eenvoudige reden dat Zarco zichzelf, net als Kelly, zag als iemand die zich afzette tegen het establishment, in ieder geval in de wereld van het voetbal. Hij had meer dan eens gezegd dat de beste manier om voetbal te vernieuwen zou zijn om een guillotine te kopen en een paar koppen te laten rollen.

'Ben je alleen?' vroeg ik. Ik keek rond of ik de Braziliaanse huishoudster zag die meestal wel ergens op de achtergrond aanwezig was.

'Ik heb Jerusa naar huis gestuurd. Op zondag gaat ze altijd naar de mis in Westminster Cathedral. Ik zou zelf ook wel zijn gegaan als ik de deur uit had gekund. Bovendien heeft João haar aangenomen en ik weet niet helemaal of ze hier legaal is, en met al die politie die hier gisteren de deur plat liep, leek het me maar het beste om haar naar huis te sturen zolang dit duurt.'

'Waarschijnlijk een goed idee,' zei ik. 'Je moet geen slapende honden wakker maken.'

Toyah bleef staan voor de ingebouwde koffiemachine van Miele en zuchtte geïrriteerd.

'Ik ben bang dat ik niet weet hoe dit ding werkt,' zei ze. 'Zarco vond het heerlijk om hier een beetje voor barista te spelen. Ik heb nooit geleerd om ermee om te gaan.'

'Laat mij maar,' zei ik. 'Ik heb thuis hetzelfde model.'

Ze knikte. 'Dat is ook zo. Jij bent echt gek op koffie, hè?'

Ze leunde tegen het werkblad en keek nauwlettend toe terwijl ik het apparaat bediende.

'Met wie heb jij gisteren gesproken? Met hoofdinspecteur Jane Byrne?' vroeg ik.

'Ik weet het niet meer. Ik kan het me niet herinneren.'

'Een vrouw die er een beetje uitziet als Tilda Swinton.'

Ze knikte.

'Heeft ze je verteld hoe ze denken dat Zarco aan zijn einde is gekomen?'

'Een klap op zijn hoofd, zei ze. En er waren andere verwondingen die passen bij het beeld dat hij zwaar is mishandeld.' Ze haalde haar schouders op. 'Ze vertelde nog meer, maar op dat punt ben ik opgehouden met luisteren. Een tijdje.'

'Ik begrijp het.'

'Ze zei dat jij hebt aangeboden om het lichaam officieel te identificeren. Klopt dat? Want ik zou er veel voor over hebben om Zarco niet op een snijtafel in het mortuarium te zien liggen. Ik heb altijd al een afkeer gehad van ziekenhuizen en de geur van ether. Ik denk echt dat ik misschien onderuit zou gaan. Dat is een van de redenen waarom we nooit kinderen hebben gehad. Ik ben heel gauw van streek. Van het zien van bloed krijg ik al kippenvel.'

'Dat heb ik met de politie. Maar ja, ik doe de identificatie wel. Voor mij is het geen probleem.'

'Dank je, Scott.'

'Als er nog iets anders is wat ik voor je kan doen, moet je me gewoon bellen. Manresa Road is hier maar tien minuten vandaan met de auto. Als je niet alleen hier wilt blijven, kun je ook bij Sonja en mij komen logeren.'

'Dank je, maar nee, ik blijf liever hier, denk ik. Voorlopig in ieder geval. Bovendien komt de politie vanmiddag nog terug. Met meer vragen, denk ik.'

'Ik word een beetje zenuwachtig als er veel politie in de buurt is,' zei ik. 'Dus ik kijk daar niet echt naar uit. Ik moet straks naar Hangman's Wood, want zij – hoofdinspecteur Byrne – wil iedereen ondervragen die gistermiddag op Silvertown Dock was.'

'Dat klinkt een beetje overdreven.' Toyah glimlachte zwakjes. 'Er waren daar gisteren zestigduizend mensen.'

'Iedereen die bij de club hoort in ieder geval. Van terreinknecht tot superspits. Ze wil zelfs Viktor Sokolnikov ondervragen.'

'Heel goed, want persoonlijk zou ik hem boven aan de lijst met verdachten zetten.'

'Hoezo?'

'O, kom op. Dat weet je wel. Hij heeft een Russische achtergrond. Al die oligarchen zijn glibberig, Scott. Viktor Sokolnikov meer dan een heleboel anderen. Ik heb die man nooit vertrouwd. Hij is zo iemand die je maar beter niet kunt teleurstellen, hè? Ik weet wel bijna zeker dat Zarco bang voor hem was.'

'Nee, dat was hij niet,' zei ik.

'Ben jij niet bang voor hem?'

'Nee. Absoluut niet.'

'Dat verbaast me. Jij hebt toch ook een aantal van die criminelen gezien die hij om zich heen heeft.'

'Dat zijn lijfwachten. Hij moet voorzichtig zijn. Oké, ik zou niet graag ruzie met een van die jongens krijgen. Maar Viktor is oké. Echt.' Ik dacht even na. 'Luister, hij heeft mij gevraagd om het over te nemen als manager, Toyah. Ik wil dat jij de eerste bent die dat te horen krijgt. Voordat ik iemand anders vertel dat ik ja heb gezegd. Het lijkt te vroeg om al iemand anders te benoemen, maar...'

'Op dinsdag spelen jullie een wedstrijd voor de Capital One Cup. Ja, ik weet het.' Ze knikte. 'Ik waardeer het dat je me dat vertelt, Scott. Je moet alleen wel weten waar je aan begint. En onthoud wat ik je heb gezegd. Dat Zarco bang voor hem was.'

'Bedankt voor de waarschuwing. Maar waarom eigenlijk?'

'Kun je je nog herinneren dat Zarco die opmerkingen maakte over het WK in Qatar?'

'Natuurlijk.'

'Viktor had hem daartoe aangezet.'

'Jezus, waarom?'

'Dat weet ik niet. Maar volgens mij had het iets te maken met de naamrechten voor het Crown of Thorns stadion. Maar vraag me niet om dat uit te leggen, want dat kan ik niet.'

'Oké. Heb je dit ook aan hoofdinspecteur Byrne verteld?'

'Dat hij bang was voor Viktor Sokolnikov? Misschien heb ik het genoemd. Maar ik heb niets over de Qatari's gezegd.'

'Wat heeft ze je nog meer gevraagd?'

'Niets specifieks. Meer van alles en nog wat. Of we thuis wel eens werden bedreigd. Of we wel eens anonieme telefoontjes kregen. Of hij financiële problemen had.'

'Was dat zo?'

'Nee, ik geloof het niet. Maar hij vertelde me nooit iets als hij dacht ik me er zorgen over zou maken. In ieder geval, ze bleef me maar vragen stellen over een foto van Zarco die ze hadden gevonden in een gat in het veld in de Crown of Thorns. Daar wist ik niets van. Dat heeft hij me niet verteld. Ik voelde me echt een idioot. Wist jij het?'

'Ja. Hij zei dat ik het maar moest vergeten. Dat ik er met niemand over moest praten. Hij dacht dat het een streek van hooligans was geweest en dat dacht ik ook. Ik denk dat hij niet wilde dat jij je zorgen zou maken.'

Ik gaf haar een beker koffie toen die klaar was. Ze vouwde haar handen om de beker voor warmte. Het was nogal kil in de keuken. Ik had mijn jas nog aan en daar was ik blij om.

'Wat heb je haar verteld?'

'Waarover? Bedreigingen? Vijanden? Dat soort dingen?'

Ik knikte.

'Je bedoelt anders dan de bedreigingen en vuilspuiterij die je krijgt bij een wedstrijd tegen Liverpool? Of Manchester United? Wat zongen ze ook al weer over hem op het Stretford End? *João Zarco, João Zarco, er is maar één João Zarco. Een grote bek en een vette grijns, João Zarco is een fucking pedofiel.* Heel aardig. Ik snap niet hoe jij het volhoudt, Scott. Echt niet.'

'Soms gaat het er ruig aan toe.'

'Ik wil niet beweren dat Zarco een heilige was. Niemand wist beter dan jij hoe hij was. Hij kon als geen ander mensen treiteren. Mij ook. Ik had die rechercheur waarschijnlijk niet moeten vertellen dat er momenten zijn geweest dat ik hem zelf wel had kunnen vermoorden. Maar ik heb het gezegd en het was ook echt zo.'

Ze dronk luidruchtig van haar koffie.

'Dus, ja,' zei ze. 'Hij had vijanden. Ik zou je graag vertellen dat het thuis anders was. Maar hier in de buurt zouden we ook nooit worden gekozen tot populairste koppel. We hebben de wereld aan klachten gehad sinds we zijn begonnen met de verbouwing van nummer 12. Om nog maar te zwijgen over de acties tegen geluidsoverlast. Ironisch, toch? Terwijl ik jaren in *Neighbours* heb gespeeld. Zarco slaagde er zelfs in om ruzie te maken met de aannemer.'

'Waarover?'

'Ze sloopten een badkamer in nummer 12 die we hadden willen houden. Er stonden twee Victoriaanse badkuipen in, naast elkaar, en die zijn spoorloos verdwenen. Gestolen, denken we. Hoe dan ook, we hebben er tot een paar weken geleden over gebakkeleid. Maar het lijkt erop dat alles nu weer is gladgestreken. Al doet dat er allemaal niet meer toe.'

'Wat ga je doen?'

'Ik ga terug naar Oz,' zei ze. 'Meteen na de begrafenis. Ik laat het huis afbouwen en dan verkoop ik het. Ik kan het hier niet uitstaan. Als ik een smerige nazi-oorlogsmisdadiger was geweest, had ik me hier niet meer onwelkom kunnen voelen.'

Ik knikte. 'Toyah, ik weet dat het moeilijk voor je is, maar als je iets te binnen schiet, iets waarvan je denkt dat het de politie zou kunnen helpen om erachter te komen wie hem heeft vermoord, zou ik het op prijs stellen als je het mij zou vertellen. Alles wat je vreemd voorkomt. Alles waarvan jij niet op de hoogte was. Iets wat een paar hiaten kan opvullen misschien. Zoals je weet heb ik zo mijn redenen om de politie niet te vertrouwen, en ik wil er absoluut voor zorgen dat er geen steen op de andere blijft bij het zoeken naar de moordenaar van Zarco. Ook al moet ik er zelf detective voor worden.'

'Goed, daar ben ik blij om.' Ze knikte. 'Hij had gelijk over jou, Scott.

Hij zei altijd dat jij van iedereen bij de club het betrouwbaarst was. Zorg dat hij trots op je kan zijn, oké? Meer vraag ik niet. Zorg maar dat je de volgende wedstrijd wint voor Zarco.'

# 21

Ik reed terug naar Manresa Road, zodat Sonja weer kon beschikken over haar auto als ze in Londen terugkeerde van de conferentie in Frankrijk. Ik belde haar en ze vertelde me dat ze op weg was naar het Gare du Nord om met de Eurostar weer naar huis te komen. Daar was ik blij om. Als zij in de buurt was, voelde alles beter.

Toen het taxibedrijf me een sms stuurde dat de taxi voor stond, pakte ik mijn tas en liep naar buiten. Het was een bitterkoude januaridag en de zon was slechts vaag te zien in de strakwitte lucht, bijna onzichtbaar. Met mijn gezicht verstopt in de omhoog geslagen kraag van mijn nieuwe winterjas, een kerstcadeau van Sonja, baande ik me een weg door de camera's en stapte ik achter in de taxi. Ik probeerde mezelf voor te houden dat ik me gelukkig moest prijzen dat ik werkzaam was in een sport die zo veel media-aandacht genereerde, dat er niemand zou hebben gestaan als het een andere sport dan voetbal was geweest, maar het hielp niet. Ik voelde me belegerd en onder druk gezet, niet alleen door de pers, maar ook door mijn nieuwe baan en de extra verantwoordelijkheden die mijn baas mij had gegeven. Hoe moest ik met succes een voetbalelftal in de Premier League managen en tegelijkertijd een ernstige misdaad oplossen?

Nog geen tel later, alsof hij mijn gedachten kon lezen, stuurde Simon Page me een sms met de vraag of we op volle sterkte zouden moeten aantreden tegen de Hammers in een wedstrijd voor zoiets als de Capital Cup. De vraag was gemakkelijk te beantwoorden. Wat op titels beluste supporters er ook van mochten denken, je liet altijd het geld het denkwerk voor je doen: overeind blijven in de Premier League was tussen de veertig en zestig miljoen pond per jaar waard. Een plek in de groepsfase van de Champions League ongeveer vijfentwintig miljoen. De League Cup was geen rooie cent waard. Ik wist niet eens zeker of ik de volgende ronde wel wilde halen. Als het om de Mickey Mouse Cup gaat, is verliezen soms een beter resultaat dan winnen. En als het om vergiftigde schalen gaat, is de League Cup giftiger dan de meeste andere. Maar nog erger dan de League Cup winnen is het vooruitzicht dat de winnaar verplicht is te spelen in de Europa League, een toernooi dat zonder meer het grootste hoofdpijndossier van het voetbal kan worden genoemd. Ik stuurde een sms van één woord terug: *reserves*. Wie weet: misschien leverde dat nog zo'n ster als Christoph Bündchen op. Als Zarco Ayrton Taylor niet had afgeschreven, zou Bündchen nog steeds op de bank hebben gezeten.

Ik stopte de iPhone in mijn zak en pakte mijn iPad. Ik had de *Sunday Times* gedownload om onderweg naar Hangman's Wood te kunnen lezen. Een paar andere managers en spelers betuigden hun eer aan Zarco, maar over de omstandigheden waaronder Zarco de dood had gevonden wisten ze weinig te melden, terwijl er vrij uitgebreid in die krant werd geschreven over de man die waarschijnlijk vooralsnog het roer van Zarco zou overnemen, en over diens kleurrijke verleden – met andere woorden: over mij.

Ik las het allemaal met dezelfde van afschuw vervulde fascinatie waarmee ik mijn eigen in memoriam zou hebben gelezen, wat nog niet eens zo ver bezijden de waarheid was, aangezien iets in mij samen met Zarco was gestorven.

*Na de moord op João Zarco doen allerlei geruchten de ronde over het aanstellen van een nieuwe manager bij London City, maar het lijkt erg waarschijnlijk dat Zarco's 39-jarige assistent-manager Scott Manson hem op zijn minst voorlopig zal opvolgen. Manson is geboren in Schotland als de zoon van Henry Manson, die als 'Jock' Manson speelde voor Hearts of Midlothian uit Edinburgh en tweeënvijftig keer het shirt droeg van het Schotse nationale elftal. Hij speelde ook voor Leicester City, voordat hij in 1978 de Pedila Sports Shoe Company oprichtte, een bedrijf dat vandaag de dag jaarlijks bijna een half miljard dollar netto winst maakt. Nog onlangs wees Manson een bod van het Russische bedrijf voor sportkleding Konkurentsiya af, dat Pedila voor vijf miljard dollar wilde overnemen. Henry Manson was een oude vriend van de Portugese manager, die een van de eerste voetballers was die voetbalschoenen van Pedila droeg toen hij voor Celtic speelde.*

*Scott Manson is mededirecteur van het bedrijf van zijn vader en toucheert in die hoedanigheid een salaris van meer dan twee miljoen pond per jaar. Hij was in zijn jeugd een getalenteerde voetballer die nog naar de middelbare school ging toen hij voor Northampton Town speelde. Hij maakte deel uit van het elftal dat in het seizoen 1986-87 kampioen werd van de Vierde Divisie met een recordaantal van 99 punten.*

*Manson koos voor een studie in moderne talen aan de Universiteit van Birmingham in plaats van een carrière als profvoetballer en speelde in het elftal van de universiteit als coach-speler en parttime voor Stafford Rangers, waar hij werd gescout door de beroemde John Griffin. Na afronding van zijn studie ging hij in 1995 als centrale verdediger naar het Crystal Palace van Dave Bassett. Na een weinig succesvol seizoen in de Premier League degradeerde Crystal Palace. Manson werd verkocht aan Southampton waar hij onder Glenn Hoddle en later Gordon Strachan zestien keer scoorde. Southampton deed het goed in het seizoen 2001-2002, en nog beter het jaar erop toen de zevenentwintigjarige Scott Manson werd verkocht aan Arsenal. Maar zijn carrière als profvoetballer eindigde abrupt toen hij in 2004 onschuldig werd veroordeeld voor verkrachting van een vrouw bij een tankstation aan de A414 in het Londense stadsdeel Brent. Manson bracht achttien maanden van zijn veroordeling tot acht jaar door achter de tralies voordat het vonnis werd vernietigd door het Hof van Cassatie. Vanaf dat moment heeft hij zich gestaag omhooggewerkt op de ladder van het voetbalmanagement, eerst als veldtrainer bij Barcelona en later als assistent-trainer bij Bayern München.*

*Zarco was manager van La Braga en het Braziliaanse Atletico Mineiro voor zijn eerste termijn bij London City, waar hij in 2006 werd ontslagen na onenigheid met de clubeigenaar, multimiljonair Viktor Sokolnikov. Hij vertrok naar AS Monaco, maar keerde in 2013 terug naar London City, met Scott Manson als assistent. Manson heeft een Duitse moeder en spreekt vloeiend Duits. Daarnaast spreekt hij Spaans, Frans, Italiaans en Russisch, wat misschien een reden is waarom hij goed overweg kan met de in Oekraïne geboren Sokolnikov. Manson wordt, met een MBA van INSEAD, de internationale business-school van Parijs, over het algemeen beschouwd als het grootste brein in de voetbalwereld. Hij deelt een luxeflat in Chelsea met Sonia Dalek, een psychiater met een eigen praktijk gespecialiseerd in eetstoornissen, en auteur van meerdere boeken op dat terrein.*

*Zarco's dood markeert het einde van een tragische maand in het Engelse voetbal. Nog maar twee weken geleden maakte Matt Drennan, voormalig sterspeler van het Engelse nationale elftal, die de laatste jaren in problemen was geraakt, een einde aan zijn leven. Hij was een goede vriend van Scott Manson en speelde met hem samen bij Arsenal.*

Sonia Dalek was in werkelijkheid Sonja Halek. Op de middelbare school noemden ze haar 'de koningin van Dalek'. Ik wist dat ze niet in haar sas was met die veel gemaakte spelfout, dus ik vermoedde dat ze niet zo blij zou zijn om daaraan te worden herinnerd. Ik was veertig in plaats van negenendertig, en ik had bij Southampton maar veertien goals gemaakt. Ik sprak geen woord Russisch, al had ik dat wel altijd willen leren. Mijn MBA was van de London Business School en ik ontving geen salaris van Pedila, ik kreeg een jaarlijks dividend uitgekeerd, dat aanzienlijk kleiner was dan twee miljoen pond. Het Russische bedrijf Konkurentsiya had in werkelijkheid een miljard pond geboden voor Pedila nadat het zevenentwintig procent van de aandelen had gekocht.

Voor het overige was wat er in het artikel stond voor de volle honderd procent correct.

De pers had zich ook buiten de poort bij Hangman's Wood verzameld, maar de ingang van het trainingscomplex van de club lag zo ver weg van de lage bebouwing dat het amper de moeite waard leek ernaartoe te komen en ik kreeg bijna medelijden met de klootzakken. Je kon zien dat de meeste spelers er al waren, doordat het parkeerterrein veel weg had van de Autosalon van Genève.

We reden naar de ingang. De spelersbus was net gearriveerd om ons allemaal naar Silvertown Dock te brengen. Ik stapte uit de taxi en keek even door de glaswand van de sporthal, waar een paar reserves een informeel potje voetbal speelden.

Ze zagen er erg jong uit, te jong om het op te nemen tegen een elftal vol tuig als dat van Westham. Ik gokte erop dat de manager van de Hammers, die in de Premier League in de gevarenzone verkeerden, hetzelfde besluit had genomen als ik en het geld dat voortvloeide uit overleven in de Premier League nog meer nodig hadden dan wij.

Eén speler trok mijn aandacht: de zestien jaar oude Belgische middenvelder Zénobe Schuermans, die we in de zomer van Club Brugge hadden gekocht voor een miljoen pond. Ik had een video gezien van een vriendschappelijke wedstrijd tegen Hamburg waarin hij direct uit een corner scoorde. Het was geen wonder dat Simon Page Schuermans inschatte als de meest getalenteerde zestienjarige sinds Jack Wilshire. Terwijl ik toekeek, produceerde hij plotseling een serie trucs die niet zouden misstaan in een reclamespot van Nike Freestyle Football. Het was fascinerend, het mooiste wat ik had gezien sinds die keer dat Zlatan Ibrahimović een stukje kauwgum hoog hield alsof het een wedstrijdbal was. Heel even droomde ik over wat zo'n jongen voor ons kon betekenen.

Meteen daarop kreeg ik bijna een hartaanval toen een verdwaalde bal pal voor mijn gezicht tegen het glas knalde. Het geweld maakte een abrupt einde aan mijn mijmeringen. Ik draaide me om en liep door de ingang naar binnen.

# 22

Een aantal oudere spelers stond in de hal achter de ingang te wachten. Hun gesprekken stokten toen ik binnenkwam. Ze hadden allemaal een bij de gelegenheid passende sombere blik in de ogen. Sommigen droegen al zwarte kleding, anderen hadden een rouwband om de arm. Simon Page gooide een *Mail on Sunday* opzij en sprong op van de bank in de wachtruimte om me te begroeten, Maurice ook. Maar ik had me niet minder manager van London City kunnen voelen als ik een hockeystick over mijn schouder had gedragen. Ik geloof niet dat er ook maar iemand was die zich er niet van bewust was dat Zarco nog in leven was, de laatste keer dat we dit hadden gedaan als elftal.

Op dat moment zag ik naast Ken Okri een rooms-katholieke priester staan.

'Is iedereen er?' vroeg ik, met één oog op de priester.

'Ja baas,' zei Simon.

Toen ik ieders aandacht had gevangen, vertelde ik hun wat ze waarschijnlijk allemaal al wisten: dat ik Victors aanbod om manager te worden, had geaccepteerd.

'Dat is alles wat ik jullie voorlopig te zeggen heb,' zei ik. 'Je zult op korte termijn nog wel meer van me horen. O ja, voordat ik het vergeet: houd het netjes als je iets op Twitter kwijt moet. Oké, iedereen in de bus. Hoe eerder we op Silvertown Dock zijn, hoe eerder we allemaal weer naar huis kunnen. En, tussen twee haakjes, geen koptelefoons graag. Dit is de meest trieste dag in de geschiedenis van de club, dus laten we er alsjeblieft voor zorgen dat we dat uitstralen als we op Silvertown Dock aankomen.'

'Baas,' zei Ken. 'Dit is eerwaarde Armfield van St. John's Church in Woolwich. Als u het goed vindt, zouden we graag willen dat hij met ons bidt voor meneer Zarco, voordat we in de bus stappen. Het is zondag.'

'Natuurlijk.' Ik boog mijn hoofd voor het gebed en wilde dat ik er zelf aan had gedacht om een priester te vragen er vandaag bij te zijn. Zarco was een gelovig rooms-katholiek geweest, en dat was ik ook. Mijn geloof had me geholpen de tijd in de gevangenis te overleven. Dat had ik tenminste steeds tegen mezelf gezegd. De priester was een welkome verrassing.

Maar er stond nog meer te gebeuren toen we in de bus stapten. Tot mijn verbazing begonnen de spelers de hymne van de FA CUP te zingen: *Abide with me.* Het verbaasde me dat ze de tekst kenden – een niet gering aantal van hen was immers buitenlander – totdat ik zag dat ze de woorden op hun smartphones hadden gedownload. Ik had graag meegezongen, maar mijn keel zat dichtgeschroefd met emoties en heel even waande ik me terug in het Millennium Stadion van Cardiff in 2003 tijdens de enige finale van de FA CUP waarin ik heb gespeeld. Ik was enorm onder de indruk van dit gebaar van loyaliteit jegens Zarco en had graag gezien dat Matt Drennan erbij was geweest en het had kunnen horen, omdat niemand meer van die hymne hield dan hij.

De vaste route van de bus langs de B1335 door Aveley en Wennington was vrij bekend bij de inwoners van Oost-Londen en tot onze verbazing – London City was per slot van rekening een nieuwe club – stonden er veel mensen langs de route om hun eer te betuigen. Twintig minuten later reden we door de hekken van Silvertown Dock, langzaam, om ongelukken te voorkomen met de honderden supporters die zich daar hadden verzameld, en de talloze bossen bloemen niet te vermorzelen die er als eerbetoon aan Zarco waren neergelegd. De hekken zelf waren bijna niet meer te zien onder de immense vracht oranje sjaals die eraan was gehangen. Mensen hadden kaarsen aangestoken en de hele omgeving ademde de sfeer van een ramp van nationale omvang, een treinongeluk of een sterfgeval in de koninklijke familie.

'Is de voorzitter er ook bij?' vroeg ik aan Maurice.

'Ja.'

'En Viktor?'

'Die komt later samen met Ronnie. Hij is van mening dat hij ze beter hier kan spreken in plaats van dat ze naar Kensington Palace Gardens komen.'

'Als we zo binnen zijn, kun je de spelers maar het beste naar de videoanalysezaal brengen,' zei ik tegen Simon. 'Laat ze naar de wedstrijd tegen Tottenham kijken, terwijl ze wachten tot ze aan de beurt zijn voor hoofdinspecteur Byrne.'

'Oké, baas.'

'Maurice? Ik wil met jou praten in mijn kantoor. We hebben een heleboel te bespreken.'

'Zeker weten.'

We liepen naar binnen door de zuidingang, waar een ezel stond met een ingelijste foto van Zarco en een zwarte laurierkrans. Het was een uitvergroting van de foto van Mario Testino die we in het graf op de middenstip hadden gevonden.

Er waren natuurlijk al agenten in uniform en mensen van het korps van Essex. Waarschijnlijk waren ze er de hele nacht geweest. De gang die leidde naar de plaats delict was afgezet met tape.

Simon nam de spelers mee naar de videoanalysezaal, terwijl Maurice en ik naar boven gingen, naar de viproom, waar we hoofdinspecteur Byrne en de leden van haar team aantroffen. Ze werd vergezeld door de twee rechercheurs die ze bij haar team had ingelijfd: Denis Neville, die met het onderzoek naar het gat op de middenstip belast was geweest, en Louise Considine, die voor zover ik wist nog steeds belast was met het onderzoek naar de dood van Matt Drennan. Beide gebeurtenissen leken al eeuwen geleden.

Ik begroette Jane Byrne en deed mijn best mijn minachting niet te laten blijken. Ze had per slot van rekening samengespannen om mij te pakken voor rijden onder invloed. Ze glimlachte dunnetjes en vroeg zich ongetwijfeld af of ik erover zou beginnen. Dat was ik inderdaad van plan.

'U kunt zich vast inspecteur Neville en inspecteur Considine nog wel herinneren?' zei ze.

'Ja, natuurlijk,' zei ik. 'Ik waardeer het dat u hiernaartoe bent gekomen op zondag. Daar zijn we u dankbaar voor. Inspecteur Neville?'

'Meneer?'

'Ik wil graag mijn verontschuldigingen aanbieden voor het feit dat ik de vorige keer zo weinig bereid was om samen te werken. Misschien zou u hier nu niet zijn geweest als we toen de zaken serieus hadden genomen.'

Neville glimlachte schamper, alsof hij mij niet geloofde.

'Nee, ik meen het. Maar zwijgen over die foto die we in het graf gevonden hebben, was niet mijn beslissing. Dat wilde meneer Zarco zo.'

'Ik begrijp het, meneer.'

'Wordt u goed verzorgd?' vroeg ik hoofdinspecteur Byrne beleefd. 'Krijgt u alles wat u nodig hebt? Iets te drinken misschien? Thee, koffie?'

'Miles Carroll en zijn mensen zijn heel behulpzaam,' zei ze. Miles Carroll is de secretaris van de club. 'Ze hebben de personeelskantine voor ons opengedaan.'

'Goed. Bestel alles wat u nodig hebt. Ontbijt. Lunch, een warme maaltijd. De club betaalt.'

'Voor de goede orde, we hebben iedereen die gisteren in de viproom aanwezig was, gevraagd hier vandaag terug te komen. We gaan meneer Sokolnikov, meneer Hobday en iedereen van de raad die gisteren bij de club te gast was, ondervragen. Tegelijkertijd gaan we de spelers en het overige personeel ondervragen in alfabetische volgorde.'

'Dus het kan wel even duren voordat ik aan de beurt ben, is dat wat u wilt zeggen?'

'Nee, eigenlijk niet. Ik had gehoopt dat u nu meteen tijd voor me zou hebben om te doen wat u gisteren hebt beloofd.'

'En dat is...?'

'Mij helpen een lijst te maken met mensen die zo'n hekel aan hem hadden dat ze hem misschien zouden willen vermoorden. Per slot van rekening kende niemand hier hem zo goed als u.'

'Dat klopt.'

'Had hij altijd zo'n grote mond?'

Ik kromp een beetje in elkaar bij die brute opmerking, maar liet het voor wat het was.

'Zarco was iemand die de dingen bij de naam noemde.'

'Dat hoop ik eerlijk gezegd niet,' zei ze. 'Dat zou mijn werk nog moeilijker maken dan het al is.'

Ik fronste mijn wenkbrauwen en vroeg me af wat ze daar precies mee bedoelde. 'Pardon?'

'Ik bedoel, hij lijkt zijn uiterste best te hebben gedaan om mensen tegen zich in het harnas te jagen, toch?'

'Een spelletje spelen met andere teams en managers hoorde bij zijn stijl. Iedereen doet het. Maar omdat Zarco nu eenmaal was wie hij was, besteedden mensen er meer aandacht aan. Hij was een erg charismatische persoon. Hij zag er goed uit, was welbespraakt, goed gekleed. Een frisse wind na al die zure Schotse managers die de voetbalwereld een tijd lang hebben beheerst: Busby, Shankly, Ferguson, enzovoort.'

'U zegt het. Maar het was meer dan een spelletje spelen, denk ik. U bent het vast met me eens dat een peptalk voor een wedstrijd iets anders is dan wat hier aan de hand is, dat dit veel serieuzer was. Ik had gehoopt, meneer Manson, dat u met dat in gedachten, mij een definitieve lijst met vijanden zou kunnen geven.'

'Natuurlijk. Waarom niet? Dat bespaart u de moeite om ze op Google op te zoeken, denk ik.'

'O, dat heb ik al gedaan.' Op haar iPad liet ze me een tiental namen zien die ik herkende. 'Hier.'

Ik knikte. 'De voor de hand liggende verdachten. Oké. Nu hoeft u ze alleen nog maar bij elkaar te brengen. Net als kapitein Renault in *Casablanca*.'

'Ik had eigenlijk gehoopt dat u me zou kunnen helpen om die lijst wat korter te maken.' Ze haalde haar schouders op. 'Of dat u misschien één of twee namen zou kunnen toevoegen die er nog niet bij staan. Dat bedoelde ik met "een definitieve lijst".'

'Oké.'

'Alstublieft. Gaat u zitten. Praat met me, meneer Manson.'

Ik volgde haar naar de andere kant van de viproom. Door het onregelmatig gevormde raam kon je de even onregelmatige stalen structuur van de buitenschil van het stadion zien. De regen was overgegaan in sneeuw. Ik had medelijden met de supporters, die nog steeds buiten postten. Ik ging op een leren bank zitten en las nog een keer de lijst op haar iPad. Onze knieën kwamen dicht bij elkaar, wat niet gezegd kon worden van onze botsende karakters. Ze was geen onaantrekkelijke vrouw, alleen een kreng van een mens.

'Nou, wat denkt u?' vroeg ze.

'Van deze lijst? Weet u, voor een artikel in de krant over wie een hekel had aan João, zou u met deze lijst de meeste namen wel op een rijtje hebben. Maar er is een groot verschil tussen zo'n hekel hebben aan iemand dat je op hem wilt afgeven, en iemand zozeer haten dat je hem wilt vermoorden. Sommigen van deze mensen zijn gerespecteerde figuren in de voetbalwereld. Voetbal roept nu eenmaal heftige emoties op. Dat is altijd al zo geweest. Ik herinner me dat mijn vader me een keer meenam naar de Old Firm op nieuwjaarsdag. De Old firm is trouwens de wedstrijd tussen de Glasgow Rangers en Celtic. Het was lang voor de invoering van die belachelijke voetbalwet voor misdragingen bij voetbal en bedreigende uitingen. De agressie waarmee de historische en religieuze rivaliteit tussen die twee supportersgroepen werd beleefd, was iets wat je meegemaakt moest hebben om het te geloven. Het moet gezegd dat er moorden zijn gepleegd omdat iemand de verkeerde kleuren droeg in het verkeerde deel van de stad. Dat alles in aanmerking genomen...'

'Gaat u nu praten over het prachtige spelletje?'

'Dat had ik niet willen noemen. Maar als u me vraagt of er iemand op die lijst staat die in staat zou zijn om João Zarco te vermoorden, dan is het antwoord absoluut nee.' Ik gaf haar de iPad terug. 'Als u wilt weten wat ik denk, dan moet u het bij supporters zoeken. Tuig van Newcastle dat zin had om de manager van de tegenpartij eens flink af te tuigen. Niet deze mensen.'

'Ik hoor wat u zegt,' zei ze. 'En toch. Sommige van de mensen op deze lijst schijnen gewelddadig te zijn. Neem bijvoorbeeld Ronan Reilly.'

Ze tikte op de iPad en opende een bestand met een foto van Ronan Reilly. Hij was afgebeeld samen met Charlie Nicholas, Jeff Stelling, Matt Le Tissier en Phil Thompson. Het leek me dat hij voor een keer de plaats had ingenomen van Paul Merson in de *Gilette Soccer Saturday*.

'Aardig pak. Die oorring weet ik niet zo. Wat is er met hem?'

'Is het niet tot een handgemeen gekomen tussen Reilly en Zarco, vorig jaar op het sportgala van de BBC waar de sporter van het jaar werd gekozen?'

'Nou en? Reilly is een geweldige kerel met zeer uitgesproken meningen. Dat respecteer ik.'

'Hij is in ieder geval heel lichtgeraakt. Ik heb het nagelezen: in 1992, het eerste jaar dat de Premier League bestond, heeft hij meer rode kaarten verzameld dan welke andere speler ook.'

'Ik geloof u op uw woord. Maar dat was twintig jaar geleden. En ik durf best te beweren dat hij de meeste van die rode kaarten kreeg in dienst van het elftal. Professionele overtredingen en dat soort zaken. Voor zover ik weet vervolgt zelfs de Met geen mensen die van het veld zijn gestuurd. Maar de tijd zal het leren, het is een simpel kunstje.'

'Toch schijnt hij ook buiten het veld dit soort gedrag te vertonen. Meneer Reilly wappert graag met zijn vuisten. Toen hij voor Liverpool speelde, is er een incident in een nachtclub geweest waarbij met stoelen werd gegooid en iemand is mishandeld. Reilly werd aangeklaagd voor het veroorzaken van ongeregeldheden.'

'Hij stond terecht en werd vrijgesproken.'

'Ja, de rechtszaak vond plaats in Liverpool,' voegde Byrne eraan toe. 'Waar hij heel populair was bij de rode helft van de bevolking.'

'Dat is waar,' zei ik. 'De zaak had anders kunnen aflopen als er meer *Toffees* van Everton in de jury hadden gezeten. Of als een paar corrupte politieagenten een getuigenverklaring hadden afgelegd. Dat komt het percentage opgeloste lokale zaken altijd ten goede.'

Ze negeerde de opmerking.

'En toen was hij, voordat hij op tv kwam, manager bij Stoke City, toch? Waar hij naar verluidt een speler een klap gaf in de kleedkamer en diens kaak brak, iets wat hem bijna zijn baan kostte.' Ze glimlachte. 'Eerlijk, ik begrijp niet hoe iemand het "een prachtig spelletje" kan noemen.'

'Zoals ik al zei lopen de emoties soms hoog op. Bovendien geloof ik dat ik mag zeggen dat de speler – die zelf bepaald geen heilige was – zijn aanklacht introk.'

'Reilly is hier gisteren geweest. Op Silvertown Dock. Wist u dat, meneer Manson?'

'Ja, en dat verbaast me niets. Het was een belangrijke wedstrijd. Die voor ons heel goed is afgelopen.' Ik schudde mijn hoofd. 'Luister, u hebt mij naar mijn mening gevraagd. Die hebt u gekregen. Meer niet. Mijn mening. Ik ken Ronan Reilly. Dat is geen slechte vent, alleen iemand met een kort lontje. Dat handgemeen bij de SPOTY was niet meer dan een storm in een glas water.'

'Volgens mij was het wel iets meer. Ik heb de vechtpartij op YouTube gezien. Er is bloed gevloeid. Ik zou u het filmpje kunnen laten zien. Om uw geheugen op te frissen.'

‘Nee, dank u. Ik heb wel genoeg YouTube gezien voor een weekend. Misschien hadden ze verwacht dat ze eerder uit elkaar zouden worden gehaald dan gebeurde. Ze hadden bovendien allebei iets gedronken. Meer dan iets waarschijnlijk. Ik in ieder geval wel.’

‘En dan is het gerechtvaardigd, denk ik, meneer Manson?’

‘Nee, maar het maakt het wel gemakkelijker te begrijpen.’

‘Zou het u verbazen te horen dat meneer Reilly gisteren tijdens de wedstrijd een kwartier van zijn plaats is geweest?’

‘Hebt u wel eens geprobeerd om hier in de rust iets te drinken te krijgen? Dat kan even duren.’

‘O, niet op dat moment. In de eerste helft. Sky Sports heeft alle beeldmateriaal aan ons afgestaan, van alle camera’s, en daarmee kunnen we zijn afwezigheid heel precies timen. Hij was duidelijk niet op zijn plaats gedurende vijftien minuten, zo ongeveer rond de tijd dat iedereen zich begon af te vragen waar João Zarco was. Dat zou ik u ook kunnen laten zien, als u dat wilt.’

‘Vijftien minuten kijken naar een leeg stoeltje? Ik heb wel iets beters te doen.’

‘Kom, kom, meneer Manson. Wat zou er belangrijker kunnen zijn dan de moordenaar van uw vriend opsporen.’

‘Hebt u Reilly gevraagd waar hij was?’

‘Nog niet, maar ik zal hem er vanmiddag op aanspreken. Ik wilde graag eerst horen wat u er erover te zeggen had.’

‘Waarover? Over wat er zich afspeelt in Reilly’s hoofd? Over zijn criminele inslag? Ik ben hier alleen maar de plaatsvervangend manager.’

‘Het lijkt erop dat u veel voor uw rekening neemt op het moment, meneer Manson.’

‘Het lijkt erop dat ik dat wel zal moeten, met politiefunctionarissen zoals u om me heen, mevrouw Byrne.’

‘Gefeliciteerd trouwens.’

‘Waarmee? Met het feit dat ik gisteravond niet gepakt ben? Of met deze baan?’

Ze glimlachte. ‘De baan natuurlijk. Al is uw kleine overwinning bij de alcoholtest ook best een felicitatie waard. En goh, u hoefde er niet eens een sluwe advocaat met een bedenkelijke reputatie voor te bellen, zoals zo veel andere mensen in de voetbalwereld.’

'U durft,' zei ik.

'Ik weet niet wat u bedoelt, meneer Manson.'

'Proberen mij erin te luizen. U hoeft het niet te ontkennen. Ik weet dat u achter die stunt zat. U en uw vriend commandant Clive Talbot OBE dachten dat u mij een beetje konden voorkoken, toch? Me iets bereidwilliger maken om mee te werken? De volgende keer dat het damestoilet in dit stadion gebruikt, kunt u er maar beter voor zorgen dat u de enige dame in die ruimte bent. En ik gebruik het woord "dame" in de meest brede betekenis van het woord.'

Ze fronste haar wenkbrauwen alsof ze zich probeerde te herinneren of ze alle hokjes had gecontroleerd en bloosde. 'Juist.'

'Het spijt me dat ik u niet verder heb kunnen helpen,' zei ik. 'Ik kan niemand bedenken die ik in staat acht tot de moord op Zarco. Maar het is wel weer komen bovendrijven waarom ik een hekel heb aan de politie.'

'Alsof u dat vergeten was.'

'Zijn we klaar? Was dit het?'

'Niet helemaal. Mevrouw Zarco zegt dat haar echtgenoot een affaire had met de acupuncturiste van de club,' zei hoofdinspecteur Byrne. 'Dat is mevrouw Claire Barry, toch?'

'Zo heet zij.'

'Haar echtgenoot, Sean, heeft een beveiligingsbedrijf: Cautela Limited. Volgens Google heeft dat net een groot contract binnengesleept voor de beveiliging van een aantal elftallen tijdens de WK's in Rusland en Qatar. Zarco heeft zich niet erg complimenteus uitgelaten over de Qatari's, dacht ik. Veel van de mensen die voor Cautela werken, hebben in het verleden bij MI5 en MI6 gewerkt. Die zouden hun baan kunnen kwijtraken als het allemaal niet doorgaat. Om die reden zouden ze best kwaad op Zarco kunnen zijn. Zowel zakelijk als persoonlijk. Misschien kwaad genoeg om hem onder handen te nemen.'

'Dat weet u beter dan ik, mevrouw Byrne. U bent degene met goede contacten bij Binnenlandse zaken.' Ik stond op. 'Om zeker te weten dat u het niet vergeet, João Gonzales Zarco was mijn vriend. Maar ik vind het echt niet zo heel verschrikkelijk belangrijk of u zijn moordenaar vindt. Daarmee krijg ik hem niet terug. Het enige waarom ik geef, zijn deze voetbalclub, de supporters en de wedstrijd aanstaande dinsdagavond.'

'U hebt uw standpunt duidelijk onder woorden gebracht, meneer Manson. Laat ik dan even duidelijk zijn. Ik haat voetbal. Ik heb voetbal altijd gehaat. Ik ben van mening dat het de grootste vloek van deze tijd is. Tot gisteren was ik ooit maar één keer eerder in een voetbalstadion geweest. Dat was in mei 2002, toen ik als jonge agente moest aantreden bij een wedstrijd in The Den. Millwall verloor een play-off tegen Birmingham City en ik was maar één van de zevenenveertig agenten die gewond raakte bij pogingen om het geweld in te dammen dat daarop volgde. En dan heb ik het nog niet over de vierentwintig politiepaarden. Welke idioot steekt een paard met een gebroken fles? Of een agente, te weten mij? Dus ik veracht mensen die naar voetbal gaan. En ik veracht de overbetaalde snotneuzen die het spelletje spelen. En dan zeg ik nog niets over de egocentrische maniakken die manager zijn bij deze zogenaamde clubs. Ik zal de moordenaar van meneer Zarco vinden. Dat beloof ik u. Maar als ik gaandeweg het spel en deze club in diskrediet kan brengen, zal ik dat met plezier doen.'

'U kunt doen wat u wilt,' zei ik. 'Maar ik heb het gevoel dat het niets zal zijn, vergeleken bij het schandalige optreden van de politie op Hillsborough, hoe u ook tekeergaat.'

# 23

'Hoe ging het?' vroeg Maurice.

'Zoals je zou kunnen verwachten. Helemaal niet goed dus. Hoofdinspecteur Jane Byrne is een stuk ongeluk. Laat daar geen misverstand over bestaan. Ik denk dat je rustig kunt zeggen dat we elkaar nu al haten.'

'Dat verbaast me niets na wat er gisteravond is gebeurd. Maar een vriend van mij bij de Yard zegt dat ze op weg is naar de top.'

'De top waarvan? Een berg stront?'

'Is het zo erg?'

'Laat ik het zo zeggen: zij is geen liefhebber van voetbal. Op het moment beschouwt ze Ronan Reilly als kandidaat nummer één voor de moord op Zarco.'

'Die zak heb ik zelf ook nooit gemogen.'

'Hem of Sean Barry.'

'Sean?' Maurice trok zijn gezicht in een grimas. 'Ik denk eigenlijk dat Sean Zarco niet vermoord kan hebben.'

'Nee.'

De telefoon op mijn bureau rinkelde. Het was Simon Page.

'Er zijn hier twee mensen van de FA,' zei hij. 'Ze hebben ons kennelijk net gemist op Hangman's Wood.'

'De FA? Wat wil die nu weer in hemelsnaam?'

'Het zijn de DCO en de FATSO. Ze willen urinemonsters van vier willekeurige spelers.'

'De DCO is de dopingcontroleur van het Antidopingbureau in het Verenigd Koninkrijk en de FATSO is de toezichthouder van de FA. Het was een koppel met veel macht en je kon maar het beste meewerken met wat ze ook maar van je wilden. Een berucht voorbeeld van hun optreden was een controle die een antidopingteam wilde uitvoeren bij

Andy Murray toen hij op het punt stond om naar Buckingham Palace te gaan om zijn ridderorde op te halen.

'Ze komen wel op het goede moment, hè? Doe maar wat ze vragen.' Ik verbrak de verbinding.

'Wie was dat?' vroeg Maurice.

'Dopingcontrole. Alsof de puinhoop nog niet groot genoeg is met de politie over de vloer. Maar jij wilde iets zeggen. Over Sean Barry.'

'Blijkbaar heeft hij verteld dat hij zelf een vriendin had, toen hij ontdekte dat Zarco iets met zijn vrouw had. Meer dan een zelfs. Dat betekent dat we jaloezie als motief kunnen vergeten. Hij is blijkbaar meer van zijn stuk door de dood van Zarco dan zijn vrouw. Hij denkt dat we nu dit seizoen geen enkele prijs meer zullen pakken.'

'Misschien heeft hij wel gelijk. Ik neem aan dat je dit van je vriendin Sarah Crompton hebt gehoord?'

'Ja.'

'Dus strepen we hem door op onze lijst voor het eerste elftal.'

'Ik denk het.'

'En de zoon van die scheids – Jimmy Sharp? Wat ben je daarover te weten gekomen?'

'Die zit ook op de bank. Hij heeft zich aangemeld voor Campion Hall aan de Universiteit van Oxford. Hij wil theologie gaan studeren zodra zijn tijd bij de mariniers erop zit. Ze hebben me verteld dat hij priester wil worden. Er stond een artikel over hem in de *Daily Telegraph*, een paar weken geleden.'

'Zo op het eerste gezicht nauwelijks iemand die uit is op wraak.'

'Maar een goede dekmantel, natuurlijk. Ik bedoel, als je van plan bent om iemand om zeep te helpen, strooi je de politie mooi zand in de ogen door te doen of je helemaal in de Heer bent. Denk aan dominee Groenewoud in *Cluedo*.'

'Is hij nog steeds dominee? De rechten van het spel zijn door Amerikanen gekocht en ik zou me kunnen voorstellen dat die moeite hebben met een dominee die een moord pleegt.'

'Domme klootzakken.' Maurice lachte. 'Over Denis Kampfner weet ik niets. Nog niet. En die Rus, Semion Michailov, is eigenaar van een groot energiebedrijf, een stuk of twee banken en Dinamo Sint-Petersburg.'

'Dat is interessant. Viktor koopt op het moment een speler van ze. Hij zegt dat ze hem geld schuldig zijn.'

'Van wat ik heb gehoord, zou ik niet weten wat erger is: Michailov geld schuldig zijn of nog geld van hem krijgen. Die man is door en door slecht. Al heb ik tot dusverre alleen maar een paar mensen naar adem zien happen bij het horen van zijn naam. Hij zoekt een huis in Chelsea, heb ik gehoord. De beste plek waar de man zich maar kan bevinden, denk ik. Maar ik kan me niet voorstellen dat hij buiten zijn boekje zou gaan, als hij probeert hier zijn thuishaven van te maken. Hé, wacht eens, Viktor wil toch niet de rooie duivel kopen?'

'Dat zegt hij. Maar vertel het niet verder.'

'Dan wens ik hem veel succes. Ze zeggen dat Bekim Develi's afkeer van de Franse hap nog groter is dan zijn afkeer van de Franse belasting. Het schijnt dat hij vijftien kilo is aangekomen sinds hij weer in Rusland is gaan spelen.'

'Dat is goddomme precies wat we nodig hebben.'

Phil Hobday verscheen in het deurgat.

'Hoe gaat het, Scott?'

'Het begint me net zo ongeveer te dagen hoeveel werk ik te doen heb.'

'Voor niets gaat de zon op, Scott, voor al het andere moet je betalen. Met werk en zelfopoffering. En nog meer als je onsterfelijk wilt worden in de sportwereld. Dan moet je een beetje doodgaan, een keer of twee per week.'

'Vind je het erg als ik dat gebruik voor mijn volgende peptalk?'

'Nou ja, het is nu niet bepaald Shakespeare, maar toe maar. Over die wedstrijd op dinsdag, misschien moeten we proberen of de FA die wil uitstellen?'

Ik dacht even na. 'En de rest van het seizoen in het honderd laten lopen? Ik denk het niet. Misschien kunnen we de dood van Zarco in ons voordeel ombuigen, als dat niet al te cynisch klinkt. Wat ik bedoel, is dat we misschien het beste uit de jongens kunnen halen als eerbetoon aan Zarco. Bovendien willen de supporters vast iets doen om hem te herdenken.'

'Oké, jij bent nu de baas,' zei Phil.

'Dat zeg ik ook steeds tegen mezelf.'

'Moeilijke beslissingen. Daar draait het bij management allemaal om. Wen er maar aan.'

'Maurice? Wil jij even gaan kijken of de sterke arm al klaar is op de plaats delict? Ik wil straks nog een keertje gaan kijken op de plaats waar Zarco is overleden. Doe de deur achter je dicht. Ik moet de voorzitter een lastige vraag stellen. Misschien wel twee.'

'Ja, baas.'

Phil ging op een bank zitten die tegen de muur stond en wachtte tot Maurice weg was. Zelfs op zondag droeg hij een goed gesneden driedelig pak met een Hermès-stropdas en een bijpassende zijden pochet. Phil was begin zestig, niet al te groot en had een volle bos wit haar. Hij was zijn carrière begonnen in dienst van een toonaangevend Amerikaans advocatenkantoor, Baker & McKenzie, dat zich in 1989 als een van de eerste internationale advocatenkantoren in Moskou vestigde. Daar was hij Viktor tegengekomen bij de privatisering van de autofabriek Volga. Phil had eraan bijgedragen dat Volga het populairste automerk van Rusland werd. Hij wist dan misschien niets van voetbal, hij was zeer goed op de hoogte van de fusies en overnames en transacties op de kapitaalmarkt – en volgens Viktor sprak hij vloeiend Russisch.

'Als je het toch over onsterfelijkheid hebt,' zei ik, 'misschien is dit het juiste moment om een opdracht te geven voor een standbeeld van Zarco.'

'Vraag maar aan Viktor. Je zult hem de komende tijd vaak genoeg zien, kerel. Misschien wel meer dan je lief is.'

'Ja, maar het leek me dat jij de aangewezen persoon bent voor zoiets. Per slot van rekening staat er ook ergens een standbeeld van jou. Waar was dat ook alweer? Bij de Volga-fabrieken in Nižny Novgorod. Ik bedoel, naar wie ga je toe om dat soort dingen te regelen?'

'Vind jij dat we een standbeeld van Zarco voor de Crown of Thorns moeten zetten?'

'Ja, zolang het er maar niet uitziet als dat standbeeld van Billy Bremner. Vooral omdat dat ding helemaal niet op Billy Bremner lijkt.'

'Ik zal het aankaarten bij Viktor.' Phil grinnikte. 'Maar daarover wilde je me niet onder vier ogen spreken, of wel?'

'Nee. Je weet dat Viktor wil dat ik met een nieuw systeem ga spelen dat anders is dan ons gebruikelijke 4-4-2. Hij wil dat ik een nieuw soort middenvelder creëer, eentje die de fouten van anderen corrigeert, die ervoor zorgt dat de vier man achterin helemaal geen defensief werk meer doen.'

'Ik snap het. Eentje met genoeg zelfdiscipline om in zijn positie te blijven spelen, maar ook met genoeg vertrouwen in eigen kunnen. Iemand die de bal lange tijd kan vasthouden. Komt iedereen ten goede. Een beetje zoals David Luiz.'

'Ik dacht meer een beetje zoals Hercule Poirot.'

'Waar speelt die? Bij Anderlecht?'

'Kom op, Phil, volgens mij was het jouw idee.'

'Hoezo dat?'

'Omdat het een slimme actie is.'

'Viktor is slim.'

'Als Viktor echt slim was, zou hij een kleiner jacht kopen. Een jacht dat minder aandacht trekt, zoals dat ding van jou. Nee, jij bent slimmer. Dat schreef *The Times* ook in dat interview met je. Je werd omschreven als een van de meest opvallende juristen van het Verenigd Koninkrijk. Maar uit wat je zei, maakte ik op dat je juist niet wilt opvallen. Dat jij de éminence grise wilt zijn achter deze kardinaal.'

'Jij bent zelf ook behoorlijk slim, Scott. Ik ken niet zo veel voetbalmanagers die Aldous Huxley hebben gelezen.'

'Dat geldt voor mij en voor Roy Hodgson. Maar dat moet je niet verder vertellen. Slim zijn in het voetbal is bijna net zo erg als gay zijn. Dus?'

'Weet je, misschien was het wel mijn idee, dat herinner ik me niet precies meer. Maar als er een bruikbaar advies is dat ik je mag geven, dan is het dit: als je bij deze club een goed idee krijgt, als er iets belangrijks is wat je voor elkaar wilt krijgen, dan moet je ervoor zorgen dat Viktor denkt dat het oorspronkelijk zijn idee was.'

'Oké. Was het een idee van Viktor of van jou om Zarco het WK in Qatar af te laten kraken?'

'Wie heeft je dat verteld?'

'Toyah.'

'Oké.' Hij knikte. 'Dat was mijn idee.'

'Waarom?'

'Je weet dat we de naamrechten van het stadion nog steeds niet verkocht hebben. En dat we ook nog geen shirtsponsor hebben. Maar we hebben wel een deal uitonderhandeld met een bank in Qatar. De Sabara Bank van Qatar. Een deal die tweehonderd miljoen pond waard is.'

'Ah, ja, dan is het duidelijk waarom je die lui wilt afzeiken. Natuurlijk.'

'En dat is dan ook precies wat we wilden. Die lui afzeiken, kolossaal. We hadden een deal met Sabara. En toen, net voordat de deal publiek gemaakt zou worden, vond Viktor een andere gewillige sponsor. Jintan Niao-3Q Limited.'

'Pakkend. Ik zie dat zo op een voetbalshirt. Maar dan wel bij een paar spelers met obesitas. Bekim Develi bijvoorbeeld.'

'Volgens Forbes is Jintian de grootste provider voor mobiele telefonie in China. Groter dan VimpelCom en ongeveer dertig miljard dollar waard. Het bedrijf staat op het punt een nieuwe smartphone en een 4G-netwerk te lanceren in het Verenigd Koninkrijk. Jintian wilde ons vijfhonderd miljoen pond betalen voor een contract van tien jaar. Dus zochten we een plan om de Qatari's van mening te doen veranderen en hun sponsoraanbod te annuleren. Daarom moest Zarco dat commentaar geven op het WK 2022. Het werkte ook. De Qatari's waren woest. En het begon erop te lijken dat het Doha-stadion er nooit zou komen.'

'Tot gisteren. Toen Zarco werd vermoord.'

'Ik ben bang van wel. Het enige wat hen ervan weerhield om het contract te sluiten, is nu uit de weg geruimd.'

'Maar dat is wel een indrukwekkend motief om iemand te vermoorden, Phil.'

'Ik had niet gedacht dat de Qatari's er iets mee te maken zouden hebben. Ze waren wel woest, maar ook weer niet helemaal over de rooie.'

'Alsof tweehonderd miljoen pond het soort geld is waar je verder niet moeilijk over doet.'

'Ik ken die lui. Ik heb met ze gegeten. Zoiets is gewoon niet hun stijl.'

'Als jij dat zegt, Phil. Ik zit hier alleen maar te speculeren, maar ik hoop dat dit wel het soort informatie is dat we niet prijsgeven aan de politie.'

'Absoluut. Vergeet niet dat er niets onwettigs is gebeurd. Het is gewoon een commercieel gevoelige kwestie.'

'Ik snap wat Viktor eraan moest overhouden. En jij misschien ook, maar wat was het belang van Zarco?'

'Voetbal wordt steeds duurder, Scott. De Engelse voetbalclubs hebben deze zomer met zijn allen driehonderdvijftig miljoen pond uitgegeven. Een recordcontract bij Real Madrid. Dat extra sponsorgeld van de spleetogen was heel erg welkom geweest. Zelfs voor iemand die zo rijk is als Viktor Sokolnikov.'

'Alle kleine beetjes helpen, hè? Ik wil wedden dat hij zijn boodschappen bij Tesco doet.'

'Weet je, ik denk dat je over vijf jaar niet genoeg hebt aan driehonderd miljoen voor de duurste transfer.'

'Dat zou maar zo kunnen. Laten we hopen dat wij dan de verkopende partij zijn.'

Phil stond op en liep naar de deur.

'Voordat je weggaat,' zei ik, 'heb ik nog een Russische naam voor je: Semion Michailov.'

Phil bleef halverwege de deur staan. 'Wat is er met hem?'

'Hij is gistermiddag in het stadion gezien.'

'Gezien? Door wie?'

'Iemand die hier werkt. Ik heb gehoord dat hij gevaarlijk is.'

'Heel gevaarlijk. Maar niet voor ons. En dat mag je van mij aannemen. Als Viktor morgen naar Rusland vertrekt, neemt hij Bekim Develi van hem over als gedeeltelijke afbetaling voor een schuld. Michailov zal niets doen om dat in gevaar te brengen.'

'Weet je, als ik de moordenaar van Zarco moet vinden voordat de politie hem vindt, zou het handig zijn als ik evenveel zou weten als jij.'

'Wat wil je weten?'

'Had Zarco een reden om bang te zijn voor Viktor?'

'Waarom zou Zarco bang zijn voor Viktor?'

'Misschien niet alleen voor Viktor, maar ook voor jou, Phil.'

'Bang voor mij. Hoe kom je daarbij?'

'Omdat Viktor een aantal bedenkelijke figuren kent, zoals Semion Michailov, en jij ook.'

'Komt dat ook van Toyah? Je kunt wel zien dat ze vroeger op de planken heeft gestaan, ze heeft een heel levendige fantasie. Hé Scott, waarom zouden Viktor en ik jou vragen de moord op Zarco te onderzoeken als we er zelf iets mee te maken hadden?'

'Soms parkeer je de bus in je eigen doelgebied als je wilt voorkomen dat de tegenpartij scoort. Als je mij vraagt de moord op Zarco te onderzoeken is dat net zo iets: je strooit zand in de raderen van de politie en maakt het voor hen moeilijker om resultaat te boeken. Zo werkt dat. Als wij voortdurend niets willen prijsgeven, reduceren we hun kansen op succes aanzienlijk.'

'Dat is waar. Maar ik geloof dat Viktor het over bonussen heeft gehad, toch? Misschien moet ik die nog eens noemen. Dankzij jouw vader zit jij al goed in de slappe was natuurlijk, maar ik ken je goed genoeg om te weten dat jij iemand bent die op eigen kracht wil slagen. Deze voetbalclub wordt een van de grote clubs, Scott. Jij kunt iets bereiken met London City, iets wat je nooit had kunnen bereiken als speler van Southampton en Arsenal. Het enige wat je hoeft te bewijzen is dat je hier werkelijk als manager aan de slag wilt.'

# 24

Even na elf uur kwam Sarah Crompton mijn kantoor in om me een concept van een persbericht te laten lezen, waarin werd aangekondigd dat ik de nieuwe manager van City was.

Sarah is een erg aantrekkelijke brunette van in de veertig, altijd gekleed in een tweedelig pakje van zoiets als Chanel of Max Mara. Voordat ze naar London City kwam, werkte ze bij Wieden + Kennedy in Amsterdam, een Amerikaans reclamebureau dat de 'Write the Future'-campagne van Nike deed voor het WK van 2010. Dat is de spot waarin een zwaarbebaarde Wayne Rooney in een caravan woont omdat Frank Ribery voorkwam dat zijn schot doel zou treffen. Sarah is slim en welbespraakt en toen ik met haar van gedachten wisselde, terwijl Maurice McShane zelfs nog in het vertrek was, was het me niet echt duidelijk wat zij en hij gemeen hadden behalve een voorliefde voor sport. Sarah was een getalenteerd golfer en met een handicap van niet meer dan zes kon ze mij gemakkelijk verslaan. Ik maakte moeiteloos tijd voor haar vrij. Voor elke vrouw met haar hersens. Ze deed me in veel opzichten denken aan Sonja.

Omdat Viktor en Phil het persbericht al hadden goedgekeurd, hoefde ik er weinig aan toe te voegen, behalve het feit dat ik niet 'uitkeek naar de uitdaging'. Ik stelde voor om er 'zou proberen het even goed te doen als een van de grootste managers allertijden' van te maken, een formulering die me beter beviel. Er deden al genoeg clichés de ronde in de voetbalwereld; aan die enorme ziggoerat hoefde ik mijn steentje niet bij te dragen, vond ik.

Ik vertelde haar ook dat ik pas flinke tijd na de begrafenis van Zarco bereid zou zijn om interviews te geven.

'Ik wil je werk niet moeilijker maken dan het is,' zei ik. 'Maar ik ben uit mijn doen door wat er is gebeurd en ik heb even tijd nodig om het te verwerken. Bovendien ben ik nog bezig me in te werken in mijn nieuwe baan, dus het duurt nog wel even voordat ik zonder bijgevoelens kan zeggen dat ik manager ben van deze club.'

'De Guardian maakt veel werk van het feit dat jij één van de slechts vier zwarte managers bent in de Premier League – jij, Chris Hughton, Paul Ince en Chris Powell.'

'Zo had ik het nog niet bekeken,' zei ik.

'Misschien zou je dat wel moeten doen,' zei Sarah.

'Nee,' zei ik. 'Voetballers worden gekocht omdat het goede voetballers zijn, los van hun huidskleur. Managers worden ingehuurd omdat het goede managers zijn. Ik geloof er niets van dat een of andere vorm van voorkeursbeleid van de FA daar iets aan zal veranderen. Als we een paar voetballers in het bestuur van de FA konden krijgen, verandert er misschien iets – maakt niet uit wat voor spelers, niet alleen zwarte. Zolang de FA een club is voor volgevreten blanke zakenlui en leden van het koninklijk huis die niets beters te doen hebben, komt er niets van terecht.'

'Dan moet je dat zeggen.'

'Misschien als ik een beetje steviger op deze stoel zit. Als City iets heeft gewonnen. Niet voor die tijd.'

'Oké,' zei ze. 'Maar misschien is er één interview dat je wel moet geven. Hugh McIlvanney van *The Sunday Times*. Die ken je toch?

Ik knikte. 'Vaag.'

'Hij stuurde me een e-mail. – in feite een heel aardige e-mail. Hij schrijft een stuk over Zarco voor de krant van komende zondag en wil daarvoor graag inbreng van jou. Vergeet niet dat hij een van de beste sportverslaggevers van het land is.'

Met dat oordeel kon ik het alleen maar eens zijn. Ik mocht hem niet alleen maar omdat hij een Schot was, hij kon gewoon geweldig schrijven. Hij stelde je nooit teleur. Toen George Best in november 2005 overleed, had McIlvanney als geen ander onder woorden gebracht wat George Best had betekend in zijn column 'Voice of Sport'. Ik herinner me nog altijd met genoegen een fragment van wat hij toen schreef: 'Het valt niet rationeel uit te leggen hoe of waarom de aanblik van mannen die met een bal spelen miljoenen in zijn greep kan houden van kindsbeen tot kindsheid. Maar als George Best in de buurt was,

was elke vorm van logica overbodig.' Amen. McIlvanney had niet altijd aardige dingen geschreven over João Zarco – hij had diens benadering van voetbal eens omschreven als 'forensisch' en de man zelf als de 'heersende grootmeester van voetbal-realpolitik' – maar hij was altijd volstrekt eerlijk.

'Ja,' zei ik tegen Sarah. 'Met hem wil ik wel praten, maar alleen omdat het om een stuk over Zarco gaat.'

Sarah zette het persbericht op Twitter en vrijwel onmiddellijk kwamen de sms'jes binnen van andere managers, met een begrijpelijke mix van deelneming en felicitaties. Uit Porto, waar Zarco vandaan kwam, kreeg ik een Instagram van het Estádio do Dragão, waar, onder een muurschildering van de beroemde draak van de club, nu een enorme foto stond van Zarco, geflankeerd door twee leden van de Portugese Nationale Republikeinse Garde. Uit Glasgow, waar hij zijn laatste wedstrijden als voetballer speelde in dienst van Celtic, kreeg ik een foto waarop geen centimeter groen meer te zien was van de hekken rond het standbeeld van Jock Stein, omdat ze vol zwarte linten hingen. In het Braziliaanse Belo Horizonte, waar Zarco een tijdlang manager was geweest van Atlético Mineiro, was het veld van het Estádio Raimundo Sampaio, dat me altijd een beetje deed denken aan het oude stadion van Arsenal op Highbury, bedolven onder bloemen. Het leek of de dood van de man mensen over de hele wereld had beroerd.

Ik beantwoordde een paar sms'jes, maar ik was veel meer geïnteresseerd in de honderden sms'jes op Zarco's mobiele telefoon 'voor andere dingen'. Het waren vooral sms'jes naar en van Paolo Gentile, die niet alleen Zarco's persoonlijke agent was geweest, maar ook die van de club, in ieder geval bij de recente transfer van Kenny Traynor. De sms'jes tussen Zarco en Gentile waren niet gedateerd en vaak opzettelijk verwarrend, maar het was me al snel duidelijk dat Zarco bij de transfer van Traynor handgeld had opgestreken. Bij een transfer waarmee negen miljoen pond gemoeid is, strijkt een agent een commissie op van bijna een miljoen. Dat is een gangbaar tarief voor een toptien-voetbalmakelaar als Paolo Gentile. Hij had wel meer binnengesleept bij transfers van duurdere voetballers. Toen Henning Bauer voor vijftig miljoen verhuisde van Monaco naar Bayern München, had Gentile daar een slordige vijf miljoen aan overgehouden.

Maar eenvoudig gezegd is handgeld een onwettige betaling die ervoor moet zorgen dat een transfer zonder problemen wordt afgerond. Een club sanctioneert een betaling naar een agent, die vervolgens een deel daarvan onderhands weer contant doorsluist naar een manager. Bij het schandaal dat volgde op de transfer van Teddy Sheringham naar Nottingham Forest, beweerde Terry Venables dat Brian Clough om handgeld zou hebben gevraagd. En er is niet veel veranderd. Managers en agenten zijn misschien voorzichtiger geworden met de FA en de belastingdienst, maar iedereen in de voetbalwereld kan je vertellen dat het vrijwel onmogelijk is om illegale betalingen uit te bannen. Ik zou zelf nooit handgeld aannemen, maar als een agent en een manager besluiten dat er contant geld van de ene hand naar de andere moet gaan, zou ik niet weten hoe je dat moet tegenhouden.

Het was verstandig dat Zarco en Gentile cryptisch communiceerden. Er stonden strenge straffen op het betalen en aannemen van handgeld. Daarover kon George Graham, de voormalige manager van Arsenal, meepraten: hij was het eerste en enige slachtoffer van het smeergeldschandaal dat het voetbal trof in 1995. Hij raakte zijn baan kwijt en werd door de FA voor een jaar geschorst voor werkzaamheden in het voetbal.

Het was minder duidelijk precies hoe en wanneer en in welke vorm het handgeld voor de transfer met Kenny Traynor aan Zarco betaald moest worden. Ik moest de sms'jes meerdere keren lezen voordat ik een beetje greep kreeg op wat zich tussen beide mannen had afgespeeld.

# 25

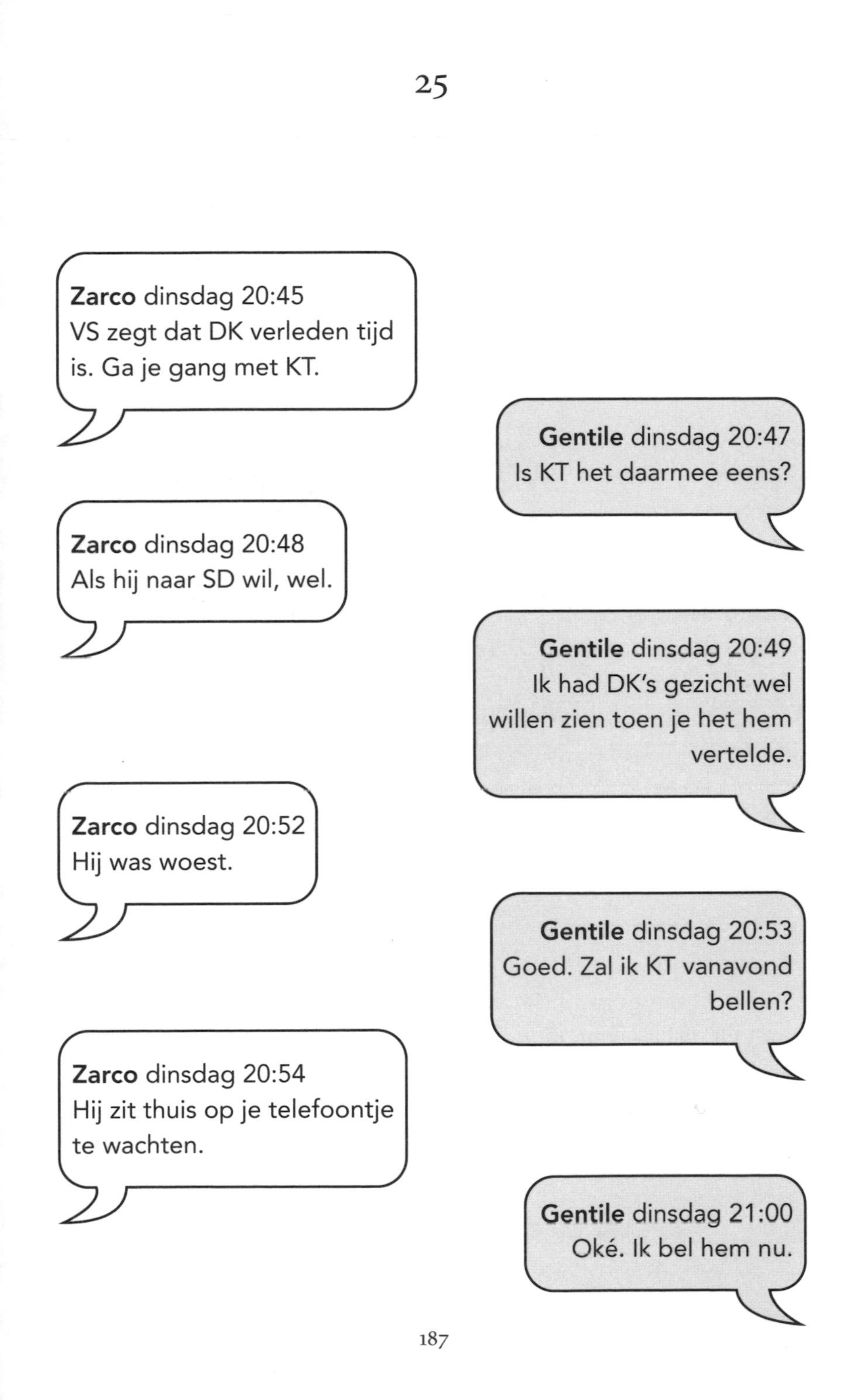
**Zarco** dinsdag 20:45
VS zegt dat DK verleden tijd is. Ga je gang met KT.
**Gentile** dinsdag 20:47
Is KT het daarmee eens?
**Zarco** dinsdag 20:48
Als hij naar SD wil, wel.
**Gentile** dinsdag 20:49
Ik had DK's gezicht wel willen zien toen je het hem vertelde.
**Zarco** dinsdag 20:52
Hij was woest.
**Gentile** dinsdag 20:53
Goed. Zal ik KT vanavond bellen?
**Zarco** dinsdag 20:54
Hij zit thuis op je telefoontje te wachten.
**Gentile** dinsdag 21:00
Oké. Ik bel hem nu.

**Zarco** dinsdag 21:03
Goed. NB hij is Schots. Als je hem niet kunt verstaan, zijn geschreven Engels is beter.

VS was natuurlijk Viktor Sokolnikov, DK was Denis Kampfner, KT was Kenny Traynor, en SD was Silvertown Dock.

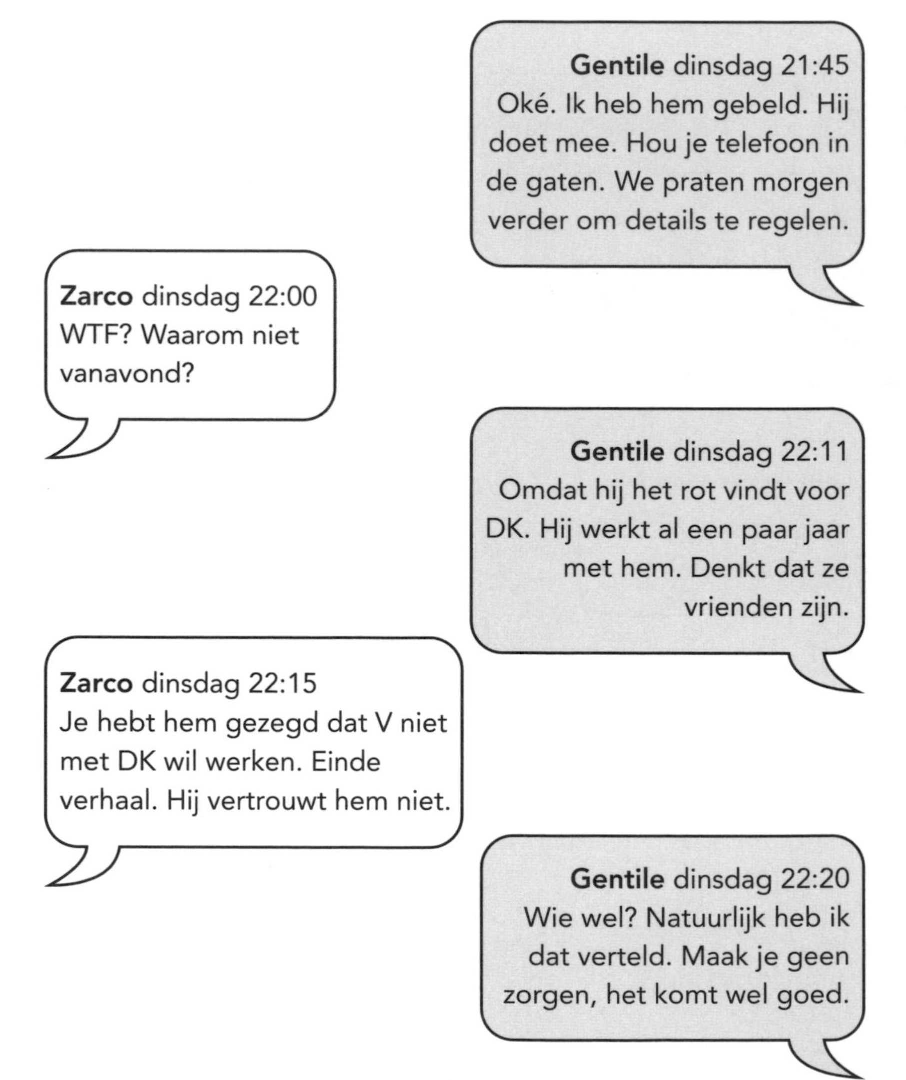

**Zarco** dinsdag 22:21
Ik hoop het voor jou.

**Gentile** dinsdag 22:25
Geloof me, als je ze vertelt wat ze per week vangen, komt het ineens goed.

**Zarco** dinsdag 22:29
Nooit begrepen. Ze worden net als iedereen per maand betaald.

**Gentile** dinsdag 22:40
Ja, maar ze begrijpen die cijfers alleen als het per week is. Een soort autisme, denk ik.

**Zarco** dinsdag 22:45
Ik dacht dat autisten goed konden rekenen. Net als Rain Man.

**Gentile** dinsdag 22:50
Dom dan. Alle voetballers zijn dom als het om cijfers gaat. Moet wel, anders hadden ze geen agent nodig.

**Zarco** dinsdag 22:55
Dat is waar. Jij hebt de talenten van de Borgia's. Geen familie toevallig?

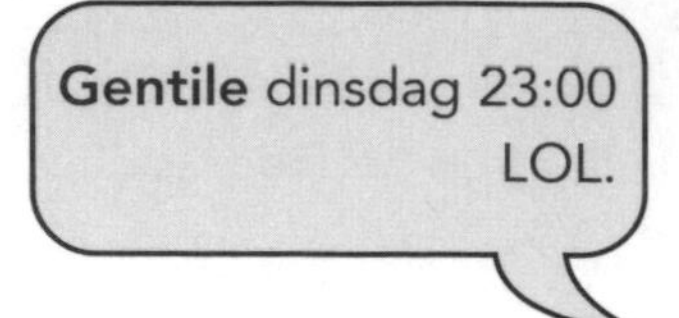


Tot daaraantoe was het allemaal boven de tafel, maar naarmate de sms'jes cryptischer werden en er meer met cijfers werd gegoocheld, werd het paradoxaal genoeg langzamerhand steeds duidelijker dat er iets stond te gebeuren wat nog veel geniepiger was dan een rechttoe rechtaan betaling van handgeld.

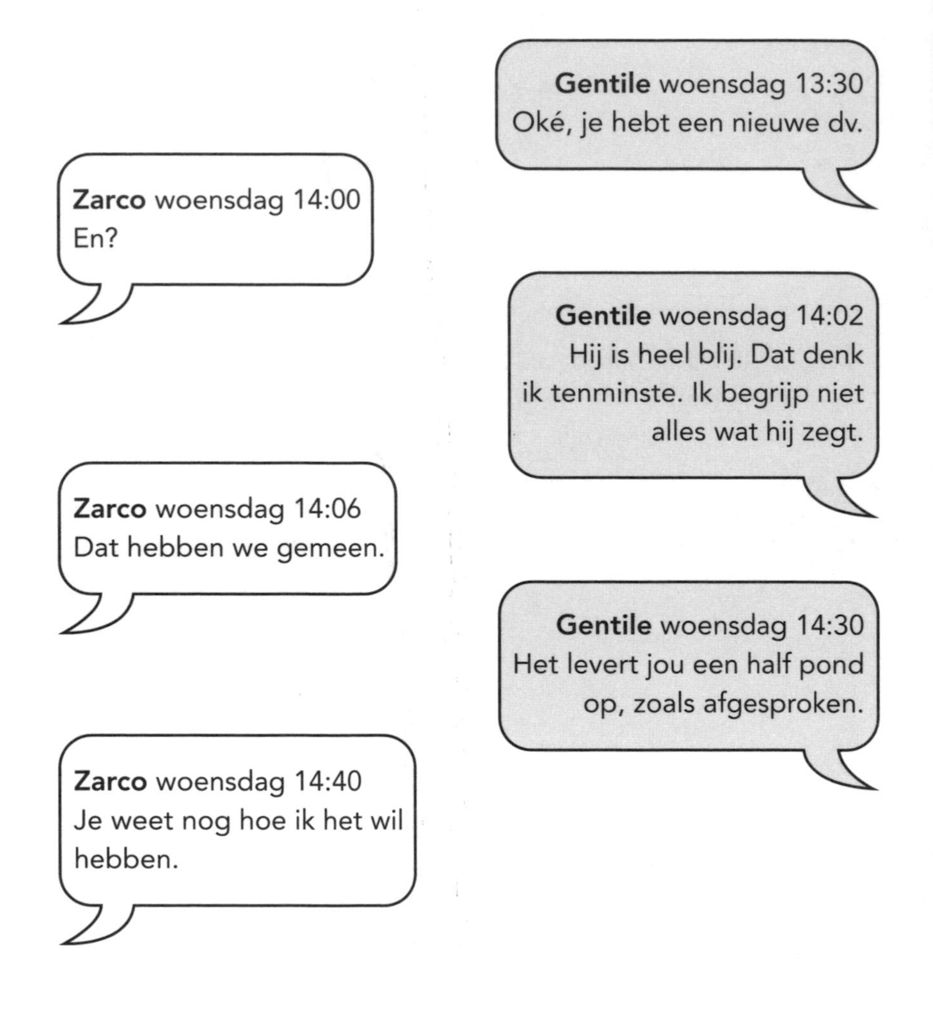

**Gentile** woensdag 14:50
Tuurlijk. 50 k contant. De rest in SSAG bij Monaco STCM. Gegarandeerd morgen.

**Zarco** woensdag 14:55
Je heb contact- en rekeninggegevens. Probeer het zelf maar eens.

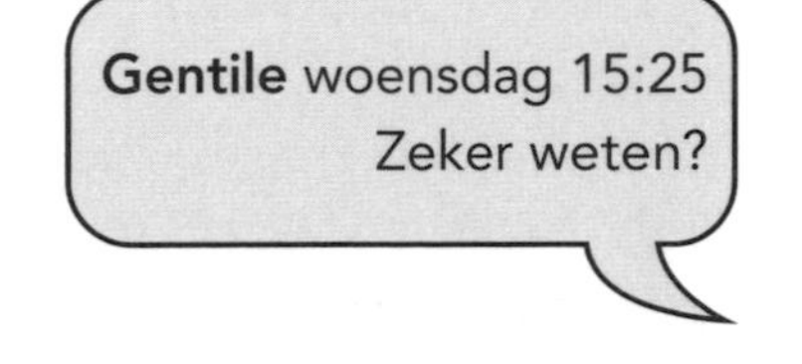


**Zarco** woensdag 16:00
Absoluut. Maar vrijdag of maandag is te laat. Moet morgen. Voordat het in de krant komt. Gesnapt?

**Gentile** woensdag 16:05
Oké. Begrepen.

**Gentile** woensdag 17:00
Alles gefikst. Waar wil je de 50 k?

**Zarco** woensdag 17:30
Morgen. Zoals altijd BP aan de A13. 15:00

De paar keer dat ik agenten en managers zaken heb horen doen, gebruikten sommigen van hen het woord 'pond' als een soort steno, een code, een soort geheimtaal, bijna alsof ze probeerden te verbergen hoeveel geld er werkelijk omgaat in het moderne voetbal. Een pond stond voor een miljoen pond, net zo goed als tien pond stond voor tien miljoen en vijftig pond voor vijftig miljoen. Een reden te meer om wanhopig te worden over de houding tegenover geld in voetbal. Als voetballers als Eden Hazard, Robin van Persie en Yaya Touré bedragen verdienen van honderdtachtigduizend pond per week, is het maar al te gemakkelijk om te vergeten dat supporters kan worden gevraagd 126 pond – echte ponden, geen miljoenen – te betalen voor een kaartje voor een wedstrijd. Dat is een kwart van een gemiddeld weekloon.

Maar het leek erop dat alles niet helemaal volgens plan was verlopen en dat verklaarde waarschijnlijk waarom ik beide mannen had zien ruziën bij het tankstation in Orsett, in de buurt van Hangman's Wood – ongetwijfeld de 'BP aan de A13'.

**Zarco** donderdag 15:00
Waar ben je?

**Gentile** donderdag 15:02
Onderweg. Ik ben er zo.

**Zarco** donderdag 15:15
Ik wacht nog steeds.

**Gentile** donderdag 15:19
Het is druk op de weg.
Geduld.

**Zarco** donderdag 15:21
Jij hebt makkelijk praten.
Heb je SSAG gekocht?
Zoals ik zei?

**Gentile** donderdag 15:22
Ja. Geen probleem. Maar er was wel een probleem met de 50 k. Ik kon het vandaag niet krijgen.

**Zarco** donderdag 15:24
WTF? Waarom zit ik hier te wachten dan? Ik zei dat ik het voor het weekend nodig had. En waarvoor. Die lui worden woest als ik ze niet geef wat ik heb beloofd.

**Gentile** donderdag 15:25
Ik kom eraan.

**Zarco** donderdag 16:30
Dat was een verspilling van tijd.

**Gentile** donderdag 16:45
Ik zei het. Je krijgt het overmorgen. Ik breng het naar de BP.

**Zarco** donderdag 16:50
Dat is je geraden.

In eerste instantie dacht ik dat Monaco STCM iets te maken zou hebben met AS MONACO FC, de voetbalclub, en dat SSAG misschien een voetballer was, al leek het nauwelijks waarschijnlijk dat een agent zou worden aangemoedigd om een speler te kopen, tenzij het om zo'n buitenlandse, Tevez-achtige constructie met economische rechten ging, waar advocaten en accountants zo veel geld bij elkaar hadden geharkt over de rug van een getalenteerde speler. Maar het werd allemaal nog veel verwarrender, en, om het fijntjes uit te drukken, lastiger voor Zarco.

**Gentile** vrijdag 18:00
Zeg eens, wist jij dat MSTCM eigendom is van SCBG?

**Zarco** vrijdag 18:47
SCBG? Help me eens.

**Gentile** vrijdag 18:50
Sumy Capital Bank of

**Zarco** vrijdag 19:00
Fuck.

**Gentile** vrijdag 19:15
VS weet toch zeker dat je verdient aan de deal met KT? Daarom stemde hij ermee in om mij erbij te halen, toch? Zodat jij kon meesmullen.

**Zarco** vrijdag 19:30
Ja. Dat weet hij. Maar hij weet niet dat ik met het grootste deel van het pond SSAG heb gekocht. Dat zou hij niet leuk vinden.

**Gentile** vrijdag 19:37
Oké. Maar SMTCM geeft niet per se informatie door aan SCBG over de SSAG-aankoop. Vertrouwelijke klantinfo en zo.

**Zarco** vrijdag 19:48
We hebben het over VS, niet over een of andere marionet van de financiële autoriteit. VS komt waar anderen niet kunnen komen. Hij weet alles en kan alles. Ik ben de lul. Misschien niet nu. Maar later.

Ik zocht met Google een paar van die afkortingen op op mijn bureaucomputer. Monaco STCM was in werkelijkheid Monaco Short Term Capital Management, een investeringsmaatschappij die volledig in eigendom was van de Sumy Capital Bank in Genève, die op zijn beurt van Viktor Sokolnikov was. SSAG was waarschijnlijk Shostka Solutions AG, volgens de kranten het bouwbedrijf van Viktor Sokolnikov dat het contract had binnengesleept om de nieuwe Thames Gateway-brug te bouwen. Volgens de informatie die ik met Google opspoorde, waren de aandelen SSAG omhoog geschoten toen het nieuws naar buiten kwam dat er eindelijk ontheffing van het bestemmingsplan was verleend voor het bouwen van de brug. Uit de sms'jes begreep ik dat Zarco het grootste deel van zijn handgeld had gebruikt om in het buitenland met voorkennis in aandelen te handelen, om aandelen te kopen in het bedrijf van zijn werkgever voordat het nieuws openbaar kon worden gemaakt dat er geen bezwaren meer waren tegen het bouwen van de brug. Sinds die aankondiging waren de aandelen met bijna dertig procent gestegen. Als het 'halve pond' dat in de sms'jes werd genoemd inderdaad een half miljoen was, en je moest daar '50 k' van aftrekken, naar je mocht aannemen vijftigduizend pond, ging het dus om een bedrag van uiteindelijk vierhonderdvijftigduizend pond. Dat was in een vloek en zucht bijna zeshonderdduizend geworden. Een verdomd goed resultaat. En verdomd illegaal.

**Zarco** vrijdag 21:00
Bij nader inzien, breng die 50 k maar niet naar de BP. Waarschijnlijk beter als we voorlopig niet samen worden gezien in het openbaar. Waar dan ook.

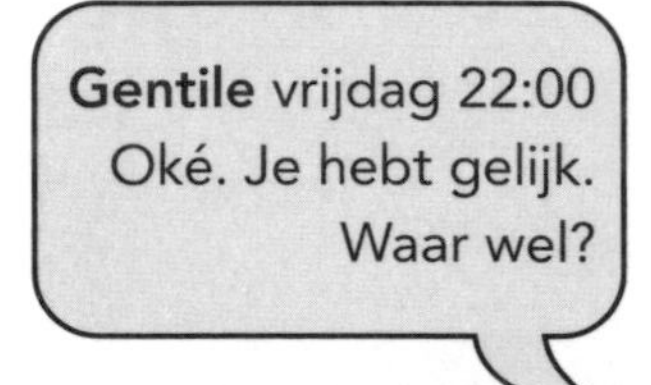


**Zarco** vrijdag 22:10
Dit keer 123.

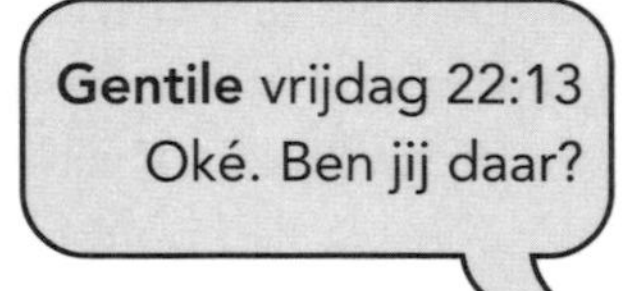


**Zarco** vrijdag 22:15
Misschien. Weet ik niet. Voor de wedstrijd moet ik lunchen in de viproom met VS en mensen uit de raad. Als ik er niet ben, leg je het maar op dezelfde plek als de vorige keer.

**Gentile** vrijdag 22:25
Doe ik. Geef Newcastle maar klop.

**Zarco** vrijdag 22:45
Scott heeft een goed idee om ze een loer te draaien. Wacht maar af.

**Gentile** zaterdag 10:00
Heb 50 k.

**Zarco** zaterdag 10:10
Goed om te horen.

**Gentile** zaterdag 11:17
Op weg naar SD.

**Gentile** zaterdag 11:45
Aangekomen bij SD.

**Zarco** zaterdag 11:48
Negeer me als we elkaar ergens in het stadion tegenkomen buiten 123, oké?

**Gentile** zaterdag 11:55
Geen probleem. Ik blijf niet voor de wedstrijd.

**Zarco** zaterdag 12:10
Ik ben je dankbaar.

**Gentile** zaterdag 12:10
Geen probleem. *Football Focus* denkt dat het een gelijkspel wordt vandaag.

**Zarco** zaterdag 12:15
Is dat Keown of Lawro?

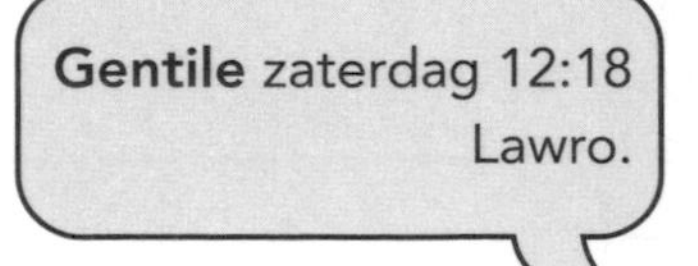


**Zarco** zaterdag 12:19
Allebei goede verdedigers, maar Keown is slimmer. Bovendien neemt niemand je serieus als je zo'n kapsel hebt als Lawrenson. Zet je geld maar op City.

**Gentile** zaterdag 12:23
Ik wed nooit op dingen die ik niet zeker weet.

**Zarco** zaterdag 12:45
Heel verstandig.

**Gentile** zaterdag 13:00
Afgeleverd als beloofd. Heb je net gemist, denk ik. Fluitje van een cent. Succes vanmiddag en prettig weekend. Ik ga nu naar huis. Ik vlieg vanavond terug naar Italië.

**Gentile** zaterdag 15:15
Dank je wel zou aardig zijn.

**Gentile** zaterdag 15:25
Laat ook maar.
Nu op de luchthaven.

**Gentile** zaterdag 19:00
Terug in Milaan.
Fuck, waar ben jij?

Er waren geen sms'jes van Zarco na kwart voor één en volgens Phil Hobday had Zarco de viproom rond vijf over één verlaten. Daarna was hij niet meer in leven gezien. Waar was hij naartoe gegaan? Je kon je onmogelijk voorstellen dat iemand hem had gedwongen ergens heen te gaan zonder dat het was opgevallen. Op de wand van het stadion was een muurschildering met een portret van Zarco van tien meter hoog. Je kon niet zeggen dat hij onopvallend was. Iemand moest hem zeker gezien hebben.

De sms'jes riepen nog meer vragen op: als Paolo Gentile vijftigduizend pond handgeld had meegenomen naar Silvertown Dock en dat daar ergens had verborgen voor João Zarco, waar was dat geld dan nu? Lag het nog op de plaats waar hij het had achtergelaten? Per slot van rekening was vijftigduizend een bijzonder goede reden om iemand in elkaar te slaan en te beroven. Tenzij hij het natuurlijk helemaal niet had meegenomen en ze er opnieuw ruzie over hadden gemaakt. Was het ook mogelijk dat de sms'jes die Gentile na één uur 's middags had gestuurd, alleen bedoeld waren om zich in te dekken? Waar kon hij beter zijn dan veilig thuis in Italië nu de politie onderzoek deed naar de dood van Zarco?

Aan de andere kant, misschien had Toyah wel meer gelijk dan ze zelf wist en had Zarco heel goede redenen om bang te zijn voor Viktor. Wat zou Viktor hebben gedaan als hij had ontdekt dat Zarco met voorkennis aandelen SSAG had gekocht?

Ik belde Paolo Gentile op het nummer in de mobiele telefoon van

Zarco om meer te weten te komen. Wat was 123? Voor wie had Zarco die vijftigduizend nodig? Konden die mensen zo razend zijn geweest dat ze Zarco hadden vermoord? Ik was volstrekt niet verbaasd toen ik meteen werd doorgeschakeld naar zijn voicemail. Ik liet een bericht achter met de vraag of Gentile me zo snel mogelijk wilde terugbellen.

Het was zo langzamerhand tot me doorgedrongen dat al die sms'jes uiterst gevoelige informatie bevatten die de politie maar al te graag zou willen zien. Natuurlijk wist ik dat ik een ernstig misdrijf pleegde door die telefoon achter te houden – op het verdonkeremanen van bewijsmateriaal in een moordzaak staat gevangenisstraf, en ik wist precies wat dat inhield. Ik was niet van plan ooit nog eens terug te keren naar Wandsworth. Maar de reputatie van Zarco en London City waren belangrijker. Voor het eerst in mijn leven realiseerde ik me hoe waar de beroemde uitspraak van Bill Shankly was, toen hij nog manager van Liverpool was: 'Sommige mensen denken dat voetbal een zaak is van leven of dood... Ik kan u verzekeren dat het om veel, heel veel meer gaat.'

# 26

Ik ging mee naar het spelershome, waar iedereen naar Sky Sports keek voor een beetje afleiding. Tottenham tegen West Bromwich Albion, de eerste van drie wedstrijden op Super Sunday die werd uitgezonden. Voorafgaand aan de wedstrijd werd er in de studio uiteraard uitgebreid gesproken over de dood van Zarco en mijn benoeming als manager, wat de analisten alle drie een goede zaak leek. Ik probeerde er niet naar te luisteren, maar ik had altijd veel respect gehad voor Gary Neville. Als je even dat balletje terug op Paul Robinson vergat, tijdens de kwalificatiewedstrijd tegen Kroatië voor het EK 2008, moest je de man wel bewonderen die, amper drieëntwintig jaar oud, genoeg lef had om Glen Hoddle te vertellen wat hij ervan vond dat hij als bondscoach een gebedsgenezer had ingeschakeld voor het elftal.

Bij tijd en wijle riep een aantrekkelijke agente van het korps uit Essex, in uniform en met klembord, een van de spelers of iemand van de staf, die een dag eerder op Silvertown Dock was geweest, op voor een korte ondervraging door een rechercheur. Al met al duurde dat redelijk lang en sommigen van de jongens achter in het alfabet wilden graag naar huis om eens een zeldzame vrije zondag door te brengen met het gezin. Een paar anderen gedroegen zich vervelend en pesterig tegen de arme agente. toen ze binnen kwam lopen, riep een van de jongere spelers: ‘Hé, jongens, de stripper is er!’ Ik kreeg de indruk dat dat al een tijdje gaande was.

‘Zo kan-ie wel weer,’ zei ik. ‘Die vrouw doet haar werk. Denk erom dat dit een moordonderzoek is en probeer een beetje respectvol te blijven.’

Het was goed dat ik dat zei.

Iedereen kreunde, niet omdat ze het niet met me eens waren, maar omdat Tottenham, dat maar drie punten achter ons stond op de ranglijst, de openingstreffer scoorde.

'Hé, baas, kan iemand de verwarming aanzetten? Het is stervenskoud hier,' vroeg iemand. 'We hebben het Simon gevraagd, maar er gebeurt niets.'

Dat maakte duidelijk waarom een humeurig ogende Ayrton Taylor een zwarte schapenleren jas van Dolce & Gabana droeg die heel aardig bij zijn hoog opgeschoren kapsel leek te passen. Aan de andere kant wilde hij de jas, die zevenduizend pond kostte, misschien ook niet zomaar ergens laten rondslingeren, omdat hij bang was dat iemand er ongein mee zou uithalen – het ding scheren of zo. Dat kon ik hem niet kwalijk nemen. Voetballers zitten altijd te hannesen met de kleren van anderen. Ze knippen bijvoorbeeld het zitvlak uit een spijkerbroek, en soms nog veel erger. Ik had die jas zelf in de winkel bekeken, maar ik had besloten dat a) zevenduizend veel te veel was voor een jas en ik er b) in die jas uitzag als een mietje. Daarom had Sonja die fijne grijze kasjmier van Zegna voor me gekocht. Taylors hand was nog steeds verbonden, maar hij probeerde hem niet te verbergen in zijn zak, wat hij misschien wel zou hebben gedaan als hij Zarco had doodgeslagen.

'Ik zal kijken wat ik kan doen,' zei ik. Toen richtte ik me tot de sombere Ayrton Taylor. 'Ayrton, ik wil even met je praten.'

'Tuurlijk.'

We liepen het spelershome uit en door de gang tot we bij de vitrine van kogelvrij glas kwamen met het waardevolste bezit van Viktor Sokolnikov: de beroemde Coupe Jules Rimet, die hij van de Braziliaanse voetbalbond had gekocht voor vijftig miljoen dollar.

De meeste mensen dachten dat dit de echte beker was, maar die stond in een kluis in Viktors bank.

'Wat is er met je hand gebeurd?' vroeg ik.

'Ik heb een deur van een locker een beuk gegeven na de wedstrijd van gisteren,' zei Ayrton. Hij was een Engelsman uit Liverpool, maar hij was opgegroeid in Brazilië, waar hij, ondanks een vader die een autocoureur van hem had willen maken, had leren voetballen.

'Waarom in hemelsnaam?'

'Omdat ik gefrustreerd was, denk ik.'

'Waarover?'

'Ik wilde gisteren spelen natuurlijk. Er is niets ergers dan moeten toekijken terwijl het elftal het goed doet zonder jou. Zelfs als je geblesseerd bent. Jezus, dat zou u moeten weten, baas. Ik had gewoon op het veld willen staan en zelf scoren.'

'Voel je dat nog steeds zo?'

Hij knikte naar de beker. 'Het WK komt eraan. Alleen als ik regelmatig speel en scoor heb ik een kans om te worden geselecteerd, maar het lijkt erop dat dat niet zal gebeuren.'

'Laat die deur eens zien.'

'Wat?'

'Die deur die je een beuk hebt gegeven,' zei ik. 'Laat hem mij eens zien.'

'Waarom wilt u die klotedeur zien?'

'Doe me gewoon een lol.'

Taylor haalde zijn schouders op en liep voor me uit naar beneden, naar de kleedkamer met zevenentwintig lockerdeuren van gepolijst eikenhout, stuk voor stuk achter een vrijstaande zetel bekleed met oranje suède. Hij liep naar locker nummer 7, waar de naam CHRISTOPH BÜNDCHEN op stond. Ik deed de deur open en zag een barst dwars door het hout, alsof het met aanzienlijke kracht was geraakt.

'Jezus, hoe hard heb je wel niet geslagen?'

Hij keek schaapachtig. 'Hard genoeg. Ik heb in het verleden in mijn vrije tijd aan karate gedaan en ik dacht dat ik zoiets nog wel kon. Maar het lijkt erop dat ik dat ook al niet meer kan.'

'Heb je een foto laten maken?'

'Dat hoeft niet. Ik voel dat er niets is gebroken. Ik heb mijn hand gekneusd, meer niet.'

Ik pakte de vingers van zijn hand en draaide hem om.

'Keurig verband. Wie heeft dat omgelegd?'

'Mijn vrouw Lexi. Die is verpleegster geweest. Ze heeft me gisteravond opgehaald van Hangman's Wood. U weet dat ik mijn rijbewijs een tijdje geleden ben kwijtgeraakt. Ze haalt me altijd op na...'

'Waarom zij en niet de teamarts?'

'Omdat ik me schaamde.'

'Je bent hartstikke gek,' zei ik. 'Je had je hand wel kunnen breken.'

'Het leek me beter dan Christoph een klap geven,' zei Taylor. 'Omdat hij nu op mijn plek in het elftal staat.'

'Dat is waar.'

Toen glimlachte hij. 'O, ik snap het. U dacht dat ik misschien Zarco een doodsklap had verkocht.'

'Iemand heeft het gedaan.'

'Ik niet. Onder ons, ik haatte de klootzak, zeker. En hij had het waarschijnlijk verdiend. Maar niet door mij. Bovendien heb ik een getuige die me dit heeft zien doen. Manny.'

Manny Rosenberg was de materiaalman.

'Misschien heb je die deur een klap verkocht omdat je Zarco eerder had geslagen. Een goed excuus voor je hand. Misschien heb je die deur wel geslagen om een kneuzing te verbergen.'

'Maar u gelooft toch niet echt dat ik hem heb geslagen?'

'Niet echt. Hoe oud ben jij eigenlijk, Ayrton? Achtentwintig?'

'Ja. Dit is mijn laatste kans.'

'Je weet dat er op je is geboden door andere clubs?'

'Ik weet het. Maar van Fulham en Stokes City krijg ik niet bepaald kippenvel.'

'Kan ik open tegen je praten?' Ik knikte naar de iPhone in zijn nietverbonden hand. 'Ik bedoel dat ik straks niet op Twitter wil lezen wat ik nu ga zeggen.'

Hij knikte en liet de telefoon in zijn jaszak glijden.

'Ik vond dat Zarco je niet fair behandelde. Maar je had nooit zo tegen hem tekeer mogen gaan, ook al gooide hij een pylon naar je. Toen ik nog voetbalde, deden managers wel veel ergere dingen met spelers. Kwaad worden is goed in voetbal. Het is een spel met veel emoties. Ron Atkinson heeft eens een speler achternagezeten in de kleedkamer bij Villa en gaf uiteindelijk de verkeerde een klap. Lawrie McMenemy heeft bij Southampton onder de douche een partijtje staan worstelen met Mark Wright. En Brian Clough heeft bij Forest Roy Keane een oplawaai verkocht.'

'Echt? Jezus. Ik kan me niet voorstellen dat iemand hem een oplawaai geeft.'

'Keane zegt nu dat dat het beste was wat hem ooit is overkomen. Voetballers doen dingen waar coaches en managers zich kwaad over maken, bijvoorbeeld lui zijn op de training; en als dat gebeurt, hebben ze een schop onder hun kont nodig. Wat er gebeurde, was mijn fout. Jij was een lui zwijn, maar ik had jou die schop onder je kont moeten geven, Ayrton. Niet Zarco. Ik deed de training en ik had je verrot moeten schelden.'

'Dank u.'

'Jij wordt nooit geselecteerd voor het Engelse elftal als je lui bent. Dat weet je zelf ook, hoop ik?'

'Ja.'

'Ik bewonder fair play en sportiviteit, maar in mijn elftal is geen plek voor iemand die de kantjes eraf loopt op de training. Als je bereid bent hard te werken, wil ik je in mijn elftal opnemen. Wat mij betreft, is alles wat er tussen jou en Zarco is gebeurd, verleden tijd, als je me hier en nu zegt dat je bij City wilt blijven en je de longen uit je lijf zult lopen.'

'Of ik hier wil blijven? Ik wou hier nooit weg.'

'En zul je daar hard voor werken?'

'Ja. Ja. Meent u dat, baas?'

Ik legde mijn handen op zijn schouders en keek hem recht in de ogen.

'Natuurlijk meen ik dat. We hebben iemand met jouw ervaring nodig, Ayrton. We barsten van het talent hier, maar naast Ben Okri hebben we niemand in het elftal die de jonge jongens kan aansturen en ze nog een keer oppept als er nog vijf minuten op de klok staan. Toen we na kerst met 4-3 van Newcastle verloren, was jij aan het einde van de wedstrijd de enige die nog probeerde de gelijkmaker te scoren. Op de training ben je dan misschien een luie klootzak, maar in de wedstrijd heb jij die houding van nooit opgeven waarmee wedstrijden gewonnen worden, Ayrton. Je bent niet verplicht om te winnen als je voetbalt, maar je bent wel verplicht om het te blijven proberen. Daar zijn de supporters heilig van overtuigd. En ik ook. Er zijn zo veel wedstrijden die in de laatste minuten werden gewonnen...'

'Klopt. Arsenal tegen Liverpool in mei 1989, Man U tegen Bayern in 1999, Man City tegen Queens Park Rangers in 2012.'

'Dat bedoel ik, jongen. Het mooie van voetbal is dat een wedstrijd in één oogwenk helemaal kan omslaan. Een goal verandert alles. De laatste minuut van de wedstrijd is zonder uitzondering de belangrijkste minuut van de wedstrijd. En toch zie je maar al te vaak dat de winnende partij zich ontspant voor het laatste fluitje is gegaan. De mensen hadden het altijd over "Fergie-tijd" – alsof Ferguson probeerde met Manchester United de wedstrijd te stelen door tekeer te gaan tegen de vierde official om een paar minuten extra tijd in de wacht te slepen. Onzin, Ferguson had zijn spelers gewoon getraind om nooit op te geven. Zijn spelers zagen hem ijsberen en boos worden en dan wisten ze dat hij het nog niet had opgegeven. Dus gingen zij ook door. Dat begrepen de mensen niet. Dat begrijpen ze nog steeds niet.'

Taylor glimlachte. Het was de eerste glimlach die ik in tijden op zijn gezicht had gezien. 'Haalt u me echt van de transferlijst?'

'Je kunt dinsdag spelen als Simon denkt dat je fit genoeg bent.'

'Geweldig.'

Ayrton trok de iPhone uit zijn zak. 'Mag ik dat aan Lexi vertellen?'

'Ja.'

'Die zal in de wolken zijn. Die wilde absoluut niet weg uit Londen om in dat fucking Stoke te gaan wonen.'

'Maar geen tweets. Als ik jou was, zou ik helemaal stoppen met twitteren. Alleen klootzakken vinden twitteren belangrijk.'

'Oké, baas. U zegt het maar.'

'En geen knokpartijen meer met lockers.'

Ik wist het niet, maar ik had net een van de beste besluiten in mijn nieuwe carrière als manager genomen.

# 27

Ik liep naar buiten, het veld op voor een rookpauze zonder sigaret – om een beetje frisse lucht in te ademen en een frisse wind door mijn hoofd te laten waaien. Er hing mist over het stadion als gifgas dat over een frontlinie met loopgraven rolde en de lucht van Oost-Londen was kouder dan het leek, met nog een vage zilte geur van hoog water. Alleen al de wandeling over het veld hield me met beide benen op de grond, en ik had zin om een tijdje op en neer te gaan rennen. In plaats daarvan haalde ik een bal en hield ik me een paar minuten bezig met het hooghouden van de bal – de Amerikanen noemen dat 'goochelen met de bal'. Zo heel goed was ik er niet in, maar ik ging er altijd op een zen-achtige manier in op. Je hoofd wordt er op een geweldige manier leeg van, want je kunt nergens anders aan denken. Dit spelletje is net zo effectief als mediteren, of misschien nog wel beter, omdat je er ook nog fit bij blijft.

'Ga verdomme van dat veld af, stomme klootzak!'

Ik keek om en zag Colin Evans langs de zijlijn marcheren als een sergeant in het leger. Toen hij zag dat ik het was, hield hij in en bedwong hij zijn kwaadheid.

'Sorry, baas,' zei hij. 'Ik wist niet dat jij het was.'

'Je hebt gelijk, Colin,' zei ik. 'Ik zou niet op het gras moeten lopen. Maar met al die politie in de buurt moest ik even naar buiten, en toen kon ik me niet inhouden.'

'Het geeft niet,' zei hij. 'Ik neem aan dat je heel wat op je bordje hebt op het moment.'

'Meer dan ik aankan.' Ik fronste mijn wenkbrauwen. 'Dat doet me eraan denken dat ik honger heb.'

Ik liet Colin achter, ging naar het spelersrestaurant en haalde een kipsalade van het buffet. Ik maakte van de gelegenheid gebruik om het keukenpersoneel, of in ieder geval iedereen die ik zag, te bedanken omdat ze naar Silvertown Dock waren gekomen op wat voor hen een vrije dag had moeten zijn. In je werk als manager is diplomatie soms net zo belangrijk als voetbal. Volgens mij moet je compenseren voor al die debielen om je heen. Zoals die debielen bij onze eigen club die niet overeind sprongen toen Peter Shilton, de speler met de meeste interlands voor Engeland ooit – ons kwam opzoeken in onze kleedkamer. Zarco was woest op ze geworden om dat gebrek aan respect. Honderdvijfentwintig keer in het nationale elftal over een periode van twintig jaar en ze bleven op hun luie reet zitten.

Met mijn rug naar de ruimte ging ik aan een tafel in een hoek zitten, in de hoop dat ik kon lunchen zonder door iemand te worden gestoord, maar ik zat er nog maar net toen inspecteur Louise Considine bij me bleef staan met een kop koffie in haar hand en een nieuwsgierige blik in haar ogen.

'Mag ik bij je komen zitten?' vroeg ze. 'Of... geef maar geen antwoord bij nader inzien. Ik kan er vandaag niet tegen als iemand agressief tegen me doet.'

'Ga zitten,' zei ik en ik stond zelfs zelf even op uit beleefdheid. 'Nee, echt, je bent meer dan welkom.'

'Dank je.'

'Zware dag?'

'Ja, maar ik wil er niet over praten.'

We gingen zitten. Ze droeg een spijkerboek en een getailleerd tweedjasje met een bijpassend vest. De handtas die over haar arm hing, was oud maar klassiek – misschien had ze hem van haar grootmoeder gekregen.

'Dus ik vermoed dat ze je bij deze zaak hebben betrokken vanwege je expertise op het terrein van voetbal? Al weet je niet veel van voetbal als je supporter bent van Chelsea.' Ik fronste mijn wenkbrauwen. 'Waarom ben je eigenlijk supporter van Chelsea?'

'Omdat José Mourinho de knapste man is in de voetbalwereld?' zei ze. 'Ik weet het niet.'

'Dat was dan vast voordat je mij ontmoette.'

'Natuurlijk.' Ze nam een slok koffie en trok een grimas. 'Dit haalt het niet bij de koffie die je thuis zet.'

'Ik ben blij dat je er zo over denkt.'

'Wie heeft een knappe man nodig zolang hij uitstekende koffie zet?'

'Zo kun je ertegen aankijken. Iedereen heeft zijn eigen sterke kanten, toch?'

'Dus als ze jou bij London City ontslaan, kun je altijd nog een koffiebarretje openen.'

'Ik heb de baan nog maar net,' zei ik. 'Het is me nog iets te vroeg om nu al over mijn ontslag na te denken.'

'Niet bij City. Hoeveel managers heeft de club nu al in zijn bestaan gehad? Tien?'

'Misschien. Ik heb ze nooit geteld.'

'Volgens mijn telling ben jij nummer dertien.'

'Dat zal ik wel verdiend hebben na die opmerking over Chelsea.'

'Inderdaad.' Ze glimlachte en staarde uit het raam naar het veld. Licht vulde haar heldere staalblauwe ogen, zodat ze wel een paar saffieren leken. Plotseling kwam de wens in me op om me naar haar toe te buigen en ze stuk voor stuk te kussen.

'Dan mag ik misschien wel even iets zeggen over manager nummer twaalf,' zei ik. 'En de plaats delict. Is de forensische recherche daar al klaar?'

'Ja. Aan wie moeten we de sleutel teruggeven?'

'Geef hem maar aan mij,' zei ik.

Ze legde de sleutel op tafel. Ik pakte hem op en stopte hem in mijn zak.

'Heb je nog iets interessants gevonden?' vroeg ik.

'Nee,' zei ze. 'Helemaal niets. Maar ik heb dan ook geen kans gehad om met een vergrootglas over de grond te kruipen.'

'Ik neem aan dat je het niet zou zeggen als je wel iets had gevonden.'

'De muren hebben tweets,' zei ze. 'Vooral hier.'

'Voetballers en smartphones, hè? Ik vraag me wel eens af wat ze deden voordat er smartphones waren.'

'Boeken lezen, net als iedereen. Maar misschien ook wel niet. Wist je dat een van jouw spelers – en ik zeg niet wie – analfabeet is? Hij kon zijn eigen verklaring niet lezen.'

'Dat is niet zo verbazingwekkend. Engels is een vreemde taal voor veel van...'

'Het is een Engelsman.'

'Je houdt me voor de gek.'

Louise Considine schudde haar hoofd.

'Kan hij echt niet lezen?'

'Dat is wat analfabeet betekent, meneer Manson. O, en een van de andere spelers dacht dat meneer Zarco een Italiaan was.'

Ik at mijn bord leeg en leunde achterover.

'We hebben hier allerlei verschillende nationaliteiten. Soms kost het mij ook moeite om me iets te herinneren.'

'Daar geloof ik niets van. Jij bent een talenwonder.'

'Ik ben half Duits, weet je nog? En je weet wat ze zeggen: wie drie talen spreekt, is drietalig, wie twee talen spreekt, is tweetalig en wie één taal spreekt, is een Engelsman.'

Ze glimlachte. 'Dat ben ik. Een paar jaar Frans en dat is alles, ben ik bang. Ik kan amper mijn *cul* van mijn *coude* onderscheiden.'

'En daar geloof ik niets van.'

'Voetballers zijn soms net kinderen. Heel grote, heel sterke kinderen.'

'En of. Twee van hen huilden als baby's: Iñárritu, de Mexicaan, en de Duitser, Christoph Bündchen.'

'Daar hoeven ze zich niet voor te schamen. Dat zijn gevoelige jongens. Ik heb ook gehuild toen ik het hoorde.'

'Ja. Ik voel met je mee. Nog een keer.'

Ik knikte naar haar. 'Weet je, het is al weer even geleden dat Matt Drennan zich ophing. Maar de politie heeft nog steeds zijn lichaam niet vrijgegeven, zodat zijn familie hem niet kan begraven. Waarom is dat?'

'Ik weet het niet. Ik zit niet meer op de zaak. Niet op die specifieke zaak in ieder geval.'

'Zaak? Ik wist niet dat het een zaak was. Waarom duurt het zo lang?'

'Dit soort dingen heeft soms tijd nodig. Bovendien hebben de omstandigheden rond de dood van meneer Drennan ons genoodzaakt een oude zaak te heropenen.'

'Wat bedoel je daar precies mee?'

Ze keek om zich heen. 'Misschien is dit niet de juiste plek om je dat te vertellen.'

'We zouden naar mijn kantoor kunnen gaan, als je dat liever wilt.'

'Misschien is dat beter.'

We stonden op en liepen zwijgend naar mijn kantoor. Ze liep met de tas over een schouder geslagen en haar armen voor haar borst gekruist, zoals vrouwen doen als ze zich niet helemaal op hun gemak voelen. Ik sloot de deur achter ons, trok een stoel voor haar bij en ging zitten. Ik was zo dicht bij haar dat ik haar parfum kon ruiken. Ik kon niet zeggen wat het was, maar wel dat het lekker rook. Ondanks wie en wat ze was, mocht ik haar.

'Dus. Wat wilde je me vertellen?'

'Het spijt me dat ik je er zo mee moet overvallen,' zei ze. 'Echt waar. Helemaal nu. Maar je hoort het toch snel genoeg. Morgen waarschijnlijk, als we het officieel aankondigen.' Ze aarzelde even en zei toen: 'We heropenen het politie-onderzoek naar de verkrachting van Helen Fehmiu.'

Ik zweeg. Even was ik terug op 23 december 2004, in het beklaagdenbankje van St. Albans Crown Court, vlak voor het moment waarop ik zou worden veroordeeld tot acht jaar gevangenisstraf voor verkrachting. Ik sloot vermoeid mijn ogen, half en half in de verwachting dat ze zou zeggen dat ik weer werd gearresteerd. Ik liet mijn hoofd zakken op het bureaublad voor me en kreunde.

'Niet opnieuw.'

'Ik ben bang van wel.'

'Jezus, waarom?'

Tot mijn verbazing legde ze een hand op mijn schouder en liet die daar liggen.

'Luister, Scott, je bent geen verdachte, dus je hoeft je geen zorgen te maken. Absoluut niet. Ik beloof je dat jij vrijuit gaat. Het is eigenlijk misschien goed nieuws voor jou. Ik geef je mijn woord.'

Ik ging weer overeind zitten. 'Dat kun jij gemakkelijk zeggen.'

'Het is echt goed nieuws. Het maakt een eind aan alle restjes verdenking die er nog op je rusten dat je er iets mee te maken had, ondanks het feit dat je bent vrijgesproken.'

'Ik begrijp het niet,' zei ik. 'Waarom nu? Het is bijna tien jaar geleden. En wat heeft de dood van Matt Drennan te maken met wat er met Helen Fehmiu is gebeurd?'

'Nou, we hebben een afscheidsbrief gevonden in een van meneer Drennans zakken. In die brief had hij het over jou. In feite lijkt het erop dat zijn zelfmoord erg veel met jou te maken had.'

'Ik vind het moeilijk om dat te geloven.'

'In plaats van dat ik probeer het allemaal uit te leggen, gaat het waarschijnlijk sneller als ik je die brief laat lezen. Ik heb er een pdf van gemaakt.'

Ze pakte haar handtas, haalde er een iPad uit en liet me op het scherm een met de hand geschreven briefje zien. Ik herkende het kinderlijke handschrift niet, maar de handtekening eronder met een smiley in de hoofdletter D van Drennan kwam me bekend voor, al vond ik het wel merkwaardig in een afscheidsbrief bij zelfmoord. Aan de andere kant was het typerend voor de man: ik zag voor me hoe hij het briefje schreef en daarna, puur uit gewoonte, ondertekende met die smiley erbij, alsof hij zijn handtekening gaf aan een supporter in een pub of buiten het stadion. Drenno had altijd tijd voor het uitdelen van handtekeningen aan wie er ook maar om vroeg. Het was een van de redenen waarom hij zo geliefd was.

*Lieve allemaal,*
*Ik ben aan het einde van mijn Latijn, sorry voor het cliché. Nu mijn voetbalcarrière achter me ligt, lijkt er niets meer te zijn wat de moeite waard is om voor te leven. Wat ik op de bodem van het glas tegenkom, kan op geen enkele manier compenseren wat ik heb verloren toen ik ophield met voetballen. Ik denk dat het beter is dat ik eruit stap, voordat ik echt gigantisch uit de bocht vlieg. Tiff, ik hou van je, het spijt me heel, heel erg. Alles. Maar ik wil vooral mijn spijt betuigen aan mijn maatje Scott Manson. Ik voel me schuldig omdat ik je al deze jaren zo in de steek heb gelaten. Ik heb mijn mond gehouden, terwijl ik al jaren geleden iets had moeten zeggen. Ik heb Mackie opgejut om jouw gloednieuwe auto te jatten in 2004. Voor de lol. Ik wist hoe gek je op die auto was. Maar ik wist niet dat Mackie die auto zou jatten en dan zou doen wat hij heeft gedaan. Hij heeft dat meisje verkracht. Ik kon toen niets zeggen, omdat ik hem niet kon verlinken. Hij heeft namelijk jaren geleden voor mij gezeten, in Schotland, toen ik de eerste keer uit de bocht vloog. Ik heb gepro-*

*beerd hem zover te krijgen dat hij zichzelf aangaf, maar dat wilde hij niet doen. Iedere keer dat ik je in de bak zag, sneed het door mijn ziel. Ik heb Mackie overgehaald om in het leger te gaan om zijn land te dienen en zo te boeten voor wat hij had gedaan. Hij is nu dood, dus nu geeft het niet meer, denk ik. Ik had het je pas geleden willen vertellen toen ik bij je was, maar ik durfde je niet recht in de ogen te kijken, Scott.*

*Hoe dan ook, dat is alles. De mazzel. We zien elkaar in de kleedkamer van de Heer.*

*Matt Drennan*

'Het is me gelukt om een foto van sergeant McDonald te pakken te krijgen,' zei ze, 'en ik hoop dat je het me niet kwalijk neemt als ik zeg dat hij behoorlijk op jou lijkt. Hij is voor een deel Nigeriaans. Dat zou kunnen verklaren waarom mevrouw Fehmiu jou aanwees als dader.'

Ik knikte traag.

'Je knikt alsof er puzzelstukjes op hun plaats vallen,' zei ze.

'Het verklaart in ieder geval een paar dingen die me altijd hebben verbaasd over wat er toen is gebeurd,' zei ik.

'Zoals?'

Ik vertelde haar hoe mijn wagen was verdwenen voor het huis van Karen in St. Albans, en daar later weer was teruggekomen, en hoe Drenno me regelmatig had opgezocht in de gevangenis.

'Hij voelde zich duidelijk schuldig,' zei ze.

'Ik denk het. En nu ik erover nadenk, Mackie is ooit veroordeeld voor autodiefstal. Drenno vertelde wel dat hij ook auto's had gestolen, als jongen in Glasgow, maar dat hij nooit was gepakt.' Ik zuchtte. 'De stomme idioot. Drenno haalde altijd dergelijke streken uit. Iedere dag. En dan bedoel ik echt iedere dag. Soms dacht ik wel eens dat hij nog liever mensen aan het lachen maakte dan dat hij voetbalde. De vrouw van iemand kocht een keer zo'n dikke Mont Blanc Meisterstück-vulpen voor zijn verjaardag en Drenno vulde hem met zijn eigen pis. Stompzinnig. Puberaal. Maar aan de andere kant heel grappig.'

'Dus hij moet hebben geweten dat jij iets had met die vrouw, Karen, en waar je auto zou zijn. Had jij hem dat verteld?'

'Jezus, nee. Maar hij was eigenlijk vrij slim, ook al haalde hij van die stomme streken uit, dus hij is er waarschijnlijk zelf achter gekomen. En ik denk nu dat ik me kan herinneren dat hij me op een dag een keer is gevolgd in zijn auto van het trainingscomplex van Arsenal op Shenley. Ik wist zeker dat hij het was, maar aan de andere kant ook weer niet, als je begrijpt wat ik bedoel. Maar hij moet het wel zijn geweest, denk ik. Ik had moeten weten dat niets hem te ver zou gaan om iemand een poets te bakken.' Ik knikte. 'Wacht, nu weet ik het weer. Mijn autosleutels. Hij ging met mij mee naar de garage toen ik de auto kocht. Omdat hij erover dacht om dezelfde te kopen, zei hij. Misschien was dat ook wel zo, ik weet het niet. Maar hij moet de verkoper hebben opgebeld en zich voor mij hebben uitgegeven en hebben gezegd dat ik mijn sleutel was kwijtgeraakt en hebben gevraagd een nieuwe voor me te bestellen in Duitsland. Zo moet hij het gedaan hebben. Hij heeft die klootzak Mackie een sleutel gegeven.'

Louise Considine knikte. 'Ik weet dat Helen Fehmiu dood is en dat het haar niet meer kan helpen, maar verkrachting is een ernstig misdrijf en we heropenen het onderzoek omdat we dat moeten doen, al lijkt het mosterd na de maaltijd. Misschien moet ik je formeel opnieuw verhoren, zodat je me het hele verhaal officieel nog een keer kunt vertellen. Ik hoop dat je daar begrip voor hebt. Ik geef je mijn woord dat de pers erbuiten blijft, als dat aan de orde is.'

'Bedankt.'

Ze raakte mijn hand aan. 'Het spijt me dat ik erover moest beginnen. Maar je moest weten wat er is gebeurd. Dat zie je zelf ook in, hoop ik?'

'Ja.'

'Het spijt me alleen heel erg dat je daardoor anders tegen Matt Drennan aan gaat kijken.'

Ik schudde mijn hoofd. 'Dat is niet zo. Het lukt me absoluut niet om hem te veroordelen. Hij heeft er een verschrikkelijke prijs voor betaald. Hij is dood. Dat is veel, veel erger dan alles wat mij is overkomen.'

# 28

Soms komen er lelijke, verborgen aspecten van moderne gebouwen aan het licht die nooit zo zijn bedacht door de mannen en vrouwen die het ontwerp hebben gemaakt. Gebouwen hebben eigen, ingebouwde dode hoeken, ruimtes die zijn overgeschoten, die het publiek nooit te zien krijgt, en die heel onverwacht een niet-geplande alternatieve bestemming krijgen. Zo'n ruimte was de ruimte waar Zarco's lichaam was gevonden ook, een vergeten hoek in de met vogelstront bedekte kloof tussen twee elementen van de constructie, een niemandsland tussen de tribunes en de buitenring van het stadion. In een poging om de ruimte te verbergen, of misschien om onbevoegd gebruik te weren, was er een grove, driehoekige, grijze deur voor gemaakt met een waterbestendig Abus-hangslot. Toen ik door dat deurgat stapte, kwam ik in een eveneens driehoekige ruimte die werd gedomineerd door een lange, hellende kolom van gepolijst staal die reikte tot in de hoogste stalen verbindingen van de duidelijk gekartelde dragende constructie, met daarboven de middaghemel.

Ik deed de stalen deur achter me dicht, ging op mijn hurken zitten en keek omhoog en om me heen. Ik probeerde me het afgrijselijke lot van Zarco voor te stellen. Zoals Jane Byrne al had geconstateerd, waren er nergens ramen te zien waar Zarco uit kon zijn gevallen, tenzij hij echt helemaal van de bovenste rand van de constructie naar beneden was gesprongen. Het was precies het waardeloze, geïsoleerde hoekje waar iemand Zarco had kunnen aftuigen zonder te worden gestoord. Het leek een verschrikkelijke, eenzame plek voor een vitale man als Zarco om aan zijn eind te komen. Ik had op de een of andere vage manier gehoopt dat ik de plaats delict in verband zou kunnen brengen met de sms'jes op Zarco's telefoon 'voor andere dingen'. Kon dit het '123' zijn, waar Paolo Gentile de vijftigduizend contant geld naartoe had moeten brengen?

Aan de sleutel van het hangslot zat een plastic sleutelhanger waarop SD BUITENTERREIN 28/1 stond, heel iets anders dan '123'. En omdat er geen dak was, leek het onwaarschijnlijk dat Gentile hier vijftigduizend pond zou hebben achtergelaten, ten prooi aan de elementen, zelfs als hij het geld in zo'n waterdichte overlevingszak had gedaan die zeezeilers gebruiken. Veronderstel dat iemand van de onderhoudsdienst van het stadion hier was gekomen en het geld had gevonden? In een hoek lagen een paar vegers en bezems die suggereerden dat je dat niet kon uitsluiten. Er waren twee sleutels voor het hangslot, het was niet moeilijk geweest om die te vinden. Ze zaten allebei in de sleutelkluis van de stadionbeheerder. Waren er ooit drie sleutels geweest? Niemand wist het, maar er waren vergelijkbare hangsloten met drie sleutels.

Als ik had gehoopt dat ik hier als een geweldige detective ineens voor me zou zien hoe het in zijn werk was gegaan, dan kwam ik bedrogen uit. Het enige wat hier tot me doordrong, was dat ik volstrekt ongeschikt was voor zo ongeveer elke nieuwe taak die mijn werkgever mij had opgedragen. Ik had het koud en was uit mijn doen, helemaal na het onwelkome nieuws van Louise Considine. Alles ging op het moment veel te snel voor me. Ik kon me niet eens herinneren waar ik mijn auto had geparkeerd. Tot het me te binnen schoot dat Maurice dat voor me had gedaan.

Ik stond op en liep weer naar buiten. Ik sloot de deur zorgvuldig achter me af. Ik was halverwege de weg terug naar mijn kantoor toen Simon Page op me af kwam marcheren met een gezicht dat leek uit te drukken dat er een calamiteit te gebeuren stond.

'Een ramp,' zei hij. 'Een godvergeten ramp.'

'Wat is een ramp?'

'Die stomme fucking Duitse nicht is naar huis gegaan, dat is wat er rampzalig is.'

'Je bedoelt Christoph Bündchen? Alsjeblieft, Simon, praat wat zachter. Als een van die lui van de politie hoort dat je dergelijke taal gebruikt, dan pakken ze je voor wat het maar is tegenwoordig waar ze je voor pakken, als je iemand een nicht noemt. Haat zaaien of zo.'

'Sorry, baas, maar ik weet echt niet meer waar ik nog naar hem moet zoeken. Daar komt het door.'

'Hé, wat is het probleem? De politie heeft gezegd dat de spelers naar huis konden gaan nadat ze waren verhoord.'

'De politie misschien wel, maar UKAD absoluut niet. Hij is een van de vier die moet komen opdraven voor een urinetest.'

'O, fuck, dat was ik helemaal vergeten.'

'Precies. Toen hij vanochtend klaar was bij de politie, is hij als de bliksem met een taxi teruggegaan naar Hangman's Wood, net als al die anderen die waren verhoord. Ik had tegen hem gezegd dat hij na het verhoor terug moest komen toen hij met die agente de deur uitging, maar de idioot moet het zijn vergeten. Ik hoop tenminste dat het dat was. Hoe dan ook, die lui van de dopingcontrole staan op het punt om te vertrekken. Als we hem niet binnen een kwartier hebben gevonden, maakt hij zich schuldig aan het onttrekken aan een dopingcontrole en klagen ze hem aan.'

'Heb je zijn mobiel geprobeerd? En Hangman's Wood?'

'Ik heb zijn mobiel geprobeerd en zijn vaste lijn. Ik heb Hangman's Wood gebeld. Het enige wat ik niet heb gedaan is een postduif naar zijn pa en moe sturen in Duitsland, dus als hij het zich niet al weer heeft herinnerd en nu op weg terug is hiernaartoe, is hij de lul – en wij ook, zonder diepe spits. Want let op mijn woorden, dat is precies wat er gaat gebeuren als die stomme mof niet komt opdagen voor die controle. Dan wordt hij geschorst.'

'We hebben nog steeds een spits. Ik heb een uur geleden gepraat met Ayrton Taylor en hem van de transferlijst gehaald.'

'Je wordt bedankt.'

'Maar je hebt gelijk. Dit is een ernstige zaak. Oké, ik loop met je mee en ga met de controleurs praten.'

'Ik zou maar nergens op hopen, baas. Dat zijn echte klootzakken als ze daar zin in hebben.'

We liepen naar de ruimte voor dopingcontroles bij de kleedkamer. Alle clubs hebben die tegenwoordig. Het is niet meer dan een paar steriel ogende vertrekken met een toilet, een paar stoelen, een tafel met een zwart tafelkleed, een spoelbak, een doos met monsterflessen, een koelkast met veel mineraalwater – soms moet je heel wat drinken voordat je kunt pissen – waar die middag een soort crisissfeer hing. Aan de muur hing een poster met de tekst:

CANNABIS →

← SUCCES

KIES MAAR. HET IS JOUW CARRIÈRE.

Onder de poster zaten twee mannen, gekleed in een overhemd met stropdas en blauwe colbertjes. Hun gezichten waren zo lang als een staal dopingvrije urine. Ze stonden op toen we binnenkwamen.

'Scott Manson,' zei ik. 'Interim-manager van de club.'

'Hallo,' zei een man die een klembord in zijn hand hield. Hij liet me een plastic legitimatie zien die aan een lint om zijn nek hing en schudde me de hand. 'Mijn naam is Trevor Hastings. Ik ben dopingcontroleur van het Antidopingbureau. Dit is de toezichthouder van de FA.'

'Aangenaam kennis te maken, heren.'

'Is Christoph Bündchen beschikbaar voor de controle?' vroeg hij beleefd.

'Ik ben bang dat er een misverstand is ontstaan,' zei ik. 'U weet ongetwijfeld dat João Zarco hier gistermiddag is vermoord en dat de politie er is om onderzoek te doen. Ze hebben de spelers en het personeel verhoord en het lijkt erop dat meneer Bündchen – hij is Duits en zijn Engels is niet al te goed – de afspraken die hij had, enerzijds voor het afgeven van een urinestaal aan u en anderzijds voor het verhoor door de politie eerder vandaag, door elkaar heeft gehaald. Voor zover wij kunnen nagaan, is hij naar huis gegaan. We hebben hem gebeld en berichten achtergelaten met de instructie zo snel mogelijk hier terug te keren. Tot dusverre helaas zonder succes.'

De dopingcontroleur keek op zijn horloge. 'Ik begrijp wat u wilt zeggen, meneer Manson, maar ik moet u meedelen dat de speler op de hoogte is gebracht van het feit dat hij hier vandaag een controle moest ondergaan en dat hij al een formulier heeft ondertekend om zijn instemming te betuigen. Dus hij zal, tenzij hij hier aantreedt binnen de komende tien minuten, Deel 1, sectie 5A van het dopingreglement overtreden, en worden gestraft conform regel 46.'

Simon opende een exemplaar van de procedurele richtlijnen van de FA dat op de tafel lag en zocht de desbetreffende sectie op.

'Dat begrijp ik,' zei ik. 'Maar het lijkt mij dat er mensen zouden kunnen zijn die het ietwat onredelijk voorkomt om onder de gegeven omstandigheden niet iets toegeeflijker te zijn. Het is al even geleden dat ik het reglement heb gelezen, maar ik ben van mening dat u misschien nog eens zou kunnen nadenken over uw standpunt.'

'Ik ben bang dat een overtreding een overtreding is. Het is aan een tuchtcommissie om te beoordelen of die overtreding al dan niet laakbaar is. Tijdens een formele zitting.'

'Ik begrijp het.'

'Godverdomme,' zei Simon, aan wie altijd duidelijk te merken was dat hij uit Yorkshire kwam, als hij kwaad werd. 'Heb je gezien wat voor straffen daarop staan in regel 46, baas? Minimaal één jaar schorsing bij een eerste overtreding. Eén heel klotejaar. Jezus, dat kan maar zo het einde zijn voor de carrière van dat Duitse joch. En dat allemaal vanwege een dom misverstand. Luister, meneer Hastings, u maakt een grapje.'

'Ik geloof niet dat meneer Hastings een grapje maakt, Simon. Hij doet gewoon zijn werk. Toch? Meneer Hastings?'

'Juist. Ik doe mijn werk. Ik ben blij dat u het zo ziet, meneer Manson.'

'En ik denk dat we allemaal hier inzien wat het gewicht van de zaak is.'

'Dank u.'

'Dat reglement is er om de ethiek in de sport te beschermen en in stand te houden, en voor de lichamelijke gezondheid en geestelijke integriteit van sporters. Toch? Meneer Hastings?'

'Dat is juist.'

Ik maakte een gebaar naar het reglement dat Simon in zijn handen hield. 'Mag ik?'

Simon slaakte een zucht die klonk alsof er een grote hond in het vertrek was en gaf mij het reglement.

'Ja, misschien wel. Allemaal hartstikke waar. Maar het is nog steeds zeer oneerlijk tegenover die jongen. En dat zeg ik, terwijl ik de moffen mijn hele leven heb gehaat als de pest.'

'Waarom ga jij niet even thee voor ons halen, Simon?' zei ik tegen de ruwe bolster uit Yorkshire.

'Ja, misschien moet ik dat maar even doen.'

'Het spijt me, meneer Hastings,' zei ik toen Simon was vertrokken.

'Hij is een beetje geëmotioneerd op het moment. Wij allemaal.'

'Dat is heel begrijpelijk.'

'Ik ben blij dat u dat zegt.'

'Hoeveel tijd hebben we nog voordat we in overtreding zijn?' vroeg ik aan de toezichthouder.

'Zeven minuten,' zei hij.

Ik zocht de relevante sectie in het reglement op en bestudeerde die nauwkeurig. Ik wist dat de hele carrière van Christoph afhing van wat ik nu ging zeggen.

'"Het is een sporter niet toegestaan om na kennisgeving zonder klemmende redenen een controle te weigeren of bij een controle verstek te laten gaan,"' zei ik, hardop de regels voorlezend. '"De parafrase 'klemmende redenen' behelst, en zal niet meer behelzen dan, omstandigheden waaronder het ten enen male onredelijk zou zijn te verwachten dat een sporter een dopingcontrole zou ondergaan onder de op dat moment geldende omstandigheden, rekening houdende met de beperkte toepasselijkheid van deze clausule."'

'Dat is juist,' zei de toezichthouder.

'Weet u, meneer Hastings, ik ben geen jurist. Maar ik heb in ruime mate ervaring opgedaan met de wet, niet in alle opzichten vrijwillig, en ik vroeg mij af of u bekend bent met het begrip "natuurrecht".'

Hastings schudde zijn hoofd.

'Het is een technische term voor regels tegen vooringenomenheid en het recht gehoord te worden. Het lijkt mij dat de plicht – uw plicht – om integer te handelen alles wat de FA hier heeft neergelegd, verre overschrijdt. Ik schat in dat elk rechtsorgaan zou oordelen dat uw aanwezigheid hier vandaag meer dan in geringe mate ongepast is. Juist vandaag nu wij in rouw zijn om wijlen onze manager en de politie een onderzoek instelt dat, met alle respect, prioriteit zou moeten krijgen boven alles wat de FA in redelijkheid van ons zou kunnen verlangen.

Dat gezegd hebbende, zou ik denken dat er niet één heel goed argument is, maar twee heel goede argumenten zijn die een beroep op klemmende redenen zoals ik zojuist heb gedaan, ondersteunen. Daarbij heb ik de speciale band die er bestond tussen wijlen meneer Zarco en Christoph Bündchen nog buiten beschouwing gelaten. Het is namelijk zo dat meneer Zarco, die de jonge Christoph Bündchen van

Augsburg in Duitsland hierheen heeft gehaald, hem net de afgelopen week de kans heeft gegeven zijn waarde te bewijzen tegen Leeds United. Meneer Bündchen is erg ontdaan. Misschien meer van zijn stuk dan andere spelers, ik breng dit slechts met tegenzin te berde, maar u laat me geen keuze. Eerder vandaag vertrouwde een van de politiefunctionarissen me toe dat Christoph Bündchen huilde toen hij werd ondervraagd met betrekking tot de dood van meneer Zarco. Als ik eerlijk mag zijn, ben ik niet in het minst verbaasd dat hij is vergeten dat hij een dopingcontrole moest ondergaan. Het zou ons allemaal veel tijd en gêne besparen als u dat in uw overwegingen zou opnemen.'

Ik had genoeg gezegd. In gedachten was ik al aan de telefoon met Ronnie Leishmann om hem instructies te geven het juridische standpunt van de club voor te bereiden voor de hoorzitting van de FA, wanneer die dan ook maar mocht plaatsvinden. Ik dacht aan Rio Ferdinand in 2003, en de schorsing van acht maanden waartoe hij was veroordeeld voor het missen van een dopingcontrole, om nog maar te zwijgen van de boete van vijftigduizend pond die hem was opgelegd. Iedereen in het voetbal wist dat Rio nog geen aspirine slikte, maar de zakkenwassers bij de FA trokken zich daar niets van aan en maakten het zo voor hem onmogelijk om op het EK 2004 in Portugal te spelen. Dat gewonnen werd door de Grieken. Hoe had dat ooit kunnen gebeuren?

'Ik ben op de gang als u me nodig hebt.'

# 29

In de gang voor de vertrekken voor dopingcontrole stuitte ik op Simon, die geagiteerd in zijn telefoon sprak.

'Waar ben je, verdomme?' Simon kreeg mij in de gaten en gaf me zijn telefoon. 'Christoph,' zei hij. 'De stomme klootzak beweert dat hij bij een voetbalwedstrijd zit.'

'Waar ben je, verdomme?' schreeuwde ik in de telefoon. Ik was overgeschakeld op Duits, voor het geval iemand meeluisterde. Als er mensen van de dopingcontrole in de buurt zijn, kun je maar beter op je woorden letten. 'We proberen je al tijden te bereiken.'

'Ik ben op Craven Cottage,' zei Christoph.

'Wat doe je daar in hemelsnaam?'

'Ik kijk naar Fulham tegen Norwich City, met een vriend. Het is mijn club.'

'Neem jij de telefoon nooit op?'

'Ik heb hem pas tijdens de rust gehoord.'

'Bij Fulham? Laat me niet lachen. Zoveel lawaai hebben ze nog nooit geproduceerd op Craven Cottage. Dat mag niet van de buurt.'

'Echt, baas, ze staan met 4-0 voor.'

'Fuck, jij moet hartstikke stoned zijn, jongen. Luister, je hebt een dopingcontrole gemist. Dat is een ernstige zaak, Christoph. Misschien word je wel geschorst.'

'Ja, ik weet het. En het spijt me echt, baas.'

'De lui van UKAD zijn hier nog. Ze overleggen nu over jouw lot. Het kan maar zo zijn dat je over vijf minuten meer tijd hebt om naar voetbal te kijken dan je ooit voor mogelijk had gehouden.'

De deur van de ruimte voor dopingcontrole ging open en de beide functionarissen kwamen naar buiten.

'Blijf aan de lijn,' zei ik. 'Ik denk dat we op het punt staan om te vernemen of ze je gaan aanklagen voor een overtreding van het reglement.'

Ik liet mijn hand met de telefoon zakken en wachtte. Mijn hart klopte in mijn keel.

Meneer Hastings keek me aan en knikte alsof hij berustte in de situatie. 'Onder de buitengewone omstandigheden is besloten geen verdere actie te ondernemen.'

Ik slaakte een zucht van verlichting en knikte op mijn beurt. 'Dank u,' zei ik. 'Ik dank u voor uw redelijkheid, heren.'

Toen de beide functionarissen van UKAD waren vertrokken, sloeg ik bijna juichend met mijn vuist een gat in de lucht. Simon ook.

'Shit. Wat heb je gedaan, baas, een pistool tegen zijn hoofd gedrukt? Ik was ervan overtuigd dat die jongen de lul was.'

Dat zou waarschijnlijk niet de eerste keer zijn geweest, dacht ik.

In het Duits zei ik tegen Christoph: 'Heb je dat gehoord?'

'Ja, baas.'

'Was je die lui van UKAD vergeten of ben je gewoon niet goed bij je hoofd?'

'Ik denk dat ik gewoon niet goed bij m'n hoofd ben, baas.'

Ik fronste mijn wenkbrauwen. 'Wat moet dat goddomme betekenen? Wou je zeggen dat je het níet vergeten was?'

'Ik ben donderdagavond naar het verjaardagsfeestje van een vriend geweest in Soho. Een gay-party. En toen heb ik per ongeluk wat tina binnengekregen. Ik denk dat iemand het in mijn drinken had gestopt. Voor de lol. Dat zeiden ze tenminste. Ik bedoel, ik kwam er pas achter toen het te laat was.'

'Wat?'

Dus Christoph Bündchen was helemaal niet vergeten dat de mensen van UKAD er waren. Hij was in paniek geraakt en ervandoor gegaan omdat hij schuldig was. Ik realiseerde me dat we echt heel dicht bij een ramp van het kaliber Adrian Mutu waren geweest. Ik had geen idee wat tina was, maar ik nam aan dat het iets was wat je hooguit op recept kon krijgen en niet kon afdoen met: "Ik heb een pilletje tegen verkoudheid geslikt."'

'Het was frisdrank. Eerlijk. Sinaasappelsap.'

'O, dan is er niets aan de hand, zeker.'

'Ik heb dat spul nog nooit eerder geslikt. Het gebeurde gewoon. En toen die twee kerels van UKAD vanmorgen op Silvertown Dock kwamen opdagen, had ik het niet meer. Ik beloof dat het niet weer zal gebeuren.'

'Dat is je geraden ook. En ik wil er verder niets over horen. Geen woord. Maar je bent er wel gloeiend bij. Ik wil je morgenvroeg op Hangman's Wood in mijn kantoor zien, dan praten we over je straf. Maar ik kan je al wel vast vertellen dat ik je zo'n enorme schop onder je reet zal geven dat je ballen over je schouders hangen.'

Ik gaf Simon zijn telefoon terug.

'Wat was zijn excuus?' vroeg hij.

Simon hoefde het niet te weten. Gedeelde smart is nooit halve smart. Niet in het voetbal en zeker niet met een man als Simon, die er misschien wel lang en slank bij liep, met zijn zilvergrijze manen, maar die tegelijkertijd was gezegend met de harde, sombere natuur van de noordelingen. Een humeur met een laag mist erover. Ze noemden hem niet voor niets Foggy. Hij had maar één uitdrukking op zijn gezicht en dat was stoïcijns. Zelfs zijn glimlach oogde als een laag rijp op een rij grafstenen. Hij was geboren in Barnsley, had gevoetbald voor Sheffield Wednesday, Middlesbrough, Barnsley en Rotherham United. Het was dan ook verbazingwekkend dat hij ooit Yorkshire had verlaten. Dat had de wereld ten enen male te danken aan zijn veel jongere Venezolaanse vrouw Elke, die hij had leren kennen tijdens een trip naar Spanje, waar hij een zomerhuis had. Er werd beweerd dat ze had geweigerd met hem te trouwen, tenzij ze naar Londen zouden verhuizen. Daar kon ik haar geen ongelijk in geven. Maar Simon haatte Zuid-Engeland bijna even veel als hij Engelsen uit het zuiden van het land haatte. Hem een van de harde mensen in het voetbal noemen, was net zoiets als zeggen dat er bij SAS alleen maar mietjes zaten.

'Hij zei "Entschuldigung",' antwoordde ik. 'Dat is Duits voor: "Ik ben een stomme lul."'

'Ik dacht al dat het dat betekende.'

Ik liep terug naar mijn kantoor, waar ik Maurice aan de tv gekluisterd aantrof.

'Dit geloof je niet,' zei hij.

Ik wierp een blik op het scherm. Het was het weerbericht.

'Na wat ik zojuist heb meegemaakt, ben ik bereid alles te geloven,' zei ik. 'Zelfs een warme, zonnige dag in januari.'

'Nee, wacht, het nieuws komt zo opnieuw. Dit is kostelijk. De sterke arm der wet heeft Ronan Reilly gearresteerd.'

'Je bent gek.'

'Nee, echt.'

'Voor moord? Kom op, zeg.'

'Geen idee. Dat zeggen ze niet. Blijkbaar zijn ze naar zijn huis gegaan om hem te verhoren en toen is hij het raam uit geklommen en heeft hij de benen genomen. Hij probeerde O.J. Simpson te evenaren op de oprit toen ze hem grepen.'

'Misschien had het met iets anders te maken.'

'Laten we hopen van niet, hè? Dan kunnen we weer over tot de orde van de dag.'

Even later was Reilly te zien op het scherm, terwijl hij geboeid werd weggeleid naar een politiewagen. Hij had er wel eens beter uitgezien, zelfs op de BBC. Hij droeg slechts een hemd en hij had een blauw oog. Het beruchte litteken op zijn voorhoofd, een erfenis van een knokpartij uit de tijd dat hij nog in jeugdbendes zat, was nog duidelijker zichtbaar dan anders.

Hij zag er op zijn minst uit als een moordenaar. Er zaten kerels in Wandsworth Prison die minder op een boef leken dan Ronan Reilly.

Maurice lachte. 'Ik heb die rukker nooit gemogen,' zei hij.

'Ja, dat had je al duidelijk gemaakt.'

'En terecht. Hij heeft nog nooit iets fatsoenlijks gezegd over deze club. Nooit. Jij denkt dat ik overdrijf, baas, maar dat is niet zo. Hij heeft de pest aan ons. Zelfs voordat Zarco hier kwam, had hij al de pest aan ons. Iedere keer dat hij op *MOTD* was, had hij iets negatiefs te melden en zat hij op ons af te geven. Het verbaast me dat hij zich überhaupt in dit stadion durft te laten zien.'

Daarna was inspecteur Neville in beeld, die het huis van Reilly aan Coombe Lane uit kwam zonder antwoord te geven op de vragen van verslaggevers.

'Hé,' zei Maurice. 'Dat is die smeris die eerder vandaag hier was.'

'Klopt,' zei ik. 'Inspecteur Neville.'

'Godsamme, misschien heeft Reilly Zarco echt van kant gemaakt,' zei Maurice. 'Ik bedoel, waarom zou je wegrennen als je onschuldig bent?'

'Ik kan wel een paar heel goede redenen bedenken.'

'Christus. Wie had dat gedacht? Ronan Reilly een moordenaar.'

'We weten niet zeker dat het daarom gaat.'

'Wat moet het anders zijn? Ze arresteren je niet zomaar, baas.'

'Dat is anders niet mijn ervaring.'

We wachtten even en hoorden toen de verslaggever van Sky praten over de ruzie tussen Reilly en Zarco tijdens de BBC SPOTY en speculeren over een mogelijk verband tussen de arrestatie van Reilly en de dood van de Portugese manager.

'Zie je wel?' zei Maurice. 'Hij denkt het ook.'

'Geloof me,' zei ik. 'Ik heb het zelf meegemaakt. Wat Reilly nu meemaakt, bedoel ik. Dat mensen meteen allerlei conclusies trekken. Waar rook is, is vuur. Je bent schuldig tot het tegendeel is bewezen.'

'Wat een Super Sunday.'

'Je weet de helft nog niet.' Ik vertelde hem over de mensen van UKAD en hoe Christoph bijna betrapt was. 'Wat is tina trouwens?'

'Crystal meth. Methamfetamine. Heel erg populair onder de PnP-jongens bij chemische feestjes.'

'PnP?'

'Party en Play. Crystal meth is een gay drug, populair in de clubs.'

'Hoe lang blijft dat spul in je urine?'

'Een dag of vijf, denk ik. Drie maanden als ze een haarfollikeltest doen om ernaar te zoeken. En dat kunnen ze natuurlijk doen. Als je tenminste een beetje haar hebt – in tegenstelling tot hem.'

Maurice knikte naar de tv en lachte wreed bij de herhaling van de beelden van Sky waarop Reilly geboeid werd afgevoerd naar een politieauto. Het viel niet te ontkennen: Ronan Reilly had een kale kop. Het was moeilijk om je hem voor te stellen als het stuk met het beatlekapsel waar de vrouwen *en bloc* voor vielen, die ooit had gespeeld voor Everton en getrouwd was met een voormalige Miss Singapore.

'Je hebt net het maken van een opstelling voor de wedstrijd tegen de Hammers een stuk gemakkelijker gemaakt.' Ik pakte mijn telefoon en begon een sms'je naar Simon te tikken. Ik zei: 'Als Christoph vandaag positief kan testen op drugs, kan hij dinsdag ook positief testen. We stellen Ayrton op in plaats onze Duitse vriend.'

'Ayrton? Ik dacht dat die op de fiets zat, op weg naar Stoke.'

'Niet meer. Ik heb hem gevraagd te blijven.'

Maurice knikte. 'Slim. We hebben zijn ervaring nodig. Dat is iets wat meneer Sokolnikov, ondanks al zijn miljoenen, niet kan kopen.'

# 30

Ik bleef de rest van de middag in mijn kantoor om de politie te mijden, voerde telefoongesprekken en beantwoordde sms'jes, dronk thee en bestudeerde de laatste wedstrijd van de Hammers op mijn iPad. Ik heb altijd een zwak gehad voor de 'Thames Ironworks'. Zo noemden we ze bij Arsenal. Het was hun officiële naam toen ze in 1895 werden opgericht. Ik heb zelf bijna een keer een contract bij ze getekend. Je had altijd het gevoel dat de Premier League zichzelf niet was zonder West Ham, zoals in 2011. Er waren ploegen genoeg die misplaatst leken in de Premier League, maar daar hoorden de Hammers niet bij. West Ham was altijd lastig, en dankzij mannen als Harry Redknapp en Frank Lampard senior hadden ze altijd een goede voetbalschool gehad, die negen spelers had opgeleverd voor het Engelse elftal, onder wie Bobby Moore. En dat betekende dat ons waarschijnlijk dinsdagavond een paar verrassingen boven het hoofd hingen.

Even voor vijven, toen ik aan het afronden was om naar huis te gaan, stak Viktor zijn hoofd om de deur. Hij droeg een lange bruine jas van Canali met een bontkraag en hij hield een prachtige tas van Bottega Veneta in zijn hand.

'Hoe gaat het?' vroeg hij.

'Viktor,' zei ik. 'Wat doe jij hier?'

'Ik moest met die vrouw praten,' zei hij. 'Hoofdinspecteur Byrne. Om haar te vertellen wat er gisteren bij de lunch is gebeurd.'

'En wat heb je haar verteld?'

'Dat alles normaal leek. Zarco was even uitbundig als altijd. Ik had absoluut niet het idee dat hij vermoedde dat iemand hem zou doodslaan. Hij was in een goed humeur.'

'Je hebt mij gevraagd om in de slipstream van die dame op hoge hakken de moord op Zarco te onderzoeken. Met respect, misschien zou ik er iets aan hebben als ik jou ook een aantal vragen mocht stellen. Per slot van rekening ben jij één van de mensen geweest die Zarco als laatste levend heeft gezien. Misschien levert het me iets op wat ik nog niet weet. Iets wat je over het hoofd hebt gezien toen je met de politie praatte.'

Hij keek op zijn goedkope horloge en knikte. 'Tuurlijk. Goed idee.'

Dat was voor Maurice aanleiding genoeg om te verdwijnen. Toen hij de deur open-, en achter zich weer dichtdeed, ving ik een glimp op van twee Hulk-achtige lijfwachten op de gang. Het leek me verstandig om alleen respectvolle vragen te stellen.

Viktor schudde de jas van zijn schouders en ging op de bank zitten.

'Heb je het nieuws gezien op tv?' vroeg hij mij. 'Over Reilly?'

'Ja.'

'Denk je dat hij Zarco heeft vermoord?'

'Ik zou het echt niet weten, Viktor.'

'Waarom zou je ervandoor gaan als je onschuldig bent?'

'Dat heb ik me ook afgevraagd.'

'Ze waren ooit vrienden, Zarco en hij. Wist je dat? Lang voor dat stomme gedoe bij de SPOTY. Toen Reilly en Zarco allebei nog speelden, aan het begin van de jaren negentig, is er een keer iets gebeurd op het veld, tijdens een wedstrijd. Reilly speelde voor Benfica. In die tijd speelde Zarco voor Porto. Hoe dan ook, er ontstond een woordenwisseling waarbij Zarco Reilly een elleboogstoot in zijn gezicht gaf. Dat kostte hem bijna een oog en betekende het einde van het seizoen voor hem. Sterker nog, dat was zelfs bijna het einde van Reilly's carrière.'

'Dat wist ik niet.'

'Het staat in Reilly's boek. Dat is al zo lang uitverkocht dat ik aanneem dat niemand het zich nog kan herinneren. Maar ik wel. Ik herinner het me omdat ik nooit iets vergeet wat ik heb gelezen. Ik zou niet willen beweren dat ik een fotografisch geheugen heb. Eerlijk gezegd geloof ik niet dat zoiets bestaat. Maar ik heb wel een uitzonderlijk goed geheugen.'

'Aangezien je zo'n goed geheugen hebt, moet je me maar eens iets meer vertellen over die lunch; over Zarco, en hoe hij was toen je hem voor het laatst zag.'

'Zoals ik al zei, hij was niet anders dan anders,' zei Viktor. 'Droog en grappig, zoals altijd. En vol zelfvertrouwen over de wedstrijd natuurlijk. Hij zat altijd vol zelfvertrouwen. Soms een beetje te veel. Hij at een biefstuk. En hij dronk een glas rode wijn. Eén glas. En verder? Ja, hij had een hoofddeksel bij zich en een zonnebril.'

'Een hoofddeksel? Wat voor soort hoofddeksel? Malcolm Allison, Roberto Mancini of Tony Pulis?'

'Malcolm Allison, dat weet ik niet. Ik heb nog nooit van die man gehoord. Roberto Mancini, denk ik. Een wollen muts. Het was erg koud gisteren.'

'In de kleuren van City?'

'Nee. Met die oranje mutsen ziet je hoofd eruit als een bloempot. Een zwarte muts. Hij had die muts op en hij droeg een paar angstaanjagende motorhandschoenen. Met zwarte stukken om de knokkels te beschermen.'

'Hij was bang voor jou, wist je dat?'

'Sophocles zegt dat alles ritselt voor wie in angst leeft.' Viktor glimlachte. 'Geloof me, Scott, om mij heen ritselt het voortdurend. Het lijkt wel of iedereen het hoort. Iedereen behalve ik. Ze zeggen – meestal mensen die mijn vijanden zijn – dat ik banden heb met de georganiseerde misdaad. Dat is niet waar. Maar het klopt wel dat het niet altijd zo is geweest. Toen ik in zaken ging in Rusland en Oekraïne, was het vrijwel onmogelijk om geen deals te sluiten met de zogenaamde Russische maffia. Als je me toestaat, wil ik je graag iets vertellen over de Russische maffia: die bestaat niet, die heeft nooit bestaan. Het kwam het racistische regime in Moskou – het regime van Boris Jeltsin – goed uit om etnische bendes, de Georgiërs, de Tsjetsjenen, de Oekraïners en de Joden, de schuld te geven van alle problemen van het land. Altijd weer de Joden. Maar weet je, voor het merendeel waren het gewone zakenlui die een kans roken en hun kans grepen in een land waar bijna honderd jaar geen enkele kans was geweest. Waren ze inhalig? Ja. Waren ze gewetenloos? Soms. Hoorde ik daar ook bij? Ongetwijfeld. Heb ik snel geld verdiend na de val van de Sovjet-Unie? Zeker. Heb ik methoden gebruikt die niet werden goedgekeurd door de SEC of de FSA? Misschien. Heb ik ooit iemand vermoord? Nee.'

De korte speech was volgens mij geruststellend bedoeld, maar was dat op de een of andere manier niet. Aan de ene kant omdat er nog steeds twee lijfwachten achter de deur stonden en aan de andere kant was Viktor dan misschien zelf zakenman, maar hij kende genoeg mensen die op het randje van de misdaad opereerden.

Hij grinnikte. 'Zo meteen ga je me nog vragen of ik een alibi heb, Scott. Het is maar goed dat ik de hele middag met die mensen van de Royal Borough of Greenwich bezig ben geweest. Die kunnen voor me instaan.'

'Ik ben blij dat te horen, omdat ik denk dat Zarco een goede reden had om bang voor jou te zijn. Hij had iets gedaan wat hij niet had mogen doen. Iets onwettigs.'

'Dus daar weet je van.' Viktors koude, donkere ogen werden smalle spleetjes. 'Ik zie dat ik je niet verkeerd heb ingeschat, Scott. Ik heb de juiste keuze gemaakt.'

'Laten we hopen dat je er aan het einde van dit gesprek nog zo over denkt, Viktor.'

'Ik ben niet gek. Ik wist dat er een goede reden was waarom Zarco liever zag dat we bij de transfer van Kenny Traynor met Paolo Gentile in zee zouden gaan dan met Denis Kampfner. Ik vermoedde dat hij bij die deal handgeld zou aannemen. Voor een deel is het mijn schuld. Dat zal ik uitleggen: een hele tijd geleden vroeg Zarco mij een tip voor aandelen. Ik heb een hekel aan dat soort dingen, maar hij drong aan, dus heb ik hem verteld over een energiebedrijf in de Oeral. Dat had net een grote oliebron ontdekt en de verwachting was dat de aandelen door het dak zouden gaan. Ik had zelf aandelen gekocht, en hij ook, volgens mij. Maar er was geen olie gevonden, het was pure fraude. De aandelen waren niets meer waard. Zarco verloor veel geld. Niet zo veel als ik, maar ik kan het me veroorloven. Daar voelde ik me schuldig over, heel erg schuldig. Ik denk dat hij minstens een kwart miljoen pond is kwijtgeraakt. Dus toen hij vroeg of we Paolo Gentile konden inschakelen voor de transfer van Kenny Traynor, heb ik daarmee ingestemd zodat hij een deel van zijn verlies kon goedmaken. Ik deed zelfs net alsof ik Zarco geloofde – dat Denis niet te vertrouwen was. Het is dus waar, ik heb me laten beroven door mijn eigen manager.'

Viktor stak een sigaartje aan met een gouden aansteker. Zo werkt dat als je eigenaar bent van je eigen voetbalclub: de regels dat er niet mag worden gerookt, gelden niet voor jou.

'Kun je je de tijd nog herinneren van de eerste auto's? Natuurlijk weet je dat nog. Wat ik bedoel is dat het Britse parlement in 1865 een aantal wetten aannam die samen de *Locomotive Acts* worden genoemd. Ze waren van toepassing op voertuigen met een eigen voortstuwing op de Britse wegen. Wetten die ze trouwens in Amerika hebben gekopieerd. Om redenen van veiligheid schreef de wet voor dat er vijftig meter voor elk voertuig een man met een rode vlag moest lopen. Zo is het ook met mij. Mijn geld loopt vijftig meter voor mij uit met een rode vlag en iedereen ziet mij aankomen. Graag zelfs. Ze zien mij als een melkkoe. Hoe moet je iemand die altijd het volle pond moet betalen anders noemen? Ik krijg nooit waar voor mijn geld. Tenzij ik er echt mijn best voor doe, en dat betekent dat ik natuurlijk altijd overkom als meedogenloos. Meedogenloos en inhalig. Alleen omdat ik net zo veel voor mijn geld wil krijgen als iedereen.

Jij kunt jezelf prima bedruipen, Scott. Je zit goed in de slappe was, al ben je misschien niet rijk. Maar als je erg rijk bent, raak je eraan gewend dat mensen je bestelen, vriend. Tot op zekere hoogte leer je daarmee leven. Ik ben door iedereen afgezet. Mijn personal assistent, mijn advocaat, mijn piloot, mijn chauffeur, mijn butler, mijn ex, mijn accountant. Noem ze maar op, Scott, ze hebben me allemaal geld afgetroggeld. Dat is een beroepsrisico als je zo rijk bent als ik. Volgens mij denken ze dat ik het niet doorheb, omdat ik zo rijk ben. Maar natuurlijk heb ik het door. Ik heb het altijd door. Het is droevig, Scott, maar als je zo rijk bent als ik, zijn de enige mensen die je kunt vertrouwen, mensen die niets van je verlangen. Het was een grote teleurstelling om erachter te komen dat ik door Zarco werd bestolen. Maar het was geen verrassing. Zo simpel is het.'

'Niet helemaal.'

Hij kneep zijn ogen nog iets verder dicht. Hij plukte een stukje tabak van zijn tong en zei: 'Leg eens uit.'

'Toen Zarco erachter kwam dat de Royal Borough of Greenwich op het punt stond de bezwaren tegen de bouw van de Thames Gatewaybrug af te wijzen, gebruikte hij een deel van het handgeld om aandelen in SSAG te kopen. Hij stak er bijna een half miljoen pond in.'

'Dat wist ik niet.'

'Hij en Gentile.'

'Wacht,' zei Viktor op vermoeide toon. 'Vertel me niet dat hij die aandelen liet kopen door hetzelfde bedrijf dat de aandelen Oeral Energie kocht? Monaco STCM?'

'Ik ben bang van wel. Hij hoorde pas later dat Monaco STCM voor een deel eigendom is van de Sumy Capital Bank in Genève.'

'De idioot. Neem me niet kwalijk, Scott, maar voor dat soort dingen draaien mensen de bak in. Omdat ze dom zijn en domme beslissingen nemen.'

'Hij was bang dat jij het te weten zou komen en kwaad op hem zou zijn.'

'Dat had hij dan verdomme bij het rechte eind. Dit wist ik niet, Scott. Maar nu ik het wel weet, ben ik inderdaad kwaad. Misschien had ik hem wel ontslagen als ik het had geweten. Misschien was ik wel gedwongen geweest om hem te ontslaan, snap je? Het is zoiets stoms. Misschien had ik hem zelfs wel een klap verkocht.' Viktor glimlachte zuur toen hij zich realiseerde wat hij had gezegd. 'Ja, ik had hem misschien wel een oplawaai verkocht omdat hij zo inhalig was, en omdat hij mij met een lading shit had opgezadeld. Maar ik wil er duidelijk over zijn, Scott: ik zou hem niet hebben doodgeslagen. Handelen met voorkennis is een ernstig misdrijf, zelfs indirect. Moeilijk te bewijzen, maar toch. Maar nu ook weer niet zo'n ernstig misdrijf dat ik hem erom vermoord zou hebben. Ondanks dat zal ik me er juridisch over laten bijpraten. Gewoon voor het geval ze vermoeden dat ik Zarco die informatie heb gegeven, zodat hij ervan zou kunnen profiteren.'

'Hoe is hij erachter gekomen? Heb je enig idee?'

'Dat is een goede vraag. Ik weet het niet. Misschien heeft hij een keer iets gezien op mijn laptop, een e-mail gelezen op mijn iPhone, ik weet het niet. Maar wat op dit moment veel belangrijker is, is de vraag hoe jij het hebt ontdekt. En is er iemand anders die het weet? Iemand bij de politie?'

'Gentile weet het, verder niemand. Ik weet het doordat Zarco een wegwerptelefoon bewaarde in een la op mijn kantoor, die hij gebruikte… Nou ja, ik dácht dat hij die gebruikte om afspraakjes te maken met zijn minnares. Ik denk nu dat deze telefoon uitsluitend bedoeld was om met Gentile te praten.'

'En heb je die telefoon nog steeds?'

'Ja.'

'Die zou ik graag zien,' zei Viktor. 'Misschien moet ik hem zelfs wel aan mijn advocaten geven. Gewoon om mezelf te beschermen, begrijp je?'

'Voordat ik hem aan jou geef, wil ik met Gentile praten. Ik wil die telefoon gebruiken om wat meer informatie uit hem halen, als dat kan.'

'Wees voorzichtig, Scott. Ik heb dan geen banden met de georganiseerde misdaad, maar met Paolo Gentile ligt het iets anders.'

'Je bedoelt dat hij wél banden met de maffia heeft?'

'Gentile woont in Milaan, maar hij is oorspronkelijk afkomstig van Sicilië. Een paar jaar geleden hebben de autoriteiten in Italië onderzoek gedaan naar zijn relatie met iemand die Giovanni Malpensa heet. Malpensa staat aan het hoofd van een familie die de zaken regelt in Trabia, een gemeente in de provincie Palermo. Daarnaast heeft hij belangen in verschillende Italiaanse voetbalclubs. Gentile is misschien niet gevaarlijk, maar Giovanni Malpensa zeker.'

'En desondanks dat vond jij het goed dat die man de transfer van Kenny Traynor regelde?'

'Jij gelooft dat de ene agent eerlijker is dan de andere? Kom op, wees niet zo naïef. Denis Kampner heeft een paar uiterst criminele vrienden in de drugsscene in Manchester. Dat is niet verbazingwekkend, want er gaat meer geld om in het voetbal dan ooit tevoren. Het is een walvis die langszij van het schip van de economie is vastgebonden. En meer geld betekent dat er meer haaien van vreten. BT heeft in 2013 bijna een miljard dollar betaald voor de uitzendrechten van de Champions League en de UEFA CUP. Maar denk je dat dat betekent dat het voetbal minder corrupt is dan het ooit is geweest? Integendeel. Voetbal en geld gaan hand in hand. Voetbal zelf is een heel belangrijk instrument geworden voor marketing, misschien wel het belangrijkste instrument voor marketing vandaag de dag. Hoe moet je anders die o zo belangrijke markt van mannen bereiken? De besluitvormers van het leven. Hoe hard de vrouwengroepen ook roepen wat er moet gebeuren, het zijn nog steeds de mannen die de grote financiële beslissingen nemen in het huishouden, en dat betekent dat zij de belangrijkste groep zijn die je moet bereiken. Overal op de wereld. Van Qatar tot Queensland is voetbal de taal die iedereen spreekt. Daarom worden er zulke enorme bedragen geboden voor de WK-rechten, inclusief omkoopsommen die in de miljoenen lopen.'

'Dat is ook zo,' zei ik. 'Ik begrijp dat wij het Subara-stadion gaan heten.'

'Ja, het Subara. Het lijkt een beetje op het Emirates, hè?'

'En toch had het maar een haar gescheeld of we hadden het Jintian Niao-3Q geheten.'

Viktor trok een komisch bedoeld droevig gezicht. 'Ja, het is heel jammer dat dat niet doorgaat. Tenzij jij je gedwongen voelt om de Qatari's ervan te beschuldigen dat zij Zarco hebben vermoord natuurlijk. Dat zou de zaken behoorlijk op zijn kop zetten, Scott. Dat zou ruimte vrijmaken voor de Chinezen. Opnieuw. Vanzelfsprekend zou je mijn vriend zijn als je dat deed.' Hij lachte voluit. 'En die van Ronan Reilly, niet te vergeten. Die zou ook heel erg in zijn sas zijn als de Qatari's van moord werden beschuldigd.'

Hij glimlachte, maar het was moeilijk uit te maken of hij een grapje maakte of niet. Zo ging dat met Viktor Sokolnikov. Het was niet gemakkelijk om zijn gedachten te lezen.

'Luister, Viktor. Ik wil één ding heel erg duidelijk maken. Ik ga niemand van moord beschuldigen, tenzij ik zeker weet dat hij het heeft gedaan. Niet voor jou, niet voor Jintian Niao 3Q, niet voor niemand. Op het moment heb ik geen idee wie Zarco heeft vermoord. Geen enkel idee. En ik denk dat het maar het beste is om welke theorie dan ook voorlopig maar even voor me te houden totdat ik harde bewijzen heb, toch?'

'Als je er maar voor zorgt dat ik de eerste bent die het hoort. Ik ben erg geïnteresseerd in wat je over het onderwerp te melden hebt. Heel erg geïnteresseerd.'

'Bedankt dat je zo open bent geweest. Viktor.'

'Geen probleem.'

'En laat me nog een laatste vraag stellen omdat je zo open bent geweest.'

'Doe maar.'

'Die woordenwisseling die jij had met Alisjer Aksjonov op de Russische tv. Toen je hem een kopstoot gaf? Waar ging dat over?'

Viktor grinnikte schaapachtig. 'Over wat anders dan voetbal?'

# 31

Het was bijna zeven uur toen ik besloot om de boel de boel te laten en naar huis te gaan. Ik was moe. Het was een lange dag geweest en ik zag ernaar uit om bij Sonja te zijn en een tijdje niks te doen. Maurice gooide me mijn autosleutels toe en wenste me een prettige avond.

'Blijf jij hier op kantoor?' vroeg ik.

'Nog even,' zei hij. 'Ik heb een maat van me opgebeld. Iemand die ik ken van Wandsworth. Hij weet altijd van alles. Weet je wel, het soort informatie dat je niet via Google kunt vinden. Hij zou me terugbellen voor halfacht. Ik zat te denken dat hij er waarschijnlijk wel iets van zou weten, als het een professionele job is geweest – ik bedoel de meet-and-greet met Zarco. Er is maar weinig wat hij niet weet.'

'Bedankt, Maurice.'

'Rij voorzichtig, baas. Het is behoorlijk donker buiten.'

Ik liep door de gang naar de trap die uitkwam bij het parkeerterrein. Rondlopen door Silvertown Dock, de trappen beklimmen en afdalen hield je fit. Weliswaar waren er maar drie ringen, maar de Crown of Thorns was op zijn hoogste punt een bouwwerk van bijna tien verdiepingen hoog, meer dan dertig meter en het kostte je meer dan tien minuten om het hele eind rond te lopen. Sommige jongens van de bewaking hadden een Segway – zo'n elektrisch geval met twee wielen waar je rechtop staand mee kunt rijden – maar ik geef de voorkeur aan lopen, vooral op drukke dagen zoals vandaag, als ik geen tijd heb gehad om een tijdje de sporthal in te duiken. Het was nu een stuk rustiger, bijna iedereen was naar huis. Een meter of twee voor me leek een politieagent in uniform dezelfde kant op te lopen als ik, en in zijn slipstream meende ik een vleug op te vangen van iets zoets wat me vaag bekend voorkwam.

'Verdwaald?' vroeg ik behulpzaam. 'Het is hier net de doolhof van

Hampton Court. Al die ringen lijken op elkaar.'

'Ik zoek de trap naar de hoofdingang,' mompelde hij.

'Dan ben je verdwaald,' zei ik. 'De hoofdtrap is de kant op waar je net vandaan komt, deze kant op gaat naar ingang Z. Dat is bij het parkeerterrein.'

'Het parkeerterrein is ook goed,' zei hij vaag. 'Daar staat mijn auto.'

Alles aan de smeris was een beetje vaag behalve die geur, die uiteindelijk doordrong tot dat deel van mijn hersens dat zich ontfermde over de vluchtige namen van geuren. Ik kon nooit onthouden waar Sonja de voorkeur aan gaf, maar ik herkende de geur wel die van de kleren van die smeris kwam. Als je achttien maanden in Wandsworth hebt gezeten leer je de stank van marihuana even goed kennen als de stank van je eigen ongewassen lijf. En er was nog iets vreemds: het parkeerterrein waarnaar ik op weg was, was het parkeerterrein voor de spelers, niet het parkeerterrein waar alle politiewagens stonden. Die stonden buiten bij de hoofdingang.

Ik ging naast hem lopen en wierp een blik opzij. Het was niet de smeris die die ochtend op de gang bij de deur van Zarco's kantoor had gestaan toen de rechercheurs tevergeefs het bureau en de dossierkasten doorzochten. Die man was allang naar huis. Deze was anders. Misschien wel een beetje te veel anders.

'Weet je hoe laat het is?'

'Tuurlijk.'

De man bleef staan en hief zijn pols, wat mij de kans gaf hem nauwkeuriger te bestuderen.

'Vijf over zeven,' zei hij.

'Bedankt.'

Hij was lang, zijn haar was iets te lang en de huid van zijn gezicht was getekend door acne, maar dat, en ook niet zijn adem die naar marihuana stonk, was niet wat mij aan het denken zette, het waren de tattoos op zijn knokkels. In de bak zitten veel jongens die daar een tattoo laten zetten, waarbij vooral ASZK heel populair was. Dat stond voor: Alle Smerissen Zijn Klootzakken. Iets waar ik het van harte mee eens kon zijn. Maar het kwam me erg onwaarschijnlijk voor dat een smeris zelf die tattoo op zijn knokkels zou hebben, net zoals het me onwaarschijnlijk voorkwam dat een agent van de politie van Essex, die zich met deze zaak bemoeide, een schild van de politie van Surrey op zijn pet zou hebben. De schildjes hadden weliswaar dezelfde kleur, rood en blauw, maar op het schild van de politie van Essex stonden drie kromzwaarden, terwijl op dit schild een liggende leeuw was afgebeeld. Ik kon begrijpen waarom de politie van Essex rechercheurs van de Yard had ingeschakeld, dat was logisch, maar ik kon echt geen enkele reden bedenken waarom ze het nodig zouden vinden mensen uit Surrey in te schakelen.

Ik zei tegen mezelf dat ik er niets mee te maken had als een smeris stiekem een joint had gerookt op een van de hogere ringen op een moment dat er even niets te doen was geweest. Zijn werk was waarschijnlijk strontvervelend. Ik zei tegen mezelf dat de regels tegen tattoos op de handen voor smerissen misschien wel minder streng waren geworden sinds de tijd dat ik in contact was gekomen met de politie. Ik zei tegen mezelf dat mijn haat en wantrouwen jegens de politie een obsessie begon te worden en dat ik het er maar eens met Sonja over moest hebben en haar moest vragen of zij vond dat ik professionele hulp moest zoeken. Ik zei tegen mezelf dat ik al genoeg problemen had met de Met, en niet ook nog eens een politieagent uit Surrey tegen me in het harnas hoefde te jagen. Ik zei tegen mezelf dat ik naar huis wilde en lekker in bad wilde liggen en de sushi wilde eten die Sonja, naar ik aannam, had besteld bij het Japanse restaurant aan King's Road. Ik zei tegen mezelf dat die man, als hij net deed alsof hij politieagent was, ervandoor zou gaan als ik hem vroeg zich te legitimeren en dat ik me maar beter kon voorbereiden op een dreun.

Hij knikte en keerde zich van me af.

'Wacht even,' zei ik. 'Mag ik je legitimatie even zien?'

'Wat?'

'Je legitimatie. Die wil ik graag even zien.'

'Die heb ik niet nodig, meneer,' zei hij. 'De politiewet van 1996. Bovendien heb ik geen dienst. Mijn legitimatie ligt beneden in de auto. Ik heb alleen even wat extra forensisch materiaal gebracht voor de rechercheurs die hier aan het werk zijn. Ik hoor niet bij de lokale politie. Dus hoor ik mijn legitimatie niet eens bij me te dragen. Als ik u zou arresteren, meneer, dan zou ik mijn legitimatie moeten tonen. Al brengt het uniform ook heel wat teweeg bij de wat suffere criminelen.'

‘Oké,’ zei ik. ‘Dat klinkt goed genoeg. Maar alleen als je me kunt vertellen wie hier de lokale politie is.’

‘Wat?’

‘Eenvoudig. De politie in uniform hier. Is dat de Met of Surrey? En waar hoor jij bij?’

De man staarde me aan. ‘Luister, meneer, het is een lange dag geweest en ik heb er echt geen zin in om te bekvechten met iemand die zo nodig bijdehand moet zijn. Dus waarom lazert u niet gewoon op?’

Normaal gesproken zou ik zeggen dat dat een standaardreactie van een politieagent was en zou ik het hebben geaccepteerd, maar deze keer niet.

‘Weet je,’ zei ik, ‘als ik net deed of ik een politieman was in een gebouw met een heleboel politiemensen, zou ik buiten in de auto even een joint roken om de zenuwen in bedwang te houden, om mezelf een beetje moed in te praten.’

De man keek me sarcastisch aan en begon te rennen.

Alsof een haas ervandoor ging voor een jachthond.

Als verdediger heb ik de nodige rode kaarten verzameld. Soms moet je je opofferen voor het elftal. Als een spits doorbreekt, moet je domweg inhakken op zijn benen en hem onderuithalen, denk aan Ole Gunnar Solskjaer. Ik heb in mijn tijd een aantal behoorlijk criminele tackles van dichtbij gezien. En geen tackle zo gemeen als die van Roy Keane in 2001 toen hij Alf-Inge Haalland onderuithaalde. Ik herinner me nog steeds hoe de aanvoerder van Man U van David Elleray – opnieuw – de rode kaart kreeg, toen hij de middenvelder van Manchester City tackelde. Maar met de beroemde woorden van Denis Law: dat is voetbal.

Deze tackle was even hoog als die van Keane en even weinig op de bal gericht. Het was maar goed dat ik niet de knie van het standbeen van de nepagent met beide voeten raakte, want dan zou de schade veel groter zijn geweest. De man ging onderuit en moet met zijn hoofd op het beton terecht zijn gekomen, want hij bleef lang genoeg versuft liggen om mij de gelegenheid te geven overeind te krabbelen en Maurice te bellen met mijn mobiele telefoon.

Even later voerden we met z’n tweeën de nog steeds aangeslagen man terug naar mijn kantoor voor een partijtje Vraag & Antwoord.

Toen we zijn zakken doorzochten, vonden we de legitimatie van een andere politieagent, een paar joints en een automatisch pistool dat mij kippenvel bezorgde.

'Het is een Ruger,' zei Maurice, die het pistool aandachtig bekeek.

'Is dat kloteding echt?' vroeg ik.

De nepagent ging op de stoel tegenover mijn bureau zitten.

'Wat denk je?' zei hij spottend.

'Dat ding is echt, baas.' Maurice drukte het magazijn uit het pistool en bestudeerde de patronen. 'Geladen bovendien.' Hij gaf de man met vlakke hand een klap tegen zijn achterhoofd. 'Wat denk jij wel niet, stomme lul – een pistool in een voetbalstadion? Gereedschap en gereedschap is twee, maar zo'n schietijzer is vragen om problemen.'

'Sodemieter op,' zei de man.

Ik doorzocht nog steeds zijn zakken: een portemonnee, autosleutels, een plattegrond van Silvertown Dock, waarop met een kruis een plek op de tweede ring was gemarkeerd, een paar duizend pond in nieuwe briefjes van vijftig, een mobiele telefoon en een sleutel met een nummer erop.

'Ik zal je eens wat vertellen,' zei ik. 'Het komt goed uit dat we hierboven zo veel gezagsdragers hebben op het moment. Dat maakt het voor ons gemakkelijk. En voor jou.'

'Hoezo?'

'Jij vertelt ons wat je aan het uitvreten was, dan laten wij jou gaan,' zei ik. 'Of we geven je over aan de politie. Zo simpel is het is het.'

De man sprong plotseling in de richting van de deur, maar Maurice was er eerder dan hij – of liever gezegd, de vuist van Maurice. Die sloeg als een sloopkogel tegen de zijkant van het hoofd van de nepagent. De man stortte neer.

'Fuck,' zei Maurice. Hij schudde zijn hand en trok zijn vingers samen. 'Dat doet pijn.'

De insluiper lag bewegingloos op de vloer.

'Bij hem nog meer,' zei ik. 'Hij is compleet buiten westen volgens mij. Maar toch. Je kunt niet voorzichtig genoeg zijn, hè?' Ik trok de la van mijn bureau open en haalde er de handboeien uit die ik de vorige avond uit Zarco's bureau had meegenomen – de handboeien die hij volgens mij gebruikte voor zijn seksspelletjes met Claire Barry. Ik haalde het sleuteltje uit het slot, stopte het in mijn zak en boeide beide polsen van de bewusteloze man achter zijn rug.

'Dat is handig,' zei Maurice. 'Kerstcadeautje van mevrouw?'

'Laten we het daar maar niet over hebben.'

'Jij speelt jouw spelletjes en ik de mijne,' gniffelde Maurice obsceen.

We trokken de man weer omhoog op een stoel en wachtten tot hij minder hard ademde en weer rechtop ging zitten. Even dachten we dat hij zou gaan kotsen, dus zette ik een prullenbak tussen zijn voeten, voor het geval dat.

'Vertel wat je aan het uitvreten was, dan laten we je gaan,' zei ik. 'Het zou me niet verbazen als je een strafblad hebt voor dit soort werk. Een professional. Doe je mond open, dan kun je vertrekken.'

'Dat is een mooi aanbod, klootthommel,' zei Maurice. 'Ik en de baas hier hebben allebei in de bak gezeten, dus wij zijn niet zo dol op de wetshandhavers. Als je meewerkt, mag je straks gaan wandelen. Maar als je stommetje blijft spelen, knopen we een mooi lint om je pet en leveren we je af bij de smerissen. Met dat pistool in je zak krijg je vijf jaar.'

De man schudde zijn hoofd. 'Ik heb jullie niets te vertellen.'

Ik bekeek de sleutel. Volgens de plastic sleutelhanger die eraan vastzat, was het de sleutel van een skybox, nummer 123.

'Moest je hiernaartoe?' vroeg ik. 'Box 123? Om iets voor iemand op te halen? Geld misschien?'

'Donder op, smurfen.'

'Een smurf, hè? Ik ben een smurf?' Maurice grinnikte. 'Klopt, schatje.' Hij verdraaide het oor van de man. 'Weet je welke smurf ik ben? De treitersmurf.'

'Blijf hier bij hem,' zei ik.

Maurice duwde het magazijn terug in de greep van de kleine Ruger.

'Geen probleem,' zei hij.

'En zoek, terwijl ik weg ben, uit van wie suite 123 is. Ik wil alles over die kerel weten.'

# 32

London City had honderdvijftig skyboxen, allemaal op de tweede ring. Voor vijfentachtigduizend pond – de prijs van de goedkoopste skybox dit seizoen – kreeg je een ruimte ter grootte van een fatsoenlijke caravan, een volledig ingerichte keuken, privétoiletten, vijftien plaatsen voor alle thuiswedstrijden in de competitie, een team elegante hostesses die de gasten verwelkomden en hapjes en drankjes serveerden, een breedbeeld-tv en faciliteiten om te wedden. Hoe meer je betaalde, hoe dichter bij de middenlijn en des te groter de box. Alle suites waren anders ingericht, naar smaak – of gebrek aan smaak – van de persoon of de onderneming die eigenaar was van de box. De meeste boxen waren eigendom van bedrijven als Carlsberg of Google, maar op de deur van box 123 stond de naam van een Arabische particulier: meneer Saddi bin iqbal Qatar Al Armani.

Ik ontgrendelde de deur, deed het licht aan en ging naar binnen. Het was koud in het vertrek, kouder dan het zou moeten zijn. Ik inspecteerde de schuifdeuren, die gesloten waren achter de neergelaten jaloezieën, en keek om me heen.

De suite van meneer Al Armani was ingericht als een privévliegtuig: overal dik crèmekleurig tapijt, gepolijste ebbenhouten lambrizering en dure witleren leunstoelen. Waarschijnlijk zag zijn privévliegtuig er precies zo uit.

Eén hele wand werd ingenomen door een zilverkleurige print van de beroemde foto van Monte Fresco met Vinnie Jones die Gazza bij zijn ballen pakt, gesigneerd door beide spelers – de poster, niet de ballen – en een ingelijst shirt van het Argentijnse elftal met nummer 10 dat van Diego Maradona was geweest, ook gesigneerd. Op een ebbenhouten tafel stond een stapel borden met een gouden rand, een cassette met bestek van goud, een gouden tafelaansteker en een paar asbakken van goud. De breedbeeld-tv aan de wand was een 48-inch Sony, die bijna even groot leek als de schuifdeuren naar het terras met vijftien stoelen vijftien meter boven de middenlijn. Het zag er allemaal uit alsof het van de allerbeste kwaliteit was, al liet de smaak in mijn ogen wel iets te wensen over. Ik houd niet zo van al die Bin Laden-blingbling.

Het was duidelijk dat Zarco hier was geweest. Op de tafel lag zijn zwarte wollen muts en op een witte leren bank zag ik zijn kastanjebruine leren tas van Dunhill. Ik maakte de tas open, min of meer in de hoop dat ik er de vijftigduizend pond in zou aantreffen en de voetbalsjaal die Zarco als amulet droeg – die was nog steeds zoek – maar op een paar leren motorhandschoenen na was de tas leeg.

Ik ging naar het toilet. De kranen op het wasbakje en het bedieningsmechanisme van het toilet waren van goud. Aan de muur hing een luchtfoto van het Al-Wakrah in Qatar – het Vaginastadion.

Ik deed de deur naar de keuken open, deed het licht aan en liep door de ruimte naar het raam achterin. Ik opende kastjes en de koelkast. Ik maakte zelfs de vaatwasser open, die ingeschakeld was en een programma had afgedraaid, wat werd aangegeven met een klein brandend lampje op de deur. Ik keek om me heen en zag een grijze stalen zonnebril van Oakley op het aanrecht. Ik pakte de zonnebril. Het was de zonnebril van Zarco. Dat wist ik, omdat ik die voor zijn verjaardag had gegeven. Ik had hem verteld dat hij goed kleurde bij zijn haar. Dat was ook zo. Verder vond ik niets wat me duidelijk kon maken waarom een man met een pistool het risico zou willen lopen om hier vermomd als politieagent te komen.

Zo op het oog leek er helemaal niets waarom iemand hier zou willen inbreken. Dat deed je niet voor een lege tas. Ik woog het bestek op mijn hand. Het was hooguit verguld en het risico niet waard. Het ingelijste shirt van Maradona was misschien een paar honderd pond waard, hij had er zo veel gesigneerd. Met vijftien-, twintigduizend pond was de tv misschien nog het duurste artikel in de suite, maar die woog minstens een ton en het was nu niet bepaald iets wat je even onder je jas stopt.

Het enige interessante feit dat ik had ontdekt, was dat de suite eigendom was van een Arabier die kennelijk afkomstig was uit Qatar. Waarom had Zarco met Paolo Gentile afgesproken om juist hiernaartoe te komen met die vijftigduizend? Per slot van rekening was het erg onwaarschijnlijk dat de Qatari Zarco welgezind zou zijn na diens publiekelijke aanval op het WK in Qatar. En aan alles kon je zien dat vijftigduizend voor die man niet meer dan een fooi was. Ik kon er geen touw aan vastknopen.

Ik ging zitten. Het viel me op dat de stereo nog aan stond. Ik draaide het volume verder open en viel midden in een uitzending van TalkSPORT. Begrijp me goed, ik houd wel van TalkSPORT. De meeste commentatoren weten waarover ze het hebben, vooral Alan Brazil en Stan Collymore. Maar dit was zo'n programma waarin ze oude koeien uit de sloot halen, waarin supporters mogen bellen en hun mening mogen geven over de wedstrijden van het afgelopen weekend. Dat commentaar kwam altijd op hetzelfde neer: X zou moeten worden ontslagen, ze hadden Y moeten kopen en Z was waardeloos. LulkoekSPORT zou een betere naam zijn geweest voor wat de meeste supporters te berde brachten.

Ik zette de radio uit, pakte Zarco's tas, zijn muts en zijn zonnebril, deed de deur van 123 achter me op slot en ging terug naar mijn kantoor.

De nepagent zat waar ik hem had achtergelaten, geboeid op de stoel, en staarde somber naar de vloer. Er zat een beetje bloed aan zijn neus. Ik zocht een tissue en veegde het af, maar alleen om te voorkomen dat het op de vloerbedekking zou druppen.

Maurice zat voor mijn pc met het pistool van de man voor zich op het bureau.

'Heeft hij al iets gezegd?' vroeg ik.

'Nog niet.'

'Wat heb je ontdekt over 123?' vroeg ik.

'De suite is van een Arabier uit Qatar,' zei Maurice. 'Meneer Saddi bin iqbal Qatar Al Armani van de Bank van Subara, die volgens Forbes zes miljard waard is. Meneer Al Armani heeft hier al drie jaar lang een van de duurste skyboxen, al lijkt hij geen fervente voetbalsupporter. Hij is sinds het begin van het seizoen nog bij geen enkele wedstrijd aanwezig geweest. Waarschijnlijk heeft hij het te druk met olie zoeken en geld poepen. Al is dat ook weer niet zo ongebruikelijk bij deze club. Er zijn er minstens nog een stuk of zes die een skybox hebben, maar nooit komen opdagen bij een wedstrijd. Financiële hotshots voor het merendeel. Geen wonder dat de supporters woest worden als ze zo veel lege plekken zien op de tribune. Een paar van die rijke klootzakken zijn waarschijnlijk gewoon vergeten dat ze een skybox hebben. Eigenlijk is dat helemaal niet zo raar, als je erover nadenkt. Vijfentachtigduizend als je een paar miljard hebt? Waar heb je het dan over? Een fucking pizza.

Gisteren was geen uitzondering op de regel en kwam meneer Al Armani evenmin opdagen. Geen enkele van de kaartjes die aan hem zijn toegewezen is volgens de computer gebruikt. Wie João Zarco dan ook heeft ontmoet in die skybox, het lijkt erop dat die geen handdoek om zijn kop had gebonden.'

'Misschien ging hij er daarom wel naartoe,' zei ik. 'Omdat hij wist dat de box niet bezet zou zijn. Een lekker rustig plekje waar Gentile het handgeld kon achterlaten en Zarco het weer kon oppikken. Hij had in ieder geval een tas meegenomen. Deze. Maar de tas is leeg.'

'Dus misschien is het handgeld uiteindelijk toch niet betaald,' zei Maurice. 'En is Zarco op zoek gegaan naar Gentile. Heeft hij hem ergens gevonden. Meegesleurd naar die serviceruimte om hem eens goed duidelijk te maken wat hij ervan vond en kreeg hij meer retour dan hij had verwacht.'

'Zonder dat hij door iemand werd herkend?' Ik schudde mijn hoofd. Met deze muts op en die zonnebril, kan ik me heel goed voorstellen dat hij die skybox heeft bereikt zonder de aandacht op zich te vestigen. Maar hij heeft ze daar blijkbaar achtergelaten. Van wie zijn de suites aan weerszijden van 123?'

Maurice voerde nummers in op mijn toetsenbord. 'Suite 122 is van een Chinees die Yat Bangguo heet. De baas van een vastgoedzaak of zoiets, Topdollar Property Company. Suite 124 is van Tempus Tererent Inc. Dat zijn lui die games maken voor de Xbox en Playstation en zo. Onder andere *Totaalvoetbal 2014*. Die van Tempus Tererent waren gisteren aanwezig en hebben al hun kaartjes gebruikt. Meneer Bunggao heeft maar de helft van zijn kaartjes gebruikt. Suite 121 is van Thomas Uncliss.'

Thomas Uncliss was de vorige manager van London City, toen de club in de Champions League speelde. Hij was zonder pardon door

Viktor ontslagen na een paar ongelukkige uitslagen.

'Ze hadden allemaal catering en hostesses. Misschien is het wel een goed idee om met die meisjes te gaan praten en te vragen of hun iets is opgevallen in 123.'

'Heb je ooit wel eens gesproken met een van die meisjes?'

'Ik geloof het niet.'

'De meeste zijn niet Engels. De enige voetballer die ze in honderd jaar zouden herkennen, is David Beckham. Maar toch, baat het niet, dan schaadt het ook niet. Zie maar wat je kunt ontdekken.'

'Doe ik, baas.'

Ik keek naar onze gevangene. 'Wat denk jij, meneer...?'

Maurice zette zich af tegen mijn bureau en gaf me een rijbewijs en een klantenkaart van Tesco.

'De zak heet Terence Shelley. Hij woont in Dagenham. En doet zijn boodschappen bij Tesco. Verder ben ik helemaal niets over hem te weten gekomen.'

'Nou ja, alle kleine beetjes helpen.'

Ik pakte een voetbal van de vloer en stuiterde hem hard op het achterhoofd van Shelley.

'Hallo! Is er iemand thuis? Praten, Shelley, anders maken we gehakt van je.'

Shelley zei niets.

'Ik ben moe. Mijn vriend is moe. Dus ik zal je zeggen wat we doen: wij gaan naar huis, hij en ik. Maar we stoppen jou ergens veilig weg voor vannacht zodat je over de situatie kunt nadenken. Vastgeketend aan een kettlebell, oké? Tenzij je begint te praten. Nu. Wat vind je daarvan?'

'Lulkoek,' zei de man.

'Weet je wat, Terry?' zei ik. 'Ik mag toch wel Terry zeggen? Of niet? Jij zou moeten meewerken aan TalkSPORT.'

# 33

Sonja gaf niet zo veel om voetbal. Ze bracht de meeste weekends als er werd gespeeld in haar eentje door in haar flat in Kensington. Dat was niet onverstandig, want zaterdag en zondag zijn de drukste dagen bij een voetbalclub. Als we op zaterdag speelden, kwam ze zondagochtend terug, en als we op zondag speelden zondagavond. Het was een gang van zaken waar we allebei goed mee uit de voeten konden.

Ik zag er vooral erg naar uit om Sonja weer te zien na haar psychiaterweekend in Parijs. Als toonaangevende autoriteit op het gebied van eetstoornissen werd ze vaak gevraagd om te spreken tijdens conferenties. Maar altijd als ze weg was, had ik het gevoel dat het evenwicht uit mijn leven was verdwenen, alsof er iets belangrijks ontbrak wat me op de been moest houden. Je zou kunnen zeggen dat mijn leven te veel op voetbal gericht was zonder haar, dat zij een vitaal onderdeel was van de *Gestalt* die van mij een compleet mens maakte. Maar je kunt het ook veel eenvoudiger zeggen. Zij maakte me gelukkig. We praatten veel, meestal over boeken en kunst, en we hadden veel plezier samen; we deelden een gevoel voor humor, al leek het soms of het vooral mijn gevoel voor humor was. We vonden elkaar ook heel aantrekkelijk en dat betekende dat we altijd geweldige seks hadden. Ik heb nooit een vrouw gekend die er zo van genoot om met mij seks te hebben als zij. Ze hield van spelletjes en zocht graag naar manieren om het mij in de slaapkamer naar mijn zin te maken. Niet dat dat erg moeilijk was, maar om een aantal redenen – met als belangrijkste de relatie die ik had gehad toen ik getrouwd was, het feit dat ik een erg fysiek gericht beroep heb en het feit dat ik een uitstekende conditie heb – dacht ze dat ik ook erg op seks belust was, wat ik in feite niet ben, denk ik. Ik was net zo tevreden met wat je doordeweekse seks zou kunnen noemen als met alle speciale standjes waar zij zo dol op was. Eerlijk gezegd denk ik: als er één erg op seks belust was, dan was zij het wel. Ze kon er niet genoeg van krijgen, terwijl ik, net als een heleboel andere voetballers, vaak veel te afgepeigerd was om iedere avond seks te hebben – wat zij wel had gewild, denk ik. Eigenlijk weet ik dat wel zeker.

Voordat ze was vertrokken naar Parijs, had ze me verteld dat ze daar naar Fifi Chachnill zou gaan, een lingeriewinkel in de Rue St. Honoré, om iets verleidelijks te kopen wat ze voor mij zou aantrekken zodra ze weer terug was in Londen. Ze deed dat soort dingen altijd en hoewel ik haar er nooit om vroeg, moet ik bekennen dat het me nooit heeft verveeld om Sonja in sexy lingerie te zien. Ik was het juist heel erg op prijs gaan stellen. Ik denk dat ik er zo van hield om haar die lingerie te zien dragen, omdat het zo'n absolute tegenstelling was met mijn eigen mannelijke wereld van massageolie en zweet, ballen afknijpend ondergoed en scheenbeschermers, modderige voetbalschoenen en vaseline, leervet en compressiebroeken. De lingerie die zij kocht en droeg, was onwaarschijnlijk en onmogelijk miniem en delicaat en een en al kant en door en door vrouwelijk. Tenminste, dat vond ik. En natuurlijk had ze een prachtig figuur. Ze had een perfect achterwerk en een buik als een wasbord. Voor een vrouw die het grootste deel van de tijd in een kantoor doorbracht, was ze opmerkelijk fit. Wanneer ze zich zo uitsloofde – en dat deed ze meestal als ze een weekend was weggeweest – stak ze overal theelichtjes en geurige kaarsen aan en deed ze de deur open, gehuld in iets wat ragfijn en doorschijnend was. Na dit weekend had ik daar wel behoefte aan, maar nog veel belangrijker, ik had behoefte aan veel liefde van de vrouw van wie ik hield. De dood van Zarco, de onthullingen over Drenno's vriend Mackie, om maar te zwijgen van de crisis met die lui van UKAD en de druk die van alle kanten op mijn schouders werd gelegd, hadden me geestelijk uitgeput.

Ik draaide Manresa Road in en zag dat het licht in mijn flat brandde. Daar kikkerde ik van op. In gedachten stapte ik al uit een warm bad en liet ik me liefdevol door haar afdrogen met een groot badlaken. Tegelijkertijd zag ik dat de pers niet langer postte op de stoep voor het gebouw. Nu Ronan Reilly was gearresteerd, hadden ze wel wat belangrijkers te doen. Ik slaakte een zucht van verlichting, parkeerde de Range Rover in de ondergrondse parkeergarage en nam vol goede moed de lift omhoog, nu al blij dat ik weer thuis was. Het was alleen spijtig dat ik geen bloemen had gekocht, een witte orchidee of zo – ze hield heel veel van orchideeën – of een klein presentje. Ik kocht graag kleine presentjes voor haar.

Maar toen ik de voordeur opendeed, wist ik meteen dat er iets fout was. Om te beginnen stond er geen geurende kaars op het tafeltje in de hal. Bovendien stond de Louis Vuitton Bisten 70-koffer die ik haar met kerst had gegeven, op de vloer, naast de bijpassende beautycase die ik voor haar verjaardag had gekocht. Ik had grapjes gemaakt dat ik nog eens een echt voetbalvrouwtje van haar zou maken, wat zij inderdaad heel lollig had gevonden, al was er geen schijn van kans dat het ooit zou gebeuren. Sonja was veel te slim om zich voor zoiets minderwaardigs te laten misbruiken. Ik tilde de koffer op aan de handgreep om te voelen hoe zwaar hij was. Hij was zwaar, te zwaar voor een weekend Parijs. Bovendien wist ik dat ze al naar haar eigen flat was geweest.

Ik wist ook dat er iets fout was, omdat de tv aan stond. Ze keek zelden tv, en zeker niet naar het nieuws. Dat was volgens haar alleen maar rampen en sport. Sonja keek alleen tv als ze afleiding zocht van haar werk. Als ze niet aan een patiënt wilde denken. Of aan een artikel dat ze schreef voor een tijdschrift. Ze droeg een nogal zakelijk pakje met een kokerrok en een witte blouse, precies het tegenovergestelde van wat ik had verwacht. Ze stond op toen ik de woonkamer in kwam – ook een slecht voorteken, dacht ik. Het leek wel of er iets formeels stond te gebeuren. Dat was ook zo natuurlijk. Niemand gaat er eens lekker voor zitten om je slecht nieuws mee te delen.

'Het spijt me dat ik laat ben,' zei ik behoedzaam. 'Vanaf ongeveer deze tijd gisteravond is het een gekkenhuis. Maar dat kan allemaal wel even wachten. Het lijkt alsof je me iets belangrijks wilt vertellen.'

'Ik denk dat ik je eigenlijk moet feliciteren,' zei ze, 'met je nieuwe baan.'

Ik aarzelde. 'Bedankt, maar ik heb het gevoel dat felicitaties over een minuut of vijf niet meer aan de orde zijn. Ik kijk naar je, schat, en ik denk dat je op het punt staat een kaart te trekken. Dus wat is er aan de hand? Zeg het maar, voordat je de moed verliest.'

'Oké, dat zal ik doen.'

'Graag.'

'Nu jij deze baan hebt gekregen, Scott, heb ik het gevoel dat we elkaar nog minder zullen zien dan nu al het geval is. En, nu ja, ik wil een beetje meer dan dat in het weekend. In feite wil ik een heleboel meer dan dat in het weekend.'

'Zoals?'

'Herinner je je die Nike-reclame nog die we in de bioscoop hebben gezien? Met al die beroemde voetballers en dat nummer van Elvis Presley?'

'A little less conversation, a little more action?'

Ze knikte. 'Dat is precies het tegenovergestelde van wat ik wil in het leven. En wat ik nodig heb van een man. Mijn man.'

'Ik begrijp het. Tenminste, dat denk ik.'

'En het moet gezegd worden dat het in de slaapkamer ook niet erg goed gaat. Niet voor mij in ieder geval. Je bent altijd moe, Scott.'

Ik knikte. 'Dat kan ik niet ontkennen.'

Ik liep naar mijn humidor en haalde er een sigaret uit. Eén keer in de week, meestal op zondagavond, rookte ik één enkele sigaret. Dat was altijd een groot genoegen. Tabak roken op die manier – niet meer dan een paar trekjes, op dezelfde manier als de indianen in Zuid-Amerika hadden gerookt – lijkt wel medicinale kwaliteiten te hebben. 'Je vindt het toch niet erg, hè?' vroeg ik terwijl ik de sigaret aanstak. 'Maar onder de omstandigheden...' Ik slaakte een zucht die voor een derde uit rook bestond, en voor twee derde uit teleurstelling. 'Je kiest wel het juiste moment, Sonja, dat moet ik je nageven.'

'Geen zelfmedelijden, Scott. Dat past niet bij jou. Zo ben jij niet.'

'Nee, je hebt gelijk. Ik ben alleen moe, meer niet. Zoals gewoonlijk. Maar om eerlijk te zijn begrijp ik het niet, Sonja. Echt, ik begrijp het niet. Ik dacht dat we samen een heel behoorlijk koppel waren. Dat dacht ik in ieder geval als ik naar jou keek. Ik slaagde er zelfs in om mezelf een beetje aardig te vinden met jou erbij, en dat wil wat zeggen.'

Maar wat ik eigenlijk dacht, was: ik kon niet geloven dat ik haar nooit meer naakt zou zien, of de kans zou krijgen om haar te trouwen, en dat was een onverdraaglijk idee.

'Luister, het maakt helemaal niets uit, maar ik zal proberen om het je uit te leggen, Scott. Dat ben ik je wel verschuldigd. Ik hou van jou, en misschien houd jij ook van mij, maar ik zal nooit een deel worden van het allerbelangrijkste in jouw leven, en dat is natuurlijk voetbal. Ik heb het geprobeerd, geloof me, ik heb mijn best gedaan om het leuk te gaan vinden, maar een tijdje geleden realiseerde ik me dat dat niet zou gebeuren, hoe hard ik ook mijn best deed. Het is gewoon een feit dat ik niet geïnteresseerd ben in precies dat wat nog meer van jouw tijd gaat opslokken dan het al deed, als dat al mogelijk is. Dat zie je zelf ook, hoop ik. Ik dacht altijd dat het maar een spelletje was, maar dat is niet zo, het is veel meer, voor jou en voor een heleboel andere mannen zoals jij. Het is een manier van tegen het leven aankijken. Een soort filosofie. En waarom ook niet? Kennelijk werkt dat voor een heleboel mensen goed. Niet voor niets is de Premier League een soort mini-AEX met succesvolle bedrijven. Het is een pure vorm van kapitalisme. De sterken overleven en de zwakken worden afgevoerd.'

'Nee,' zei ik. 'Zoals jij het zegt, lijkt het wel Darwin.'

'O, en dat is het ook. Jij bent gewoon behept met een egocentrisch gen, meer niet. Bij jou draait de hele evolutie om voetbal. Omdat het uiteindelijk altijd bij alles neerkomt op voetbal, Scott, resultaten, het elftal, de volgende wedstrijd, de transfermaand in januari, goed presteren in de beker, het afgelopen seizoen, de top vier, degraderen, drie punten, een penalty die je niet hebt gekregen, een rode kaart die de scheids had moeten geven. Het houdt nooit op en het gaat maar door en ik doe er niet aan mee omdat het me helemaal niets doet en omdat het enige wat ik zou willen is dat de vorige wedstrijd de laatste was. En als je helemaal niets begrijpt van wat ik zeg, vergeet het dan maar en dan houden we het gewoon hierop: ook al zou ik heel graag bij jou willen blijven, Scott, ik kan het niet, want ik wil niet door het leven gaan als voetbalweduwe, net als al die andere vrouwen die jij voetbalvrouwtjes noemt.'

'Niemand verlangt dat van je, Sonja.'

'Jij misschien niet. Maar jouw werk wel. Heb je je nooit afgevraagd waarom al die voetbalvrouwtjes zijn zoals ze zijn? Waarom ze constant bezig zijn met winkelen en mode en haarextensies en manicure en borstvergrotingen? Natuurlijk niet. Maar ik wel. Die vrouwen proberen wanhopig een beetje aandacht te vangen van die stomme kerels van hen. Daarom doen ze dat. Ze gaan tevergeefs de strijd aan met de meest jaloerse minnares die er maar is, het voetbal zelf. Nou, daar doe ik niet aan mee. Ik heb mijn eigen leven, dingen waarin ik geïnteresseerd ben, mijn eigen ambities. En dat is mijlenver verwijderd van goed presteren in de beker. Het zal ons allebei een paar nachten slecht slapen bezorgen, maar we zijn allebei volwassen genoeg om te weten dat dat weer overgaat.'

Wat een fantastische Sherlock Holmes was ik, zei ik tegen mezelf. Hoeveel kans had ik om de moordenaar van Zarco op het spoor te komen als ik niet eens in staat was om de teleurstellingen op te merken van de vrouw van wie ik hield?

'Jezus, liefje, het klinkt alsof je dit al een tijd hebt opgekropt.'

'Misschien. Misschien zocht ik ook wel naar het goede moment om het te zeggen. Het goede moment voor mij, bedoel ik. Weet je, ik heb iemand ontmoet in Parijs. Gewoon een zakenman. Maak je geen zorgen, er is niets gebeurd. Dat zou ik je nooit aandoen. Maar ik ga hem wel weer opnieuw ontmoeten. Misschien wordt het niets. Wie weet? Op zaterdag gaat hij naar het theater en op zondag gaat hij graag naar het Tate. En hij is nog nooit van zijn leven naar een voetbalwedstrijd geweest.'

'Dus dat is de prins op het witte paard.'

'Maak er maar een grapje over, als dat beter voelt.'

'Nee. Maar het leek me de moeite waard om te proberen. Ik zou proberen om je op andere gedachten te brengen, Sonja, maar na zo'n speech begrijp ik dat dat zinloos zou zijn. Je hebt erover nagedacht. Dat is meer dan ik van mezelf kan zeggen. Misschien had ik dat moeten doen. Het spijt me.'

'Je redt je wel, Scott. Je bent sterk. Heel sterk.'

'Ja?' Ik nam een laatste trek van mijn sigaret en drukte hem toen uit. 'Op het moment voel ik me allesbehalve sterk.'

'Natuurlijk ben jij sterk. Kijk eens naar hoe jij rookt. Twee, drie trekjes van een sigaret per week. Het verbaast me soms hoe sterk jij bent. Weet je, als het iemand anders was, niet jij, dan zou ik nu niet vertrekken, niet na wat jij de afgelopen vierentwintig uur allemaal hebt meegemaakt.'

Ik glimlachte. 'Dat is je wel opgevallen.'

'Ik lees kranten.'

'Is dat zo?' Ik trok een grimas.

'Dat doe ik in ieder geval als jij niet in de buurt bent om afkeurend te kijken. Is het verboden om *The Mail on Sunday* te lezen?'

'Nee, maar misschien zou dat wel moeten. Al het andere wat ongezond is in dit land, is wel verboden.'

# 34

Na een ellendige nacht stond ik vroeg op om langs Silvertown Dock te rijden voordat ik naar Hangman's Wood ging. Het was een bar koude ochtend en ik maakte me zorgen over Terence Shelley, die we hadden opgesloten in dezelfde serviceruimte waar Zarco was gevonden. Zelfs gekleed in het uniform en de jas van een politieagent moest hij een ongemakkelijke nacht hebben gehad in de open lucht, geboeid en geketend aan een twintig kilo zware kettlebell. Maar als dat al zo was, dan nog betwijfelde ik of hij zich zo klote kon voelen als ik deed na de gebeurtenissen van de vorige avond. Ik had me niet meer zo beroerd gevoeld sinds de eerste nacht in de bak.

Onderweg luisterde ik naar het nieuws op de radio. Ronan Reilly was vrijgelaten op borgtocht. Dat was de duidelijkste aanwijzing tot nu toe dat de politie hem niet verdacht van moord. Het leek erop dat politie in burger bij hem thuis in Highgate had aangebeld in de hoop de voetbaldeskundige van MOTD te ondervragen over de dood van Zarco, terwijl daar een feestje aan de gang was. Een van de aanwezige vrouwen had de deur voor hen geopend in de veronderstelling dat de nieuw aangekomenen ook gasten waren. Blijkbaar was Reilly jarig en had hij bedacht om dat te vieren met een aantal prostituees en een portie cocaïne. Dat was waarschijnlijk ook de reden waarom hij besloten had om over de muur van de achtertuin te klimmen en de benen te nemen, in de hoop dat hij zou kunnen ontkennen iets af weten van wat zich in zijn huis had afgespeeld. Ik kreeg bijna medelijden met Reilly, want als er één ding is dat de BBC verafschuwt – zelfs bij programma's voor volwassen als *MOTD* – is het wel een ingehuurde expert die zich te buiten gaat aan prostituees en cocaïne. Doet Frank Bough nog een belletje rinkelen? In '88 op straat gezet door de BBC wegens drugsgebruik en bordeelbezoek. Maar aan de andere kant moest ik glimlachen bij de gedachte hoe Zarco het nieuws van die ochtend zou hebben begroet. Zarco zou hebben gesmuld.

Toyah had gebeld en een bericht ingesproken met de vraag haar terug te bellen. Ze klonk alsof ze nog steeds niet had geslapen. Dat doet de dood met je. De dood ontneemt je de lust om te slapen, omdat zelfs als er verder niets aan de hand is, slapen ongemakkelijk dicht bij de dood in de buurt komt. Ik voelde me te ongelukkig om met haar te praten. Te ongelukkig, en ik had last van zelfmedelijden. Maar ik probeerde me over mijn problemen heen te zetten. Zo ongeveer het laatste wat Zarco die ochtend tegen me had gezegd voordat ik de deur uitging, was dat ik me moest vermannen.

'Kom op, Scott,' zei hij terwijl ik stond te staren naar dat bijzondere portret van Jonathan Yeo van de Portugese manager, dat nu aan de muur hing in mijn studeerkamer. Ik had online een paar andere portretten bekeken die Yeo had geschilderd en vond dat het portret van Zarco minstens zo goed was als het portret dat hij had gemaakt van een nogal hologige Tony Blair, zo niet beter. 'Je komt er wel overheen, net zoals Sonja al zei. Jullie hebben mooie tijden gehad samen, jij en zij. Zo moet je ertegenaan kijken. En je moet het haar niet aanrekenen. Wat ze zei, klopt. Voetbal is voetbal en al het andere is niet echt belangrijk. Niet voor jongens zoals jij en ik. Daarom zitten we in het voetbal, toch? Als we iets anders belangrijk vonden, zouden we advocaat zijn, of bankier, of weet ik veel wat. Ik zou graag in jouw schoenen staan. Wat dacht je? Ik zou er maar al te graag nog zijn, zodat ik kon worden gedumpt door zo'n aardige vrouw. Zeker weten. En we weten allebei dat je binnen de kortste keren iemand anders hebt. Knappe kerel zoals jij? In feite ken je waarschijnlijk de vrouw al met wie je binnenkort het bed in duikt. Zo werkt dat. Altijd voor wissels zorgen – dat zei mijn vader tegen mij als een meisje mij de bons gaf. Een goed advies. Natuurlijk hield je van haar en misschien hield ze ook van jou, zoals ze zei, maar over zes weken vraag je je af waar je je zo fucking druk over hebt gemaakt. Bovendien heb je op het moment wel wat anders aan je hoofd. Zoek uit wie mij heeft vermoord, Scott. Zoek mijn moordenaar. Ik heb niet verdiend wat mij is overkomen, net zo min als jij het hebt verdiend om te worden gedumpt door Sonja. Dus, zorg dat je de wedstrijd weer onder controle krijgt en laat het niet aan anderen over, bijvoorbeeld de politie. Voor hen is het gewoon een klus, meer niet. Alsjeblieft, Scott, zorg dat je die moordenaar vindt, voor mij en voor Toyah, oké? Echt, ik zal geen rust hebben tot je dat voor mij hebt gedaan.'

Toen ik bij Silvertown Dock aankwam, lag er een politieboot in de jachthaven. Duikers waren bezig in de Theems. Ik benijdde ze niet, maar vroeg me wel af wat ze daar zochten.

Maurice had onze inbreker al uit zijn geïmproviseerde cel gehaald en naar ons kantoor gebracht, waar hij, nog steeds geboeid, probeerde weer warm te worden met een beker thee. Damp steeg op uit de beker tussen zijn geketende handen, die nog trilden van de kou, en hij leek even dankbaar voor de warmte van de kom als de hete thee in zijn maag. Ik was heimelijk opgelucht dat de man niet overmatig leek te hebben geleden, maar ik besloot om de rol van harde jongen te spelen. Ik had genoeg echt harde mannen gezien in Wandsworth om dat te doen zonder me ongemakkelijk te voelen.

'Zo, dus je bent toch niet doodgevroren,' zei ik. 'Misschien wil je nu met ons praten, domme klootzak.'

Hij nam een teug van zijn thee en knikte bereidwillig. De kou had zijn neus de vorm en de kleur van een tomaat gegeven, en als hij geen pistool bij zich had gehad, zou ik misschien medelijden met hem hebben gekregen. In Wandsworth hadden oude bajesklanten gezeten die zeiden dat je nooit een pistool bij je moest hebben als je niet bereid was om het te gebruiken.

'Want als je niet gaat praten, kun je de rest van de fucking dag doorbrengen op dezelfde plek waar je de afgelopen nacht hebt gezeten, tot je ballen eraf vriezen.'

'Laten jullie me echt gaan als ik praat?' vroeg hij.

'Je hebt mijn woord. Je mag zelfs het geld houden dat ze je hebben betaald. Ik neem aan dat ze je twee mille in briefjes van vijftig hebben gegeven.'

'En mijn pistool?'

'Zou je het gebruikt hebben?'

'Alleen om te dreigen. Om lawaai te maken als het nodig was. Ik zou losse flodders gebruiken, maar die kun je nergens krijgen. Niemand koopt ze nog tegenwoordig.'

'Dat is een geruststellende gedachte,' zei Maurice.

'Je kunt het pistool ook terugkrijgen,' zei ik. 'Maar de kogels niet. Die houden we hier voor het geval je terugkomt met kapsones.'

'Oké.'

'Maar probeer ons niet om de tuin te leiden met leugens. Mijn vriendin heeft me gisteravond gedumpt en ik heb niet veel geduld.'

Hij dronk zijn thee op, zette de beker op mijn bureau en schudde zijn hoofd. 'Ik had beter moeten weten dan iemand te beroven van mijn eigen fucking club. Yes sir. Ik ben zelf supporter van City. Dus ik had zo mijn bedenkingen, hè? Een andere Londense club – de Yids, Arsenal, Chelsea, Fulham, de Hammers – dan had ik de klus lachend gedaan. Maar niet bij City.'

'Feiten, geen geouwehoer,' zei ik.

'Ik zeg alleen maar dat ik de klus niet wilde, meer niet. Het voelde niet goed. Maar die knakker die me ervoor betaalde – dat was een Italiaan die Paolo Gentile heet – betaalde grof geld.'

'Gentile. Dat laat zich raden.'

'Hoe dan ook, ik moest een pakketje ophalen in skybox 123. Ik was op weg daarnaartoe toen je mij zag.'

'Je liegt,' zei ik. 'Ik had die skybox al van boven tot onder doorzocht en ik heb niets gevonden.'

'Ja... Maar heb je ook in de koelkast gekeken? In het vriesvak?'

'Nee.'

'Daar zou het moeten liggen, dat pakje dat ik moest ophalen. Kon niet makkelijker, zou je zeggen. Naar binnen en weer naar buiten. Maar het gaat altijd fout bij makkelijke klussen, niet als je eerst van alles moet plannen.'

'Wie had dat apenpakje bedacht?' vroeg Maurice.

'Ik. Die Italiaan zei dat het hier wemelde van de smerissen vanwege die moord op Zarco, dus ik dacht dat ik in dit uniform niet zou opvallen. Dat het zou lijken of ik erbij hoorde, zeg maar. Ik had niet gedacht dat iemand een smeris zou vragen zich te legitimeren. Zelfs geen andere smeris. Ik heb het gehuurd van een maat die een echte smeris is, in Teddington. Heeft me tweehonderd pond gekost. Ik heb nooit aan die badge gedacht tot jij erover begon.'

'Gossie,' zei Maurice. 'De hermandad als kostuumverhuurbedrijf, wie had dat kunnen denken?'

'Oké,' zei ik. 'En toen?'

'Ik heb een FedEx-doos in de auto met een kant-en-klare vrachtbrief waarop een adres is ingevuld in Italië en zo; ZAKENDOCUMENTEN staat erop. Dat hebben ze me tenminste verteld. Ik moest het pakket uit het vriesvak in die doos stoppen en vanochtend meteen naar het kantoor van FedEx in Dartford brengen. Unit 14, Newton's Court. Kennelijk gaat dat om halfacht open. Het ging allemaal op rekening, dus ik hoefde niets te betalen.'

'Hoe ben je aan de klus gekomen?'

'Via de telefoon. Een vriend van een vriend.'

'En je hebt met Gentile gesproken? Over de telefoon?'

'Ja. Hij was in Milaan. Het was niet eens stelen, zei hij. Hij had het pakje er zelf neergelegd.'

'En de sleutel van de skybox, hoe ben je daaraan gekomen?'

'Van het kantoor van die Gentile in Kingston. Echt, dat was het enige wat met inbraak en diefstal te maken had. Ik moest daar op zondagochtend naar binnen om de sleutel uit zijn bureaula te halen. En tweeduizend in contanten uit een geldkistje. Eerlijk, chef, dat zweer ik bij het graf van mijn moeder.'

'Oké,' zei ik. 'Wacht hier bij mijn vriend.'

# 35

Ik ging naar boven, naar de skybox, deed de koelkast open en trok de klep van het vriesvak naar me toe. Daar lag het pakket, precies zoals Shelley had gezegd: een grote luchtkussenenvelop, verpakt in een dikke plastic vuilniszak. Ik maakte hem open en trof binnenin tien roze bundeltjes mooie nieuwe briefjes van vijftig aan. De bundeltjes waren een beetje hard, maar hadden op geen enkele manier te lijden gehad van een weekend in de vrieskou. Geld waar je je vingers aan kon branden, dat ijskoud aanvoelde. Het was duidelijk dat Shelley de waarheid had gesproken. Als nu ook nog die FedEx-doos in zijn auto zou liggen, zoals hij had gezegd, zou ik hem laten gaan. Nog afgezien van de mogelijke reputatieschade voor Zarco, was het laatste wat ik wilde een nieuwsgierige hoofdinspecteur Byrne die onze nieuwe keeper van streek zou maken door hem naar details rond zijn transfer te vragen.

Het was zo langzamerhand zonneklaar hoe de vork in de steel stak. Zarco wist natuurlijk dat die Qatari, die eigenaar was van skybox 123, de box hoogstwaarschijnlijk de komende tijd niet zou gebruiken en dat de skybox dus heel goed als postbus kon dienen. Gentile had het geld naar de skybox gebracht en achtergelaten in het vriesvak van de koelkast, zoals Zarco hem had opgedragen in de sms'jes. Maar toen bekend werd dat Zarco dood was, moest de Italiaanse voetbalmakelaar zich hebben gerealiseerd dat alleen hij en Zarco van het bestaan van dat geld op de hoogte waren en dat hij eigenlijk net zo goed kon proberen het geld weer in handen te krijgen. Het lag daar maar koud te worden en omdat hij een sleutel had, leek het een fluitje van een cent. Maar Gentile kon het geld er niet te lang laten liggen, omdat op dinsdag een wedstrijd tegen de Hammers zou worden gespeeld, en in tegenstelling tot Zarco wist Gentile natuurlijk niet of de rechtmatige eigenaar van skybox 123 dan wel of niet zou komen opdagen.

Het werd tijd om met Gentile te gaan praten, dus belde ik hem, en dit keer nam hij op.

'Scott,' zei hij. 'Ik stond net op het punt om je op te bellen en je te feliciteren. Heel spijtig wat João is overkomen. Hij was echt een van de allergrootsten en ik zal hem missen. Maar ik hoop dat jij en ik in de toekomst zaken kunnen doen.'

Ik had Paolo Gentile bij verschillende gelegenheden ontmoet. Het was vrijwel onmogelijk om assistent-manager te zijn van een topclub in het Engelse voetbal en niet met Paolo Gentile te maken te krijgen. Als je een enorme picknick organiseert op een perfect gazon, zijn er ook wespen. Gentile was een van de grootste en meest hinderlijke. De FIFA leek permanent onderzoek naar hem te doen, maar kon nooit ergens de vinger op leggen. In tegenstelling tot de meeste Engelse voetbalmakelaars, die als twee druppels water op hun cliënten leken, was Gentile een gladde, coole, knappe man, op een Italiaanse manier. Hij ging altijd goed gekleed, in Brioni, en zijn vele witte Ferrari's waren zijn handelsmerk en precies dat wat de hoofden op hol bracht van de gemakkelijk te beïnvloeden en meestal autozieke jongens die het slachtoffer werden van zijn niet-aflatende mensenhandel. Gentile was onvoorstelbaar mager. Hij leek te leven op een dieet van tennis, sigaretten en koffie. Hij had een haakneus die hem het profiel gaf van een renaissancistische edelman of een doge van Venetië. Hij was bovendien even geslepen.

Mijn Italiaans was meestal beter dan zijn Engels, maar dit keer wilde ik dat hij het meeste op zijn woorden moest passen. Ik ging op de bank zitten en vervolgde het gesprek in mijn eigen moedertaal.

'Dat hangt ervan af, Paolo,' zei ik. 'Ik heb namelijk net een gesprek gevoerd met een vriend van je, Terry Shelley. Ik heb hem betrapt toen hij hier gisteren de koelkast leegroofde. Het lijkt erop dat hij laat op de avond nog zin in een lekker hapje had. Want dat is vijftigduizend voor jou, toch, Paolo? Een lekker hapje?'

'Terry Shelley. Ken ik niet, Scott. Tenzij hij in de spits staat bij QPR.'

'Niemand staat in de spits bij QPR, Paolo. Als ze daar een beetje verstand hebben, gaan ze met zijn allen voor de eigen goal hangen. En als jij een beetje verstand hebt, doe je hetzelfde. Al ligt de bal ondertussen wel achter je in het net, jongen. Het enige wat ik nog hoef te doen, is bedenken hoe het verder moet. Of ik de FIFA moet inschakelen of de Metropolitan Police. Per slot van rekening wordt er onderzoek gedaan naar een moord hier op Silvertown Dock. En jij hebt geprobeerd iets in handen te krijgen wat de politie zou kunnen beschouwen als essentieel bewijsmateriaal dat licht zou kunnen werpen op wie João Zarco heeft vermoord.'

'Ik heb helemaal niets van doen met wat Zarco is overkomen,' zei Gentile. 'Echt, ik tast net zo goed in het duister als jij. Maar dat weet je natuurlijk al. Anders zou je me niet bellen, toch? En je hebt het geld ook al. Misschien heb je wel besloten dat je dat zelf wilt houden. Ik zou je in ieder geval niet kunnen tegenhouden. De enige vraag die mij rest is dus: wat wil je nog meer, Scott?'

'Een beetje informatie.'

'Misschien kan ik je helpen. Maar we moeten het wel over één ding eens zijn. Ik praat tegen jou, hè? Niet tegen de politie.'

'Je weet hoe ik over de politie denk, Paolo. De politie en ik spreken niet met elkaar. Al een tijdje.'

'Ja, ik dacht al dat het zo was, maar ik wilde het je horen zeggen. In Italië kijken we anders tegen de politie aan dan in Engeland. Jullie maken grappen over gezagsgetrouwe Duitsers, maar ik geloof dat geen volk in Europa zo gezagsgetrouw is als de Engelsen.'

'Je vergeet dat ik half Duits, half Schots ben.'

'Dat is waar. Oké, laten we maar praten dan. Wat wil je weten?'

'Ik weet van die deal met voorkennis met SSAG. En laat ik eerlijk zijn, Viktor Sokolnikov is ook op de hoogte.'

'Dat is jammer. Schakelt hij de Financiële Autoriteit in?'

'Waarschijnlijk niet als hij dat kan vermijden. Viktor opereert het liefst in de schaduw. Hij overlegt met zijn advocaat voordat hij ook maar iets gaat doen. Maar zelfs als hij wel de Financiële Autoriteit inlicht, kun jij waarschijnlijk Zarco de schuld in de schoenen schuiven van wat er is gebeurd.'

'Bedankt, Scott. Ik waardeer het dat je me dit vertelt.'

'Luister, het enige wat ik niet weet, is wat hij met dat contante geld wilde. En waarom het allemaal zo dringend was. Dus vertel eens over zaterdagochtend.'

'Word jij nu op hetzelfde moment dat je de baas wordt bij City, ook nog detective? Ik heb wel van totaalvoetbal gehoord, maar wat is dit? Totaalvoetbalmanagement?'

'Je zou kunnen zeggen dat ik optreed als spelmaker; dat ik ruimte creëer voor de waarheid misschien. Ik vind dat het mijn taak is om de zaken hier zo snel mogelijk weer op de rit te krijgen – niet alleen het voetbal, maar ook de rest. Een niet opgeloste moord op de manager van de club is slecht voor de moraal van de spelers.'

'Zeker.' Gentile bleef lang genoeg stil om een sigaret aan te steken en diep te inhaleren. 'Nu dan, we hebben eerder op deze manier zaken gedaan, Zarco en ik. Hij maakte gebruik van een skybox als hij wist dat die niet werd gebruikt. Het was gemakkelijk voor hem en ook voor mij. Ik ben naar die skybox gegaan, zoals hij had gezegd. Ik heb het geld in dat vriesvak gelegd, zoals hij had gezegd. Zarco was er niet toen ik kwam, en hij was er ook niet toen ik weer wegging. Dat is alles wat ik weet van zaterdagochtend.'

'En waarom wilde hij cash? Ik bedoel, het leek alsof hij haast had. In zijn sms'jes zei hij dat hij het voor het weekend wilde hebben.'

'Dat klopt, hij had haast. Maar ik weet niet waarom. Waarom wil iemand contant geld, Scott? Het is handig om een beetje papier bij de hand te hebben. Dat stop je in je kluis en dat gebruik je voor uitstapjes, om de babysitter te betalen, of om met kerst aan je moeder te geven. Een heleboel managers houden wel van handje-contantje. Letterlijk. Ze zijn een beetje ouderwets in dat opzicht. Je zou er versteld van staan wie er allemaal graag meeprofiteren van een transfer. En dat zijn niet de gebruikelijke dubieuze figuren. Het is net als met doping in de sport. Niemand gebruikt doping, tot hij wordt gepakt, en zelfs dan is er een vergissing in het spel, of het is de schuld van iemand anders, of een hoestdrankje waar iets verkeerds in bleek te zitten. Zo gaat dat ook met handgeld. Iedereen is ertegen, tot hij het zelf toegestopt krijgt. En dat is toch ook geen wonder met al dat geld dat tegenwoordig rondklotst in het voetbal? BT SPORT betaalt negenhonderd miljoen pond voor de uitzendrechten van de Champions League en langs de hele voedselketen hoor je de mensen zeggen *dov'è la mia parte?* Waar is mijn deel van de koek? Zo werkt de economie, Scott. De wet van vraag en aanbod. Al had Adam Smith nog niet uitgevonden dat er ook nog een wet van tv-sport was, en een wet van tweehonderd mille per week en een wet van ongebreidelde hebzucht. Dat kun je niet veranderen. Je kunt er alleen van mee profiteren.’

‘Heeft Zarco ook aangegeven dat hij bang was voor iemand? Ik vraag me af of hij vijftigduizend nodig had om iemand af te betalen. Misschien iemand die hem had bedreigd. Ik neem aan dat je dat verhaal gehoord hebt over dat graf dat ze op onze middenstip hebben gegraven, met een foto van Zarco onderin?’

‘Daar heeft hij iets over verteld, ja. Maar dat had hem niet bang gemaakt, volgens mij. Hij dacht dat het door hooligans was gedaan. Eerlijk gezegd was hij veel benauwder dat Sokolnikov zou ontdekken dat hij aandelen SSAG had gekocht. Dat hij ontslagen zou worden. Of nog erger.’

‘Wat zei hij? Kun je je dat herinneren?’

‘De meeste communicatie verliep via sms. Om het vertrouwelijk te houden. Maar hij heeft er één keer iets over gezegd in een gesprek. Op zaterdagochtend. Hij belde van Hangman’s Wood en zei iets in de trant van dat hij niet verbaasd zou staan als ze hem drijvend in de Theems zouden vinden als Sokolnikov erachter kwam wat hij had uitgevreten.’

‘Zei hij dat echt?’

‘Ik dacht dat hij een grapje maakte. Bovendien lachte hij toen hij het zei. Maar misschien zat ik ernaast. Misschien lachte hij zijn angst weg? Aan de andere kant, als Viktor Sokolnikov hem uit de weg wilde ruimen, kan ik me niet voorstellen dat hij dat op Silvertown Dock zou doen. Met zijn geld en connecties had hij wel een discretere locatie kunnen regelen. Als je zoveel geld hebt als hij, is er heel veel discretie te koop.’

‘Dat zou je wel zeggen. Valt er ook nog iets te zeggen over die skybox – suite 123?’

‘Dat vinden Arabieren luxe. Een beetje zoals een hut op een luxe jacht. Wat zal ik daarvan zeggen?’

‘Nee, ik bedoel, is je daar ook nog iets bijzonders opgevallen?’

‘Iets bijzonders? Nee. Nou ja, misschien een paar dingen, ja. De vaatwasser stond aan. Dat vond ik gek in een suite die kennelijk weinig wordt gebruikt. En er lag een zonnebril op de grond. Ik ging ervan uit dat die van Zarco was en heb hem op het aanrecht gelegd.’

'Dus hij was daar al geweest toen jij kwam.'

'Ja. Om zeker te weten dat de suite niet werd gebruikt, waarschijnlijk. Zijn leren tas lag op de bank.'

'Verder nog iets?'

Hij bleef even stil. 'Dat is echt alles wat ik me kan herinneren.'

'Oké.' Ik dacht even na. 'Wat weet jij van Bekim Develi? Die komt hiernaartoe.'

'De rode duivel? Dat is nieuws voor mij. Maar als hij naar Londen gaat, verbaast me dat niets. Bij een wedstrijd tegen Zenit, een paar weken geleden, kreeg een van de zwarte spelers van Dinamo racistische spreekkoren naar zijn hoofd geslingerd. Toen is Develi de tribune op geklommen en heeft er een van de aanstichters tussenuit gesleurd. Dat ging niet bepaald zachtzinnig. Het leidde bijna tot rellen. Ze hebben de supporter in de bak gegooid en Develi krijgt sinds die tijd de ene na de andere doodsbedreiging.'

'Dan komt hij hier in een gespreid bedje. Doodsbedreigingen zijn aan de orde van de dag op Silvertown Dock.'

Toen ik het gesprek met Gentile had beëindigd, liep ik naar de keuken en legde ik de Oakley-zonnebril van Zarco op de tegelvloer. Ik opende het merkwaardig gevormde raam – net zo'n soort ruitvormig raam als in de nationale praatclub van Schotland, het parlement. Ik schrok van een paar duiven die met veel geklapper van vleugels wegstoven. Mijn hart sloeg een paar keer in mijn keel. Er werd over gepraat om een valk of een havik in te huren om de duivenstand op Silvertown Dock in toom te houden. Roofvogels waren blijkbaar heel effectief. Wat mij betreft konden ze niet snel genoeg worden ingezet. Waren voetballers maar zo gemakkelijk in toom te houden. Toen liep ik terug naar de keukendeur en draaide me om met mijn gezicht naar de keuken. Je zou kunnen zeggen dat ik probeerde de dingen te zien zoals Zarco en Gentile die gezien moesten hebben. Ik had inspecteur Morse iets dergelijks zien doen op tv en dacht dat het in ieder geval geen kwaad kon. Ik keek in de afvalbak, maar die was leeg en zag er brandschoon uit.

Aan de muur hing een ingelijste kleurenfoto met de voormalige emir van Qatar, Sjeik Hamad, en zijn glamourvrouw Mozad, die samen de wereldbeker omhooghielden naast het trots kijkende kleine presidentje van de wereldvoetbalbond, Sepp Blatter, een man wiens kennis van voetbal ongetwijfeld naar een hoger niveau was getild door zijn ervaring als voormalig secretaris-generaal van de Zwitserse IJshockey Federatie. Meneer en mevrouw Poen glimlachten trots en hadden de uitstraling van twee poezen die zich zojuist tegoed hadden gedaan aan een nest muizen. Het was altijd een geruststellende gedachte dat de toekomst van het voetbal in de veilige handen lag van dit soort lieden.

Ik leunde door het raam naar buiten en staarde omhoog naar de bleke winterzon. Ik moest gapen, niet vanwege het uitzicht op de constructie van Silvertown Dock, maar vanwege de frisse lucht. Op de plek waar ik stond lag de buitenring van de constructie dichter tegen de binnenring dan op de begane grond. Als ik mijn arm zou uitstrekken, zou ik bijna een van die dwarsverbindingen kunnen aanraken. Ik keek omlaag door het gepolijste stalen vlechtwerk naar de grond, zo'n twintig meter lager, en wierp toen een blik op de vijftigduizend die op het aanrecht lag. Wat moest ik goddomme doen met vijftigduizend pond handgeld? Ik kon het moeilijk aan de politie geven, of zelf houden, zoals Gentile waarschijnlijk aannam. Natuurlijk was het in wezen geld dat aan Gentile en Zarco was betaald, dat om te beginnen nooit betaald had mogen worden, dus was het geld eigenlijk meer van Viktor dan van iemand anders. Maar het leek behoorlijk zinloos om iemand schadeloos te stellen voor wie vijftigduizend pond minder dan 0,0006 procent was van zijn totale vermogen. Toch begon het erop te lijken dat ik dat wel moest doen.

Mijn telefoon begon te rinkelen. Het was Phil Hobday.

'Ik geloof dat Viktor jou inzage heeft beloofd in een sectierapport,' zei hij.

'Ja, ik vroeg me af of hij dat meende.'

'Beloften van Viktor zijn nooit loze dreigementen.'

Na wat Paolo Gentile me had verteld was dat nu niet bepaald wat ik graag wilde horen op dit moment en ik vond dat de voorzitter zijn woorden wel wat zorgvuldiger had mogen kiezen.

'Komt dit weer van jouw connecties bij Binnenlandse Zaken?'

'Dit niet, nee. Sinds maart 1012 wordt al het forensische werk in het Verenigd Koninkrijk uitbesteed in de particuliere sector.'

'Dat klinkt niet erg geruststellend.'

'Misschien niet. Maar hoe dan ook, het ligt hier op mijn bureau. Kom maar halen als je het wilt hebben. Eigenlijk zou ik graag willen dat je het kwam halen. Ik ben bang dat ik de envelop heb opengemaakt voordat ik wist wat erin zat. En nu zou ik willen dat ik dat niet had gedaan.'

'Ik ben er over vijf minuten.'

# 36

Toen Maurice een dankbare Terry Shelley begeleidde naar de uitgang van Silvertown Dock, stond ik op en deed ik de deur van mijn kantoor op slot. Ik zette een kop sterke koffie met het Nespressoapparaat boven op de dossierkast. Als ik cognac had gehad, zou ik een scheut cognac aan de beker koffie hebben toegevoegd in plaats van de melk uit de koelkast. Ik vond dat ik iets sterks naar binnen moest slaan als ik echt voor de volle honderd procent detective ging spelen, en het was onmogelijk me zelfs maar een beeld te vormen van hoe ik de moordenaar van Zarco zou pakken als ik niet de precieze omstandigheden te weten kwam waaronder de man aan zijn einde was gekomen. Ik zag geen manier om daar onderuit te komen. Ik negeerde een sms van een verslaggever van *The Guardian* die mijn mening wilde weten over de afwezigheid van zwarte keepers in het topvoetbal. Waarom had City bijvoorbeeld een Schot aangekocht, in plaats van de 'even getalenteerde' Hastings Obasanjo, of Pierre Bozizé? Ik begon te lezen in het sectierapport.

Ik had nog nooit eerder een autopsierapport onder ogen gehad en had ook nog nooit met zoiets te maken gehad. Ik had zelfs nog nooit een lijk gezien, tenzij je die kerel in de cel naast me in Wandsworth meetelt, die met een mes in zijn hals gestoken was en later in het ziekenhuis overleed. Het dichtst bij het bijwonen van een autopsie ben ik misschien wel geweest toen ik naar de bijna beruchte Gunther von Hagens keek die 'live' op tv een lijk ontleedde voor Channel Four. Het was fascinerend geweest om de menselijke spiermassa van dichtbij te bekijken. Ik werd natuurlijk vooral in beslag genomen door de kwetsbaardere delen van het mensenbeen, die bij alle voetballers bij tijd en wijle problemen veroorzaken: de voorste kruisbanden, meniscus, hamstring en de lies. Ik kan me herinneren hoe ik naar adem moest happen omdat het afscheuren van zoiets simpels als een pees achter in de knie zo verrekte pijnlijk kon zijn, en dat een afscheurende achillespees je kon doen jammeren als een jong hondje. Het was voor mij net zoiets als op school uitgelegd krijgen dat de wet van Pythagoras altijd feilloos werkt, of dat een voorste kruisband niet altijd feilloos werkt. Er zijn van die creationistische klootzakken in de Verenigde Staten die altijd maar doorzeuren over 'intelligent design' – dat wil ik ze ook nog wel eens zien doen terwijl ze proberen het laatste fluitsignaal van een wedstrijd te halen met een gescheurde spier in de lies.

Maar terwijl de slachtpartij die Von Hagens uitvoerde op een menselijk lichaam en zijn snijpartij op het karkas van een varken in een slagerij tenminste nog enig doel leken te dienen, was wat ik nu onder ogen kreeg van een heel andere orde. De bleke, rubberachtige lichamen die Von Hagens had gebruikt, hadden weinig gemeen met mensen, meer met iets wat de lui bij Pinewood Studios in elkaar zetten voor special effects – misschien wel omdat die lichamen ontdaan waren van dat ene wat een mens een mens maakt: het leven zelf. Het omslaan van de pagina's van het sectierapport van mijn vriend had iets heel persoonlijks, iets heel ongemakkelijks, alsof ik de grenzen van de betamelijkheid overschreed. Ik had nooit met een van de kadavers van Von Hagens in een stoombad gezeten, ik had ze nooit omhelsd met kerst. Met niet een van hen had ik genoeglijk gedineerd, of een overwinning gevierd van ons elftal. Ik had ze niet het grootste deel van mijn leven gekend. Ik had ze niet minder dan tweeënzeventig uur geleden nog gesproken. Het was een beetje zoals de computermonteur die je pc reduceert tot onderdelen om hem te kunnen repareren – met dit verschil dat niemand João Gonzales Zarco nu nog zou repareren. Ik denk dat het voor het eerst tot me doordrong dat Zarco echt dood was en dat hij nooit meer terug zou komen – dat mijn vriend en mentor voorgoed weg was – toen ik een foto zag met hem op de snijtafel, een Y-vormig stiksel van hechtingen als een rits over zijn bleke, naakte stoffelijk overschot.

Wat een verlies, dacht ik. Wat een verspilling van een uitzonderlijk getalenteerd man.

Ik probeerde de talloze andere kleurenfoto's te negeren en me te concentreren op de tekst, die vanzelfsprekend bestond uit koud en wetenschappelijk verantwoord juridisch jargon. De toon was afgemeten, zakelijk, ontdaan van emoties, als in een medisch handboek, met weinig gebruik van voorwaardelijke bijzinnen in de verleden tijd, weinig veronderstellingen. Wonden en kwetsuren werden eenvoudigweg beschreven en op een efficiënte manier beoordeeld, die ze minder bijzonder maakte en misschien voor een detective wel gemakkelijker om mee om te gaan.

Was hoofdinspecteur Jane Byrne bij de sectie van João Zarco geweest? Volgens de aantekeningen had de sectie de vorige dag 's middags een uur in beslag genomen. Als ze erbij was geweest, benijdde ik haar niet. Je kon je zondagmiddag op een betere manier doorbrengen dan luisterend naar het openknippen van een borstkas, of kijkend naar het verwijderen van de schedelkap met een zaag alsof de dop van een gekookt ei werd gepeld. Misschien was ze eraan gewend. Die indruk wekte ze in ieder geval wel. Je kunt aan alles wennen, denk ik. De kans is natuurlijk groot dat ze wel van haar stuk zou worden gebracht door een ernstig gebroken been op het voetbalveld. Dat heb ik zelf vaak genoeg gezien en ik vind het een van de meest traumatische dingen in de sport. Ik heb meer dan eens een speler zien flauwvallen bij een beenbreuk die het einde van een carrière betekende. Wat ik nu onder ogen had, was erg genoeg, maar ik was het aan Zarco verschuldigd om mezelf te dwingen verder te lezen. Jammer genoeg bestond er geen cortisoninjectie die ik mezelf zou kunnen geven om door te gaan met het omslaan van pagina's.

Arme Zarco. De foto's van zijn lichaam, zoals dat door Phil Hobday en de mensen van de beveiliging van Silvertown Dock was gevonden, lieten een man zien die eruitzag alsof hij negentig minuten op goal had gestaan met zijn kleren aan. De kleren waren als eerste onderzocht en het was gebleken dat hij in zijn kleren was overleden. De patholoog had zijn verwondingen vergeleken met bloedvlekken op zijn witte shirt van Turnbull & Asser, zijn grijze zijden stropdas van Charvet en het prachtige zwarte zijden jasje van Zegna dat hij op de ochtend van zijn dood had gedragen. Twee mille had het hem gekost. Maar het zag er niet zo mooi meer uit nadat hij een paar meter over het natte beton had gekropen en diverse duiven op hem hadden gescheten. De knieën van zijn pak waren bijna even vuil en ik moest denken aan die avond dat we Arsenal hadden verslagen en Zarco met een gigantische glijpartij op zijn knieën vanuit het coachvak naar de hoekvlag de overwinning had gevierd. Er was geen spoor te bekennen van Zarco's 'gelukssjaal', de clubsjaal van kasjmier, afkomstig uit een winkel die Savile Rogue heette.

De kwetsuren op zijn lichaam, vooral op het hoofd en het bovenlichaam, waren helemaal in overeenstemming met een flink pak slaag. Een harde klap tegen het voorhoofd had een schedelbreuk tot gevolg, die hoogstwaarschijnlijk de doodsoorzaak was. De vorm van de breuk deed vermoeden dat Zarco was geslagen met een stomp voorwerp, hoewel tot dusverre geen moordwapen was gevonden.

Dat verklaarde op zijn beurt de duikers van de politie in de Theems.

De rechterkant van het bovenlichaam was zwaar gekneusd, een aantal ribben was gebroken en de vingers en knokkels van zijn hand waren gekneusd alsof hij teruggevochten had. En onder de nagel van zijn rechterhand had de patholoog minieme hoeveelheden huid en bloed gevonden die niet van Zarco afkomstig waren. Zarco was nooit het type geweest dat zijn vijanden de andere wang toekeerde, zeker niet als voetballer. Hij had ooit in de tijd dat hij voor Celtic speelde op een paar harde klappen van Nwankwo Nkomo van de Rangers gereageerd met een goed geplaatste en veel effectievere kopstoot die Nkomo een gebroken neus had bezorgd. Zelfs als manager van La Braga had Zarco zijn aandeel gehad in knokpartijen. De beruchtste knokpartij was die met Howard Page geweest, de manager van AC Milan, die ertoe had geleid dat de FIFA beiden een aantal wedstrijden van de zijlijn had verbannen. Zarco was geen doetje en ik kon me niet voorstellen dat iemand op hem los had geslagen zonder daar zelf iets voor retour te krijgen.

De patholoog had ook een aantal blauwe wollen vezels onder de vingernagels gevonden die met niets overeenstemden wat Zarco op het moment van overlijden had gedragen en daarom, zo werd gesuggereerd, afkomstig zouden kunnen zijn van de kleding van zijn belager. Dit wekte de suggestie dat Zarco de revers of de kraag had gegrepen van wie hem dan ook maar had aangevallen. De manier waarop Zarco's stropdas om zijn hals zat, was ook consistent met de veronderstelling dat zich een woest gevecht had afgespeeld. De knoop zat veel te strak, bijna alsof zijn belager had geprobeerd hem ermee te wurgen.

Er waren sporen gevonden van Zarco's braaksel op het beton, wat in lijn leek met een harde stomp in de maagstreek.

Makkelijker verteerbaar, maar minstens zo interessant was de inhoud van Zarco's zakken. Daar waren ook kleurenfoto's van bijgevoegd: zijn gewone mobiele telefoon – de telefoon waarvan zijn vrouw wist dat hij bestond – wat kleingeld, een portemonnee, een mapje voor creditcards, een sleutelbos – zonder sleutel van de serviceruimte waar hij was gevonden – een trouwring, een in leer gevat notitieboekje van Smythson waarin hij tijdens wedstrijden aantekeningen maakte, de harde brillenkoker van Zarco's Oakley-zonnebril, een pen van Mont Blanc, een visitekaartje van een raadslid van de Royal Borough of Greenwich, een stukje wit pleisterwerk van een plafond (nogal merkwaardig), een gouden munt, een pasje voor Silvertown Dock dat aan een zijden koord om zijn hals had gehangen, het horloge van Hublot en het lichtblauwe armbandje tegen prostaatkanker dat hij om zijn pols had gedragen.

Nadat Zarco's vader José was overleden aan prostaatkanker, was Zarco een onvermoeibaar supporter geworden van de prostaatkankerstichting in het Verenigd Koninkrijk. Ieder jaar liet hij in november een afgrijselijk snorretje staan om geld in te zamelen, maar dat was maar één van alle activiteiten die hij ondernam voor het goede doel. De stichting had al een tweet de wereld in gestuurd om haar deelneming te betuigen met zijn dood.

Op de betonvloer, rondom het lichaam, was een aantal bezems en borstels gevonden, een paar emmers en spullen om ramen te lappen. Er lag zwerfvuil, onder andere elf peuken – de meeste van Engelse en Amerikaanse merken, maar er was één peuk van een Russische sigaret – een paar afgebrande lucifers, een knoop, een paar koperen muntjes, een wrapper van MacDonalds, een paar afgescheurde toegangskaartjes van City, een piepschuimen koffiebekertje van Starbucks, het programmaboekje van een voetbalwedstrijd, een exemplaar van de *Evening Standard* uit Londen van een maand oud en een lege wodkafles van een halve liter. Niets van dat alles wekte de indruk alsof het die cruciale aanwijzing zou opleveren die het mysterie van Silvertown Dock zou oplossen.

Ik klapte het rapport dicht en borg het op in mijn dossierkast voordat ik de deur van mijn kantoor weer van het slot deed. Misschien was het eigenlijk wel beschamend, maar mijn eerste reactie na het lezen van het rapport was mijzelf feliciteren met het feit dat ik nog in leven was, terwijl iemand anders – iemand die me heel na stond – niet meer leefde. Maar binnen het kader van het grote alomvattende is dat misschien wel alles wat je kunt wensen. Er nog wel zijn terwijl anderen de schedel is ingeslagen, is een armzalige filosofische bespiegeling, maar bij gebrek aan beter moet je het daar maar mee doen.

# 37

Na de training op Hangman's Wood bogen Simon Page en ik ons over een paar rapporten met de fysieke conditie van spelers. We stelden het elftal samen voor dinsdagavond: Christoph werd vervangen door Ayrton, en achterin hielden we een paar van onze meer ervaren spelers, zoals Ken Okri, maar voor het overige stelden we reserves en spelers onder de eenentwintig op. Op hun persconferentie voorafgaand aan de wedstrijd hadden de Hammers aangekondigd dat ze van plan waren op volle oorlogssterkte aan te treden voor de wedstrijd in het kader van de Capital One Cup. Omdat de laatste beker die Westham gewonnen had, de UEFA INTERTOTO CUP was geweest in 1999 – een toernooi na afloop van het voetbalseizoen dat door iedereen als een lachertje werd beschouwd – en daarvoor de FA CUP in 1980, toen ze Arsenal hadden verslagen, had de club besloten dat ze het aan de supporters verplicht waren om zonder terughoudendheid te strijden voor nieuw zilver.

Ik was verbaasd over dat besluit. Maar het is een fout die heel gemakkelijk wordt gemaakt: toegeven aan wat de supporters willen in plaats van doen wat het beste is voor de club. Ik besloot niets aan onze plannen te veranderen en de jonge jongens op te stellen. Maar in gedachten was ik helemaal niet met de opstelling bezig. Ik moest steeds denken aan de zonnebril van Zarco die op de vloer in de keuken van suite 123 had gelegen en vroeg me af wat hij daar deed.

Ik had een theorie, maar net als met alle goede theorieën moest ik een experiment uitvoeren om de theorie te testen. Ik belde Maurice.

'Je moet me een dienst bewijzen,' zei ik tegen hem. 'Er is een winkel die Mile End Climbing Wall heet, in Haverfield Road, in Bow. Ik wil dat je daar een eind touw voor me koopt.'

'Niet doen,' zei Maurice. 'Je bent te jong om dood te gaan.'

'Zestig meter touw, om precies te zijn. Eigenlijk wil ik alles wat nodig is om te klimmen op de Crown of Thorns: een helm, een gepolsterde klimgordel, het touw dus, en iemand die weet hoe hij met die spullen moet omgaan. Als Sir Edmund Hillary daar toevallig rondscharrelt, wil ik dat je hem tweehonderd pond en een kaartje voor de wedstrijd biedt om met jou mee terug te komen naar Silvertown Dock. Maar anders neem ik ook wel genoegen met iemand die eruitziet alsof hij het verschil weet tussen een ijsbijl en zijn eigen elleboog. Hij moet twee dingen voor me doen: mij veilig laten zakken vanuit een hoog raam en zijn mond houden. Als je niemand kunt vinden die me daarmee kan helpen, moeten we ons zelf maar redden. Maar ik wil wel vandaag al actie ondernemen, voordat het weer gaat regenen of sneeuwen.'

'Oké, doe ik, baas, het is jouw nek. Waar gaat het allemaal om?'

'Dat leg ik wel uit als je terug bent.'

Een paar uur later was Maurice terug op Silvertown Dock, vergezeld van een magere man met rood haar en een baard, die er sterk uitzag. Hij had een groene fleece van Berghaus aan, en droeg een touw en een rugzak vol klimmateriaal. Hij heette Sean en kwam uit Bethnal Green, waar veel fantastische alpinisten vandaan komen. Ik had nog steeds mijn trainingspak aan en een paar sportschoenen van na de training op Hangman's Wood. Ik nam beide mannen mee naar boven, naar suite 123 en deed de deur achter ons op slot.

'Wat is dit hier nou?' vroeg Sean.

'Dit is een privéskybox. Van iemand uit Qatar.'

'Echt? Het ziet er net zo uit als het interieur van mijn vaders Jaguar.'

Ik nam Sean mee naar de keuken en deed het raam open.

Hij keek naar buiten en knikte ernstig. 'Dat is een meter of vijftien naar de grond.'

'Zo ongeveer, ja. Ik schat een meter of zes naar de neerwaartse dwarsbalk en dan nog negen naar de grond.'

'Je wilt dit echt, hè?'

'Ja.'

'Die dwarsbalk ziet er een beetje onhandig uit. Daar zou je niet op moeten klimmen. Vooral niet met dit weer. Het ziet er glad uit.'

'Waarschijnlijk heb je gelijk.'

'Wat is daar eigenlijk de bedoeling van? Die balk, bedoel ik. Heeft die een functie?'

'Dat is moderne architectuur,' zei ik. 'Er is geen functie, alleen vorm.'

'Maar waar gaat het allemaal om?' vroeg hij. 'Ben jij een adrenalinejunkie? Of heb je je mobiele telefoon uit dat stomme raam laten vallen?'

'Laten we zeggen dat ik het gewoon doe omdat het kan.'

'Grapjas.' Sean glimlachte dunnetjes. 'Iedereen denkt tegenwoordig maar dat hij Mallory en Irvine kan nadoen. Heb je wel eens eerder geklommen?'

'Alleen de trap,' zei ik.

'Heb je hoogtevrees?'

'Daar komen we spoedig achter, denk ik.'

'Dat is waar.' Sean zuchtte. 'Tweehonderd pond en een paar kaartjes, toch?'

Ik knikte en gaf hem het geld en de kaartjes, die ik in mijn zak had, voor de wedstrijd tegen de Hammers.

'Alsjeblieft.'

'Oké, maat. Ik had liever kaartjes voor Tottenham gehad, maar dit moet het maar zijn, denk ik. Bedankt.'

Al die tijd bleef hij om zich heen kijken alsof hij de omgeving inspecteerde. Toen liep hij de keuken uit en wees naar de schuifdeur. 'Wat is daarbuiten?'

Maurice trok de jaloezieën omhoog en schoof de deur open, waardoor de tribunes om het veld zichtbaar werden.

'Ha,' zei Sean. 'Dat zocht ik.' Hij wees naar de stoelen voor de skybox. 'Het eerste principe van klimmen: zoek iets wat sterker is dan jijzelf om een touw aan vast te binden. Die stoelen zijn prima.'

Toen hij het touw aan de rij stoelen had bevestigd haalde hij de klimgordel uit zijn rugzak. Hij liet me in de beenlussen stappen en trok de banden om mijn middel en benen aan. Hij controleerde of de gespen hun werk naar behoren deden en trok toen een lus voor mijn navel naar zich toe.

'Dit is de belaylus,' legde hij uit. 'Het sterkste punt van de gordel, daarmee zit je aan het leven vast. Ben je links of rechts?'

'Rechts.'

Hij nam een karabinier, waarmee hij een achtvormig stuk ijzer aan de belaylus hing; daarna schroefde hij de karabinier dicht. Toen nam hij een eind touw en duwde dat door de acht. 'Het onderste deel van het touw gebruik je om te remmen,' zei hij. 'De remhand is je rechterhand en daarmee moet je de lijn altijd blijven vasthouden. Je mag hem geen seconde loslaten. Met je andere hand houdt je het bovenste eind van het touw vast. Met die hand geleid je het touw. Je zit nu veilig vast.'

'Ik krijg langzamerhand het idee dat mijn tweehonderd pond goed besteed is,' zei ik.

'Hopelijk kom je er nooit achter hoe goed,' zei Sean. 'Het enige wat je nu nog moet doen, is je inbinden.'

Nadat hij me de principes van het inbinden had uitgelegd en we een paar keer hadden geoefend, waren we klaar voor de afdaling.

'Als je te snel gaat, breng je je remhand – je rechterhand – omhoog. Daarmee vergroot je de weerstand en daardoor ga je langzamer. Begrepen?'

'Ik begrijp het.'

Hij gaf me een helm en ik gespte hem vast. Een paar minuten later hing ik buiten het raam in mijn gordel, zoals geïnstrueerd met beide handen aan het remtouw. Steeds als ik de dubbele greep op het remtouw liet vieren, zakte ik omlaag.

'Doe kalm aan,' zei Sean. 'Steeds een meter tot je een beetje vertrouwen in je kunnen krijgt.'

Vanuit het keukenraam vierde ik het touw met kleine beetjes tegelijk tot ik op mijn tenen op een van de hoofdbalken van de Crown of Thorns stond. Daar kon ik het stalen oppervlak van de neerwaartse balk van dichtbij inspecteren en werd bevestigd wat ik al vermoedde: Zarco was uit het keukenraam gevallen. Hij had de hoofdbalk geraakt waarop ik nu stond, was om zijn as gekanteld en onder een hoek verder gegleden, waarbij hij een laag vuil en vogelstront van het gepolijste staal had geveegd.

Ik gaf mezelf nog wat touw en ging zitten. Daarna volgde ik het spoor langs de balk op mijn achterste, omlaag en meedraaiend, als een kind op een glijbaan in een zwembad, tot zo'n twaalf meter verder het spoor in het vuil en de vogelstront plots naar links afboog en daarna ophield. Op dat punt moest Zarco van de balk zijn gegleden en een tweede keer zijn gevallen, dit keer op het beton zes meter lager, waar Maurice nu stond. Dit bevestigde wat ik al wist: Zarco was niet in elkaar geslagen, alle verwondingen die in het sectierapport waren beschreven, pasten bij een val uit het keukenraam van suite 123.

Aangezien je het raam niet kon zien vanaf de grond – geen enkel raam eigenlijk – was het niet verwonderlijk dat de politie op het verkeerde spoor zat. Die fout had ik ook gemaakt toen ik de plaats delict de eerste keer zag. Maar het bleef ondanks alles een misdrijf; het was geen ongeluk, en ook geen zelfmoord. Zarco was dan misschien bang geweest dat Viktor Sokolnikov erachter zou komen dat hij met voorkennis aandelen had gekocht, hij was niet het soort man dat uit het raam springt. Bovendien was hij zaterdagochtend in een opperbeste stemming geweest. Hij had altijd een goed humeur voor een grote wedstrijd, zeker als hij dacht dat we de wedstrijd zouden winnen.

Nee, iemand had hem uit dat raam geduwd – hem een duw gegeven die tot zijn dood had geleid. Dat was de enige logische verklaring voor het feit dat Paolo Gentile zijn zonnebril op de vloer had aangetroffen.

# 38

Nadat Sean was vertrokken, en ik weer alleen was met Maurice, vertelde ik hem van de vijftigduizend pond die ik in het vriesvak had gevonden. Ik legde hem mijn theorie uit over wat er met Zarco was gebeurd – dat iemand hem uit het keukenraam had geduwd.

'Er zit een kleine bloedvlek op de balk meteen onder het raam,' zei ik. 'Daar moet hij met zijn hoofd tegenaan zijn geslagen.'

'Klinkt logisch,' zei Maurice. 'Het verklaart in ieder geval waarom de deur naar die serviceruimte van buiten op slot zat, domweg omdat niemand die ooit had geopend.'

'En het verklaart ook waarom niemand een beroemdheid als Zarco onderweg naar die serviceruimte heeft gezien: hij is daar nooit heen gegaan, tenminste niet via de trap.'

'Maar waarom geloof je dat Paolo Gentile die zonnebril precies zo heeft gevonden als hij beweert?' vroeg Maurice. 'Misschien liegt hij. Misschien hadden Zarco en hij ruzie. Over dat handgeld bijvoorbeeld. Misschien heeft hij Zarco wel uit dat raam geduwd.'

'Het is waar dat ze eerder al hadden lopen bekvechten over dat handgeld,' zei ik. 'Ik heb ze erover zien ruziën bij een tankstation in Orsett. Maar het handgeld is uiteindelijk wel betaald – het deel in contant geld in ieder geval, dus het lijkt onwaarschijnlijk dat ze daar ruzie over zouden krijgen.'

'Ja, maar hij is diezelfde dag als een speer naar Milaan vertrokken. Hij heeft de wedstrijd niet eens afgewacht. En dat is precies wat ik gedaan zou hebben als ik Zarco een doodsmak had laten maken: op het eerstvolgende vliegtuig naar huis. Zodra iemand in Italië zit, is het niet zo eenvoudig om hem hier voor de rechter te slepen. Als je daar geld hebt, kun je de autoriteiten van het kastje naar de muur sturen. Kijk maar naar Berlusconi. Die doet dat al jaren met succes.'

'Maar ik geloof het niet, Maurice. Zarco heeft Viktor Sokolnikov overgehaald om Gentile in te schakelen voor de transfer van Kenny Traynor in plaats van Denis Kampfner. Viktor is een kip die gouden eieren legt voor een spelersmakelaar als Gentile. Wie weet hoe vaak Zarco Viktor had kunnen overhalen om nog eens een gouden ei te leggen voor onze Italiaanse vriend. Ik geloof niet dat Gentile Zarco heeft vermoord. Hij heeft veel te veel te verliezen bij zijn dood.'

'Oké, dat klinkt logisch.'

'Maar Viktor, aan de andere kant...'

'Ga me niet vertellen dat je denkt dat Viktor het heeft gedaan,' zei Maurice.

'Ik weet het niet. Misschien. Er is een filmpje op YouTube waarin hij een andere Russische oligarch, Alisjer Aksjonov, live op tv een kopstoot geeft. En dat ziet er gemeen uit. Als Viktor heeft ontdekt dat Zarco aandelen SSAG heeft gekocht, is hij misschien wel zo kwaad geworden dat hij hem een klap heeft verkocht.'

'Maar hij was bij die mensen van de Royal Borough of Greenwich toen Zarco verdween, toch?'

'Maar een deel van de tijd. Zaterdagmiddag, toen Phil Hobday me kwam vertellen dat ze Zarco niet konden vinden, zei hij dat Viktor ook naar hem op zoek was. Maar gisteren heb ik in mijn kantoor met Viktor gesproken en die zei dat hij de hele middag bij de lui van de Royal Borough of Greenwich was geweest. Een van beide vergist zich, of hij liegt.'

'Fuck, Scott. Wees voorzichtig. Je hebt de baan nog maar net.'

'Luister. Iemand is hier geweest met Zarco. Ik denk dat diegene hier met Zarco een kop koffie heeft zitten drinken. Er stonden alleen maar drie koffiebekers in de vaatwasser, die nog aan was toen ik voor het eerst in die skybox kwam. Een keer door de vaatwasser is een verdomd goede manier om van vingerafdrukken af te komen. Dus veronderstel dat Viktor Zarco in suite 123 aantrof. Misschien hebben ze samen een kop koffie gedronken en besloot Zarco alles op te biechten aan Viktor, waarna Viktor op tilt sloeg. Wie zou hem dat kwalijk kunnen nemen? Dat filmpje op YouTube laat zien dat Viktor wel voor zichzelf kan opkomen. En dat hij een opvliegend karakter heeft. Hij zegt zelf dat hij vroeger veel meer dan nu een zakenman was die ook zijn handjes liet wapperen. In de richting van tegenstanders.'

'Ja, maar waarom zou hij jou vragen om de moord op Zarco te onderzoeken als hij het zelf heeft gedaan? Dat is niet logisch.'

'Dat heb ik me ook afgevraagd. Maar ik ben Sherlock Holmes niet, hè? Ik ben maar gewoon een klojo in een trainingspak. Dus misschien is het alleen maar zijn bedoeling dat ik de politie voor de voeten loop en ervoor zorg dat zij niet ontdekken dat hij Zarco heeft vermoord. En dat heeft dan tot nu toe heel aardig gewerkt, toch? Ik bedoel, de politie heeft geen flauw idee van wat er echt is gebeurd. Die is buiten Jean Jacques Cousteau'tje aan het spelen, op zoek naar een moordwapen, een stomp voorwerp dat helemaal niet bestaat. Het enige stuk metaal dat Zarco op zijn hoofd heeft geraakt is een stalen balk van een paar ton pal onder dat keukenraam. Zonder wat ik weet, weet de politie nagenoeg niets. Die weet niets van de skybox, niets van Paolo Gentile, van het handgeld voor Kenny Traynor, van het geld in het vriesvak, van de aandelen SSAG, en van het feit dat Zarco zich zorgen maakt vanwege Viktor. Dat beweert Toyah tenminste. Zij is ook bang voor hem. En er is nog iets, Maurice.'

'O, fuck. Ik geloof niet dat ik het wil horen.'

'Viktor laat mij Zarco vervangen als manager van London City. Een van de beste banen die je maar kunt krijgen in het betaalde voetbal. Ik krijg hetzelfde betaald als Zarco, plus bonussen. Viktor geeft me zelfs een waardevol portret van Zarco om me lekker te maken. Om me te motiveren, zegt hij. Veronderstel nu eens dat ik iets ontdek, iets wat Viktor verdacht maakt. Wat doe ik dan? Natuurlijk ga ik niet naar de politie. Hij weet dat ik de politie haat. Volgens Viktor is dat een van de redenen waarom hij mij heeft gevraagd om voor speurneus te spelen. Omdat hij weet dat ik hem niet zal verlinken. Dus als ik iets ontdek, kan ik twee kanten op. Ik confronteer hem ermee en dan zal hij zijn best doen om mij te overtuigen dat ik mijn mond moet houden. Misschien probeert hij me wel om te kopen. Ik weet het niet. Of ik moffel het bewijs weg in het belang van mijn o zo genereuze werkgever, en mijn eigen glanzende toekomst bij deze club, niet te vergeten.'

'Wacht even.'

'Wat?'

'Er is nog een derde mogelijkheid die je in het oog moet houden.

Namelijk dat Viktor niet probeert om je om te kopen of je ervan te overtuigen dat je je mond moet houden, maar dat hij druk uitoefent. Dat hij je bedreigt. Sommige van die lijfwachten die voor hem werken, zijn echt enge kerels. Ik zat met een van hen in de stoomkamer op Hangman's Wood en die kerel had meer fucking tattoos dan je op een strand op Ibiza bij elkaar ziet. En ook echte Russische maffiatattoos. Niet van die "Mam"- en "Paps"-flauwekul, en "Scotland forever", maar tattoos die iets betekenen voor insiders. Let op mijn woorden, baas, als je een probleem hebt met Viktor, kun je zomaar spoorloos verdwijnen. We zitten hier per slot van rekening wel in het East End van Londen, hè? Er verdwijnen hier al mensen sinds de tijd dat ze prinsen wegstopten in de Tower. Als iemand je op een donkere avond de rivier in schuift, is de kans groot dat je nooit meer teruggevonden wordt. En dat denk ik niet alleen. Dat zongen de supporters van Leeds ook, toen we op Elland Road speelden. Over Zarco. Misschien wisten ze wel helemaal niets over die foto die onder in dat graf op de middenstip lag, maar dat weerhield die proleten er niet van om zelf iets te verzinnen voor de gaten in het verhaal, zal ik maar zeggen. *Zarco is een huursoldaat/Die voor een beetje poen zijn moer verraadt/Maar Viktor heeft het laatste woord/Die heeft er al wel meer vermoord.*'

'Dat was ik vergeten.'

'Wat ik wil zeggen is: doe een beetje voorzichtig, baas. Dit is geen handtasjesgevecht met Mario Balotelli, het gaat om iemand met een heel troebel verleden. Ik heb die special van *Panorama* over Viktor gezien. Die man heeft meer lijken in zijn kast dan er in de piramiden in Egypte liggen. Dus je moet me beloven dat je hem niet zomaar van zoiets gaat beschuldigen zonder eerst met mij te praten, oké?'

'Gelukkig is het allemaal indirect bewijs,' zei ik. 'Zolang ik geen keiharde bewijzen vind, ben ik niet van plan iets geks te doen.' Ik haalde mijn schouders op. 'Maar het blijft wel een feit dat ik goed over mijn positie moet nadenken.'

'Hoe bedoel je?'

'Ik bedoel dat ik hier moeilijk kan blijven werken als ik tot de conclusie moet komen dat de man die de eigenaar is van deze club, João Zarco heeft vermoord. Dat zou onmogelijk zijn. Ongeacht al het andere zou ik me altijd blijven afvragen of hij me de baan heeft gegeven om me in te palmen. En het is gewoon een feit dat ik van Zarco hield. Ik zou de politie misschien niet kunnen inlichten, maar ik zou de nabijheid niet meer verdragen van iemand die Zarco heeft vermoord, of daar de opdracht voor heeft gegeven. Dat begrijp je wel, toch? Dan zou ik mijn vriendschap met Zarco verraden. Die mag dan misschien niet altijd even eerlijk geweest zijn, hij is wel altijd een goede maat voor me geweest. En daar gaat het om, Maurice.'

'Zou hij hetzelfde voor jou hebben gedaan? Dat weet ik niet.'

'Het gaat erom wat ík denk, Maurice. Het gaat om míjn geweten, niet om het geweten van Zarco. Toen ik in de bak zat, heb ik *Inferno* van Dante gelezen. Dat leek me wel passend in die hel die ze Wandsworth noemen. Dante zet Brutus en Cassius in het ergste deel van de hel, omdat ze ervoor kozen hun vriend Julius Caesar te verraden in plaats van hun land. Zo voel ik dat ook met Zarco.'

'Oké, dat snap ik. Maar hoe kom je erachter of Viktor schuldig is?'

'Dat weet ik niet. Ik denk dat ik mijn oren en ogen open moet houden om iets op te vangen wat zijn schuld of onschuld bewijst. En als ik er dan een tijdje over heb nagedacht, neem ik een besluit. Of ik bij de club blijf of wegga.' Ik haalde mijn schouders op. 'Dat is iets wat ik echt kan doen. Het wordt geen grootse scène in een restauratiewagen of de bibliotheek waarbij Hercule Poirot het mysterie onthult. Ik dien gewoon mijn ontslag in. Simpel.'

# 39

Een dag later stond inspecteur Considine op de drempel van mijn kantoor. Ze droeg een zwarte jas over een zwart jurkje. Voor een politievrouw had ze haar lippen opvallend rood gestift en ze glimlachte lief.

'Ik begin me een beetje schuldig te voelen,' zei ze, 'dat ik je van je kostbare tijd kom beroven.'

'Zo kostbaar is mijn tijd nu ook weer niet.'

'Ik denk dat jij niet zo goed meer weet wat wel en niet kostbaar is. Als je zo achteloos in zo'n flat in Manresa Road kunt wonen.'

Ik glimlachte. 'Volgens mij vind je die flat wel mooi.'

'Wie niet? Vergeleken daarmee is mijn eigen flat een bezemkast.'

'Kom nog maar een keertje langs, dan maak ik nog een kop koffie voor je.'

'Graag. Luister, ik kom hier om twee redenen. Om te beginnen wil ik mijn excuses aanbieden voor gisteren. Dat Matt Drennans vriend mevrouw Fehmiu heeft verkracht, heb ik niet bepaald tactvol gebracht. Dat moet nogal schokkend zijn geweest. Om nog maar te zwijgen van het feit dat jouw vriend er zijn mond over heeft gehouden. Dat spijt me. Echt. Ik deed natuurlijk alleen maar wat ik moest doen, maar...'

'Laat maar. Je zegt het zelf al, we doen alleen maar wat we moeten doen.'

'Echt? Ik had het wel een beetje anders kunnen aanpakken.'

'Excuses aanvaard. Wat was de andere reden?'

'Je zult een hekel aan me krijgen.'

'Nee, hoor.'

'Nog zo'n vervelende verplichting, ben ik bang. Alleen ga ik dit keer mijn uiterste best doen om iets meer tact te tonen.'

'Waar gaat het om?'

'Misschien weet je het niet meer, maar je hebt aangeboden om het lichaam van meneer Zarco te identificeren.'

'O, jezus, ja, dat is ook zo.'

'Ik kan me voorstellen dat er tig dingen zijn die je liever doet vanmiddag, maar het is belangrijk. Wettelijk vereist. Het lichaam is gelukkig niet zo ver hiervandaan, in East Ham. Ik kan je er zelf naartoe rijden. Nu, als het jou uitkomt, of anders later.'

Ik keek op mijn horloge. 'Nu komt eigenlijk wel goed uit.'

'Oké, dan gaan we.'

Ze belde even met het mortuarium dat we onderweg waren. Iedere keer dat ik haar zag, vond ik haar een beetje aardiger. Misschien kwam het doordat ze een chique uitstraling had. Dat mag ik wel, vrouwen die er chic uitzien. Maar het kwam vooral doordat ze slim was. Ik liep achter haar aan het stadion uit naar een zwarte Audi TT en stapte in. Even later reden we noordwaarts via East Ham High Street.

'Het enige wat ik van je weet, is dat je rechten hebt gestudeerd,' zei ik. 'Wilde je ooit advocaat worden? Of heb je te veel afleveringen gezien van *Inspector Morse*?'

'Eigenlijk wilde ik dierenarts worden, maar die droom heb ik opgegeven, omdat ik altijd flauwviel als ik bloed zag. Ik ben soms nog steeds een beetje teergevoelig.'

'Neem me niet kwalijk, maar een carrière bij de politie lijkt me niet echt een voor de hand liggend alternatief; helemaal niet onder de huidige omstandigheden.'

'Dat klopt. Meestal doen die dingen me niet zo veel. En ik werk echt heel graag bij de politie. Het gebeurt alleen zo nu en dan dat er iets is wat me van mijn stuk brengt. Maar ik heb een paar strategieën ontwikkeld om ermee om te gaan. Met lijken, bedoel ik. En jij? Vind jij het moeilijk? Om zo naar het lichaam van meneer Zarco te kijken?'

'Dat vertel ik je wel als ik hem zie.'

'Hoezo, wou je zeggen dat je nog nooit eerder iemand hebt gezien die dood is?'

'Dat klinkt alsof dat wel had gemoeten. Ik ben pas veertig. Mijn beide ouders leven nog en mijn grootouders ook.'

'O, ik snap het. Toen je vrijwillig aanbood om dit te doen, dacht ik dat je er vertrouwd mee was.'

'Ik heb het aangeboden omdat ik hoopte zijn vrouw te kunnen ontzien, en omdat ik hem langer heb gekend dan zij. Maar ik ben absoluut niet vertrouwd met dit soort dingen. Misschien kun je me eigenlijk wel iets meer vertellen over een strategie om die teergevoeligheid te bestrijden, voordat ik sta te wankelen op mijn benen.'

'Het is gewoon een ampul vlugzout. *Sal volatile*. Ik heb een paar ampullen in mijn tas. Ik weet dat het een beetje ouderwets klinkt, maar het is wetenschappelijk verantwoord, hoor. Ze geven het gewichtheffers bij de Olympische Spelen voordat ze aan de bak moeten, omdat de ammoniak een reflex teweegbrengt waarbij je diep inademt, en het sympathische zenuwstelsel activeert. Daardoor versnelt de hartslag en wordt de bloeddruk hoger, en dat gaat de flauwte tegen. Voordat ik naar een lichaam moet kijken, snuif ik iets van dat spul op en dan gaat het meestal wel goed. Het is nu gewoon een onderdeel van mijn forensische gereedschapskist.'

'Oké. Zou je, als ik van mijn stokje ga, mijn kleren een beetje willen losknopen? Ik ben ook een beetje ouderwets. Bovendien kom ik graag weer bij met een glimlach op mijn gezicht.'

'Je bent grappig, wist je dat?'

'Ik ben blij dat je dat denkt.'

Toen we in de buurt kwamen van het East Ham Mortuary wees ze naar links en zei: 'Volgens mij ligt West Ham Football Ground een kilometer of zo die kant op, aan Barking Road.'

'Die jongens daar lopen erbij alsof ze nu al last hebben van rigor mortis. Dan is het wel handig om het mortuarium om de hoek te hebben.'

'Jullie spelen morgenavond tegen ze, toch?'

'Ja. De return van de halve finale in de Capital Cup. Vind je het leuk om mee te gaan als mijn gast? Dan kunnen we na die tijd eten in de skybox van de directie.'

'Als jij me uitnodigt, kan ik moeilijk nee zeggen, wel? Maar als jullie verliezen, word je dan niet vreselijk chagrijnig? Dat je voetbalschoenen naar mensen gaat gooien, en zo? Misschien gooi je er wel een naar mij. Na gisteren zou me dat niet meer verbazen.'

'Het was sir Alex Ferguson die dat deed, inspecteur. Bovendien verliezen we niet. We gaan winnen. En ik beloof je dat ik niet chagrijnig zal worden. Maar neem het vlugzout maar mee, voor het geval dat.'

'Ga je weer zo'n inspirerende speech houden. Net zoals die op YouTube?'

'Als ze winnen, doen ze dat niet voor mij, maar voor João Zarco.'

'Dat is mooi voor het elftal, maar niet goed genoeg voor mij. Als ik meega naar die wedstrijd, moet dat zijn omdat ik jou zo nu en dan wil zien glimlachen. En ik doe het alleen als je belooft dat je het aan niemand zult vertellen. Ik zou het vreselijk vinden als ze op Stanford Bridge te horen zouden krijgen dat ik mee ben geweest naar jouw wedstrijd.'

'Het is Stamford Bridge. En ik geloof dat u van uw leven nog nooit naar een voetbalwedstrijd bent geweest, juffrouw Considine.'

Even voorbij een park zette ze de auto langs een stoeprand, die was gemarkeerd met een dubbele gele streep, voor een klein gebouwtje, opgetrokken in de stijl van de jaren zestig. Het leek nog het meest op een openbare bibliotheek en op een hoek was een kleine aanbouw die veel weg had van een kapelletje. Om de tuin liepen een hek en een heg en er stond een grote eik. Ze glimlachte ontwapenend.

'Oké. Eerlijk is eerlijk. Ik ben nog nooit naar een wedstrijd geweest. En ik heb ook gelogen toen ik zei dat ik supporter van Chelsea was. Maar je kunt niet ontkennen dat José Mourinho een knappe kerel is. Heel knap.'

'Dat kan ík heel goed ontkennen, juffrouw Considine. Voor mijn part op een hele stapel bijbels.'

'Zeg alsjeblieft Louise. Als ik Mourinho moet afzweren en supporter van jou moet worden, wil ik wel "je" en "jij" zeggen, goed?'

'Afgesproken. Louise.' Ik glimlachte. 'Doe je dit allemaal om mij een goed gevoel te geven voordat we daar naar binnen gaan?'

'Je zult moeten wachten tot morgenavond voordat je daar een antwoord op krijgt,' zei ze.

Ze stapte uit de auto, deed het hek open en reed een korte oprit op.

Eenmaal binnen, in het mortuarium, gaf ze me een kleine glazen ampul in een stoffen omhulsel.

'Ammonia,' zei ze. 'Gewoon onder je neus doormidden breken als je voelt dat je onderuit zult gaan.'

Een medewerker van het mortuarium begroette ons. Het was een kleine, kalende man met een gouden tand en een speldje van Arsenal in zijn revers. Dat vond ik moedig, zo dicht bij Upton Park. Hij leidde ons naar een kamer waar een gordijn voor een raam in een tussenmuur hing.

'Ben je er klaar voor?' vroeg Louise.

Ik knikte.

Ze brak een van die kleine witte ampullen onder haar neus en haalde heftig adem. Er hing plotseling een doordringende geur van ammonia in de lucht. Ze hapte naar adem en knipperde met haar ogen alsof ze tegen de felle zon in keek.

De grijze gordijnen gingen open en Zarco's lichaam werd zichtbaar op een brancard. Zijn lichaam was voor het grootste deel afgedekt met een groen laken, maar ik had graag gezien dat het laken ook zijn hoofd had bedekt. Hij was zo'n knappe man geweest, minstens zo knap als Mourinho, die hij natuurlijk goed had gekend, omdat beiden Portugees waren. Zijn uit gewoonte ongeschoren gezicht was zwaar gekneusd en zijn schedel was ingedeukt als een weggegooide, lege plastic fles. Het was het enige deel van zijn hoofd dat enige kleur had. De grijze tint van de rest gaf hem het uiterlijk van een figurant die een zombie moest spelen in een horrorfilm. Maar het was onmiskenbaar Zarco. Ik herkende het haar, dat als staalwol op zijn schedel lag, de pruilmond en de brede neus. Die neus zou ik overal hebben herkend. Ik had hem vaak genoeg boven een goed glas wijn zien hangen, het bouquet opsnuivend als een ware kenner. Ik herinnerde me het etentje in 181 First, een restaurant in München, toen hij me de baan bij London City aanbood, en de fles Spätburgunder van tweehonderd euro die hij bestelde om de deal te bezegelen, en hoe hij van die rode wijn had genoten. Ik herinnerde me dat het restaurant ronddraaide in de olympische toren met een fantastisch uitzicht van 360 graden over München, en zelfs nu zag ik ons nog aan onze tafel zitten en ronddraaien, en ik herinnerde me dat ik die avond te veel had gedronken – wij allebei – en toen begon alles om me heen te tollen tot Louise, goddank, iets onder mijn neus hield en ik me met een ruk afwendde van de geur van ammonia en haar hand en het venster op de wereld hierna.

'Gaat het?' vroeg ze toen ik door de deur van het mortuarium naar buiten wankelde.

Buiten, in de openlucht, veegde ik een traan uit mijn ooghoek. Ik knikte. 'Hij is het,' zei ik. 'Het is Zarco. Het spijt me van zonet.'

'Het is goed.' Ze pakte mijn hand en drukte er snel een kus op. 'Kom op. Ik breng je terug naar Silvertown Dock.'

# 40

Op weg van Silvertown Dock naar Chelsea ging ik nog een keer bij Zarco's weduwe langs. Ik had haar niets bijzonders te zeggen, maar nadat ik haar die ochtend tevergeefs had laten bellen, had ik een aantal keren geprobeerd haar terug te bellen, zonder succes. Ik wist niet of ze verder nog iemand had op wie ze kon terugvallen, afgezien van Jerusa, de huishoudster. Ik was echter vastbesloten om de vrouw van mijn vriend niet in de steek te laten, alleen maar omdat ik haar niet echt mocht. Net als veel mensen uit Australië in Londen doet ze naar mijn smaak net een beetje te neerbuigend over Londen en het vreselijke weer in Londen. Zodat je je gaat afvragen: als je het zo erg vindt, wat doe je hier dan verdomme? De enige keer dat ik in Australië ben geweest, heb ik me uitstekend vermaakt. Tegelijkertijd was het, als je daar was, echter niet zo moeilijk om in te zien waarom zo veel mensen uit Australië in Londen kwamen wonen. Het weer was zonder meer de minst belangrijke reden. Afgezien van het weer was alles in Londen beter dan in Australië. Vooral het voetbal.

Ik belde tevergeefs aan. De agent die voor de deur stond, herkende me van de vorige keer en zei dat ze nog steeds thuis was, maar dat hij haar de hele dag al niet meer gezien had. Daar maakten we ons beiden een beetje zorgen over, dus stond hij mij toe door de brievenbus te roepen. Toen ze na verloop van tijd de trap af kwam en me binnenliet, droeg ze een lange zijden peignoir. Het was duidelijk dat ze in bed had gelegen.

'Het spijt me,' zei ik. 'Ik begon me een beetje zorgen te maken. En de politieagent buiten ook.'

'Ik ben niet het type om er een eind aan te maken, Scott. Niet om een man. En zeker niet om een man die me bedroog met een snol op Hangman's Wood.'

'Heeft de politie je dat verteld?'

'Dat hoefde niet. Ik wist wat hij uitspookte. Ik wist het en ik heb de andere kant op gekeken, omdat ik wist dat het nergens toe zou leiden, oké? Begrijp me goed. Ik hield van Zarco. Maar zo nu en dan kon hij zich niet beheersen. En een affaire op het werk? Dat was gewoon stom.' Ze stak een sigaret op. 'Wil je thee?'

Ik trok mijn jas uit en we daalden af naar het ruimteschip dat dienstdeed als keuken. Dat gaf mij de gelegenheid om een ander onderwerp aan te snijden.

'Het spijt me dat ik je wakker heb gemaakt, Toyah.'

'Dat geeft niet. Ik heb een pil genomen nadat ik je vanochtend had gebeld en vanaf die tijd heb ik geslapen. Het is eigenlijk maar goed dat je me hebt wakker gemaakt. Ik heb nog zoveel te doen.' Ze keek op haar horloge. 'En blijkbaar nog maar heel weinig tijd om het allemaal te doen. Jezus, ik had geen idee dat het al zo laat was. Ik moet zeker acht uur hebben geslapen.'

'Dat is goed,' zei ik. 'Het is waarschijnlijk het beste medicijn tegen verdriet.'

Ik keek ernaar uit om zelf naar bed te gaan. Sonja had me een soort neutraal sms'je gestuurd dat ze hoopte dat het goed met me ging, en ik had haar een sms teruggestuurd om dat te bevestigen, maar ook al was Louise Considine constant in mijn gedachten, ik wist dat ik me een stuk beter zou voelen als ik eenmaal diep in slaap was.

'Ik heb zijn lichaam geïdentificeerd,' zei ik. 'Ongeveer een uur geleden. Het leek me dat je dat zou moeten weten.'

'Dank je. Ik waardeer het dat je dat hebt gedaan. Het was vast een nare ervaring.'

Ik haalde mijn schouders op.

'Heeft de politie al enig idee?' vroeg ze. 'Wie Zarco heeft vermoord, en waarom?'

'Ik weet het niet.'

'En jij?'

'Nee,' loog ik. 'Nog niet. Maar het is nog maar net gebeurd.'

Ze schonk thee en we gingen aan de lange houten tafel zitten.

'Je vroeg me om het je te vertellen als er iets bijzonders zou gebeuren,' zei ze. 'Iets wat de gaten zou opvullen, zei je. En er is iets gebeurd. De aannemer is langs geweest, Tristram Lambton. Hij is aan het werk op nummer 12. Hij zei dat hij zijn deelneming kwam betuigen, maar het duurde maar even of hij begon over de werkelijke reden voor zijn komst. Hij vroeg of Zarco ook een envelop had achtergelaten voor hem.'

'Een envelop?'

'"Ik vind het vervelend om het nu ter sprake te moeten brengen, mevrouw Zarco," zei hij, toen hij klaar was met zijn condoleances, "maar wijlen uw echtgenoot had beloofd dat hij me contant zou betalen voor een deel van de verbouwing. Heeft hij misschien iets voor me klaargelegd? Een envelop?"'

'Hoeveel?'

'Twintigduizend pond contant, zei hij.'

'Dat is veel voor een envelop,' zei ik. 'Ik weet dat aannemers graag contant betaald worden, maar voor twintig mille heb je twee handen nodig. Misschien wel drie of vier.'

'Vertel mij wat. Maar ik kan in alle eerlijkheid niet zeggen dat ik verbaasd was. Zarco was betrokken bij allerlei akkefietjes. Hij was een typische Portugees. Altijd bezig met handeltjes. Daar leefde hij van. Een echte scharrelaar.' Ze nam een verwoede trek van haar sigaret. 'Hoe dan ook, ik heb hem verteld dat Zarco het tegenover mij niet over geld heeft gehad, maar ik ben toch in de kluis gaan kijken, voor het geval dat. Daar lag geen envelop in. Tenminste geen envelop met duizenden ponden. Tristram zei iets in de trant van: "Als je het ergens vindt, wil je het me dan laten weten?" En ik zei dat twintigduizend pond nu niet bepaald een hoeveelheid geld was die je zomaar zou aantreffen in Zarco's sokkenla. En daar is het bij gebleven.'

Ik knikte. 'Wat voor soort man is dat, die Tristram?'

'Een knappe jongen. Ziet er goed uit. Geld zat en een Bentley. Maar wel een goede aannemer. Onze architect schat hem heel hoog in. En Zarco ook.'

'Ik ga wel met hem praten,' zei ik. 'Meteen als ik mijn thee op heb.'

'Bedankt, Scott. Dat waardeer ik.'

Om de schijn op te houden bleef ik nog een kwartier. Het huis had iets vreemds zonder Zarco's luide stem en zijn lach. Zelfs de kat leek zich niet helemaal op zijn gemak te voelen. Ik ging naar het toilet, trok mijn jas weer aan, ging naar buiten en liep naar de andere kant van het plein.

Het was donker, en het tijdstip waarop bouwvakkers naar huis gaan, was allang verstreken, maar het licht en het lawaai achter het scherm van Lambton Construction, dat de gevel van nummer 12 aan het oog onttrok, maakte duidelijk dat er nog hard werd gewerkt. Ik hoorde een timmerman die de ene na de andere spijker in hout joeg. Ik liep door een houten deur in de schutting aan de zijkant naar achteren langs de zijgevel van het huis, die ingrijpend veranderd was door het plaatsen van een enorm raam. Ik liep een stenen trap af en stuitte op een man die een sweater met een capuchon droeg en daarbovenop een helm. Hij had een sjekkie in zijn mond en een plank op zijn schouder.

'Hé,' zei hij met een zwaar buitenlands accent, 'wat kom jij hier doen, knulletje? Ons gereedschap jatten of zo?'

'Nee, ik kom niet jullie gereedschap jatten.'

'Want ze jatten ons gereedschap en dan zegt de baas dat wij dat zijn. Hij dreigt het van ons loon af te trekken.'

'Nee, dat wil ik niet.'

'Wat wil je dan wel? Kom je klagen? Want ik werk hier alleen maar, snap je?'

'Ik zoek meneer Lambton. Ik ben een vriend van mevrouw Zarco.'

De man kneep zijn kleine ogen tot spleetjes. 'Tuurlijk, ik ken jou,' zei hij. 'Jij bent die voetbalkerel. Scott Manson. Jij speelde voor Arsenal, nu weet ik het weer. En nu ben je manager van City. Maar ik houd meer van Arsenal. Een goed elftal. Beter dan City, vind ik. Arsenal is koek zoals je moeder die bakt. Goede koek. City is koek die je in de winkel koopt. Minder goed. Duurder ook.' Hij nam een laatste trek van zijn sjekkie en gooide de peuk in het huis. 'Hé, heb jij kaartjes?'

'Nee, die heb ik niet. En ik zoek nog steeds naar meneer Lambton.'

'Daar zijn er twee van. Broers, snap je? Tristram en Gareth. Welke zoek je?'

'Tristram.'

'Oké, wacht hier, dan haal ik hem op.'

Hij legde de plank neer, liep een doolhof van steigers in die werd verlicht met een enkele kale peer en liet mij achter met mijn gedachten, een warboel van van alles en nog wat. Als ik een beetje meer tijd zou hebben, zou ik het allemaal op een rijtje kunnen zetten, zou ik onderscheid kunnen maken tussen wat belangrijk was en wat niet. Detective spelen in het onderzoek naar de dood van Zarco leverde meer problemen op dan alleen maar een wedstrijd spelen op dinsdagavond tegen West Ham op volle oorlogssterkte. Het viel niet te ontkennen dat ik me onder druk gezet voelde. Op de wc bij Toyah had ik een artikel in een krant onder ogen gehad waarin het fantastische leven van een voetbalmanager werd verheerlijkt, en ik bedacht dat het inderdaad een heel plezierig bestaan zou zijn als je je alleen maar met voetbal hoefde bezig te houden. Maar het zijn al die andere dingen die je in de schoot geworpen krijgt, die het zo'n zware klus maken. Gedumpt worden door je vriendin, de belastingdienst die je accountant op de huid zit omdat ze vinden dat je meer belasting moet betalen, fucking journalisten die hun kamp opslaan voor je voordeur, homoseksuele voetballers die zich te buiten gaan aan drugs, een van je oudste vrienden die zich opknoopt.

Ik haalde mijn iPhone uit mijn rugzak in de hoop dat ik een deel van al die shit die zich voor mijn voordeur ophoopte, zou kunnen afhandelen. Een e-mail die ik over João Zarco had opgesteld voor Hugh McIlvanney leek me niet meer voor verbetering vatbaar, dus verstuurde ik hem, met een kopie naar Sarah Crompton. Jane Byrne wilde in samenwerking met *Crimewatch* een reconstructie op touw zetten van de laatste momenten van Zarco's leven tijdens onze eerstvolgende thuiswedstrijd volgend weekeinde. Daar stemde ik mee in. Er was een e-mail van UKAD waarin ik werd uitgenodigd voor overleg op het hoofdkantoor van de FA, zodat ik mijn kennis omtrent protocollen bij dopingcontroles kon opfrissen. Stelletje idioten. Of ik voor *Footbal Focus* een interview wilde geven. Flikker op! Ik had al nee gezegd tegen *Gilette Soccer Saturday* en TalkSPORT. Een oude maat uit mijn tijd bij Southampton had de baan als manager van Hibernians gekregen en vroeg om advies. Die kon ik hem wel geven omdat ik Edinburgh kende: zorg dat ze je er niet onder krijgen.

Daarna bladerde ik door een aantal sms'jes. De mensen van Rape Crisis vroegen een bijdrage. Die zegde ik toe. Tiffany Drennan liet me weten dat Drenno vrijdag zou worden begraven. Viktor stuurde me een sms met de mededeling dat hij op tijd terug zou zijn uit Rusland voor de wedstrijd van dinsdagavond, en dat hij Bekim Develi zou meenemen. De rode duivel zelf had me een sms gestuurd om me te vertellen dat hij ernaar uitkeek om voor City te spelen en dat hij ervan overtuigd was dat we met succes zouden samenwerken. Ik stuurde hem een sms terug met één woord: *welkom*. Ondertussen zocht ik met Google op mijn iPad Warwick Square op, en ontdekte ik dat ze een eigen website hadden met een actieve bewonersvereniging en een handige tabel met prijzen van onroerend goed. Een flat kostte een onthutsende twee miljoen pond, terwijl de paar huizen die er te koop stonden, begonnen bij acht miljoen. Cool.

Het verbaast je nooit wat je eigen huis waard is, maar het verbaast je altijd weer hoeveel andere mensen voor hun huis willen hebben.

'Kan ik je helpen?'

De man die me aankeek, was in de dertig, mager, zo'n een meter tachtig lang. Hij droeg een bruine jas van Crombie met een fluwelen kraag en een gele helm.

'Ik ben een vriend van Zarco,' zei ik.

'Dat weet ik,' zei hij. 'Ik heb je op tv gezien, toch? in *A Question of Sport*.'

'Aan je geheugen mankeert niets. Kunnen we ergens praten?'

'Waarover?'

'Ik heb begrepen dat je mevrouw Zarco hebt opgezocht,' zei ik. 'Om te praten over geld dat je nog moet krijgen. Twintigduizend pond om precies te zijn.'

Tristram Lambton aarzelde.

'Maak je geen zorgen,' zei ik. 'Je zegt dat je me herkent van tv? Dat zou je moeten geruststellen dat ik niet namens de belastingdienst kom, of Binnenlandse Zaken. Het interesseert mij niet wie je voor je laat werken in de bouwput en hoe je die betaalt. Ik kom alleen maar om mevrouw Zarco te helpen, als ik dat kan.'

'Mijn auto staat daar. Laten we daar maar praten.'

Het was een zilvergrijze Bentley met alle extra's. Als je het portier dichttrok, was het net of je over de drempel stapte van een zeer exclusieve herensociëteit. Zo rook het er ook. Een en al leer en sigaren en dik hoogpolig tapijt.

'Ik wist niet dat mevrouw Zarco niet op de hoogte was van mijn afspraak met haar echtgenoot,' zei Lambton. 'Ik hield er achteraf een heel naar gevoel aan over. Maar ik dacht: weduwe of niet, voor haar is het waarschijnlijk het beste om het bouwproject zo snel mogelijk af te ronden, zodat ze de boel van de hand kan doen en verder kan met haar leven. Want het lijkt dat ze dat wil. Om eerlijk te zijn is de hele klus vanaf het begin een fucking nachtmerrie geweest.'

'Die indruk had ik al, ja. Maar hoe luidde de afspraak met meneer Zarco precies?'

'De Zarco's hebben veel klachten van buren gehad over de bouw, vooral van de mensen hiernaast, op nummer 13. Dat kun je je wel voorstellen. De Zarco's hebben mij nogal onder druk gezet om de zaak zo snel mogelijk af te bouwen. En ik kan de jongens alleen zo ver krijgen om al het overwerk te doen dat daarvoor nodig is, als ik ze tweehonderd procent betaal. Zwart. Die jongens verstaan de taal van het geld maar al te goed. Dat had ik met meneer Zarco geregeld. Hij zou extra betalen, ook voor de weekends. We hadden afgesproken dat hij afgelopen zaterdag die twintig k zou ophoesten waarmee ik het werk kan afkrijgen voor het einde van maart. En dat is sneller dan het schema, zou ik erbij willen zeggen. Maar je weet wat er is gebeurd. Dat is echt verdomd rot. Ik mocht hem heel graag. Nu heb ik geen idee wat ik moet doen. Ik bedoel, dit betekent het eind van het overwerk en het werken in de weekends.'

'Dat hoeft niet.'

Ik had me op dit moment voorbereid. Op het toilet bij Toyah had ik het handgeld in twee porties verdeeld: twintig mille en dertig mille. De twintig mille zat nog steeds in de vuilniszak, de rest had ik in een vak in mijn rugzak gestopt.

'Kijk,' zei ik. 'De twintig mille die hij je had willen geven.'

'Dat is fantastisch. Ik weet dat het heel veel lijkt, maar die Roemenen zijn harde werkers en hun geld meer dan waard. Ik bedoel, ze willen gewoon echt werken, in tegenstelling tot sommige jongens van hier. Maar laat me daar niet over beginnen.' Hij lachte. 'Als je nu ook nog voor elkaar kunt krijgen dat meneer en mevrouw Van de Merwe op nummer 13 zich koest houden, dan is het helemaal perfect.'

'Wat zou ik moeten doen?'

'Meen je dat?'

# 41

Pimlico is net Belgravia, maar dan zonder rijke mensen. De inwoners van Pimlico zijn niet arm, maar veel van hun vermogen zit opgesloten in de waarde van hun flats en huizen.

Nummer 12 was het laatste van een rijtje huizen. Het huis ernaast was een witgepleisterd herenhuis van zes verdiepingen uit het begin van de negentiende eeuw met een fraaie portiek in Dorische stijl en een zwarte deur die even glanzend gepolijst was als de laarzen van een gardeofficier. Althans, dat zou zo zijn geweest als hij niet was bedekt met een waas van bouwstof. Op de muur zat een blauwe gedenkplaat, maar het was te donker om te kunnen zien welke beroemde persoon er ooit had gewoond. Maar ik kende de buurt vrij goed. Gianluca Vialli had tot 2001 hier om de hoek gewoond toen hij speler-manager was bij Chelsea, en als er iemand was die een blauwe gedenkplaat verdiende, dan was hij het wel: de vier goals die hij maakte in een wedstrijd tegen Barnsley behoren tot de mooiste die ik ooit heb gezien in de Premier League.

Ik trok aan de ouderwetse bel en hoorde hem rinkelen achter de deur, zo luid en duidelijk dat ik hem misschien ook wel in Manresa Road had kunnen horen.

Er verstreek minstens een minuut. Ik stond al op het punt om het op te geven en weer te vertrekken, toen er een lamp aanging in de portiek. Daarna hoorde ik hoe een aantal grendels werd verschoven en een grote sleutel werd omgedraaid in wat waarschijnlijk een Victoriaans slot was. De deur werd opengedaan door een oude man in een bruin corduroy pak. Hij had een soort Van Dijck-baardje. Snor en baard waren wit, maar geel gevlekt door nicotine. Zijn wilde haardos leek alle kanten tegelijk op te groeien, zodat het veel weg had van het zeegezicht van Maggi Hambling dat ik thuis aan de muur had hangen.

Op zijn neus balanceerde een bril met halve glazen en om zijn hals droeg hij een losjes geknoopte beige zijden sjaal. Ik denk dat ik zelden iemand heb gezien met een gezicht dat zoveel vermoeidheid uitstraalde. Het was niet zozeer gerimpeld als wel gebarsten. Het zou je niet verbazen als je dat gezicht zomaar ineens in tien stukken uit elkaar zou zien vallen.

'Meneer Van der Merwe?'

'Ja?'

'Neemt u mij niet kwalijk dat ik u stoor,' zei ik. 'Mijn naam is Scott Manson. Zou ik misschien even binnen mogen komen en met u spreken?'

'Waarover?'

'Over meneer Zarco.'

'Wie bent u? Bent u van de politie?'

'Nee,' zei ik. 'Niet van de politie.'

'Wie is daar, schat?' vroeg een stem.

'Iemand voor meneer Zarco,' zei Van der Merwe. 'Hij zegt dat hij niet van de politie is.'

Zijn stem, even vermoeid als zijn gezicht, klonk een beetje als iemand die een kanaal zocht op een kortegolfradio. Zijn accent klonk lichtelijk Zuid-Afrikaans.

Een vrouw die er even gespannen uitzag als een gestolen *Schreeuw* van Munch liep de hal in. Ze was oud en klein en had een berg blond haar. Ze droeg een dik wit vest met een Zuid-Afrikaanse vlag op een borst die even groot was als mijn rugzak.

'Komt u maar binnen,' zei de man. Hij schuifelde opzij, waarbij duidelijk werd dat hij een kruk gebruikte bij het lopen.

De hal werd gedomineerd door een poster van een krakerige oude film die *Passport to Pimlico* heette, een door de Ealing Studio's geproduceerde filmkomedie van een paar jaar na de oorlog. Het oude paar oogde alsof ze erin hadden meegespeeld. Op een tafel stond een blauw glazen figuurtje, waarschijnlijk een Lalique, een halfnaakte vrouw. Ernaast lag een stapeltje geopende post voor een zekere Mr. John Cruikshank MA. De lucht was doortrokken van een sterke geur van boenwas en op de trap lag een grote stapel pas gewassen gele stofdoeken.

Ze brachten me naar een grote woonkamer vol meubels die betere tijden hadden gekend, en misschien ook wel een paar wereldoorlogen hadden meegemaakt. Er waren boeken en schilderijen en alles zag eruit alsof het er al heel lang was. Een dun laagje stof van recente datum lag op de rug van de lange leren bank waarop ik mocht plaatsnemen. Aan het andere uiteinde van de bank zat een aantrekkelijke jonge vrouw, gekleed in een spijkerbroek en een fleece. Ze zag dat ik mijn vingers afveegde aan mijn hand en haalde meteen nog een stofdoek tevoorschijn, waarmee ze driftig de bank begon af te nemen.

'Dit is mijn dochter Mariella,' zei Van der Merwe. 'Mariella, dit is meneer Manson. Hij wil ons een paar vragen stellen over meneer Zarco.'

Mariella maakte een geïrriteerd, grommend geluid.

'Niet echt vragen,' zei ik. 'Woont u hier met z'n drieën?'

'Dat klinkt precies als een vraag,' zei Mariella.

'Het was bedoeld om het gesprek op gang te brengen,' zei ik. 'Maar misschien was dat niet voor iedereen duidelijk.'

'Mijn schoonzoon John woont hier ook,' zei Van der Merwe. 'Hij is er op het moment niet.'

'Wilt u iets drinken, meneer Manson?' vroeg zijn vrouw. 'Sherry misschien?'

'Graag, dank u.'

Ze liepen alle drie de kamer uit en lieten mij alleen achter, zodat ik minutenlang naar het plafond zat te staren. Door de muren heen hoorde ik het geluid van Lambtons Roemeense timmerman die spijkers in hout hamerde. Daarna begon er iemand te boren. Het was niet moeilijk te begrijpen waarom de Van der Merwes zich beklaagden over het lawaai. Als ik twaalf uur per dag naar deze herrie had moeten luisteren, zou ik gek zijn geworden. Aan de andere kant kon ik me moeilijk voorstellen dat het oude, fragiele stel ook maar zoiets zou doen als een postbode het leven zuur maken die naar hun gevoel te laat zou zijn, laat staan een ploeg Roemeense bouwvakkers, zoals Lambton had beweerd.

Ze keerden als een trio terug, Van der Merwe voorop met een enkel glas op een zilveren dienblad, zijn vrouw met een fles sherry en de dochter met een schaal met plakjes ham.

'Is dat een Stanley Spencer?' vroeg ik, wijzend naar een schilderij aan de muur.

'Ja,' zei de oude man.

'Hij is aardig,' zei ik. Dat was nogal een understatement, want Spencer is een van mijn lievelingsschilders.

'Meneer Zarco dronk graag een glaasje sherry,' lichtte de oude man toe. 'Met name deze Oloroso. Die gaat heel goed samen met Iberische ham.'

Ik proefde de sherry. Die was heerlijk. 'Wanneer is Zarco hier voor het laatst geweest?' vroeg ik.

'Een paar weken geleden. En een aantal keren. Hij kwam zijn verontschuldigingen aanbieden voor de bouwwerkzaamheden hiernaast, die nu al zo'n zes maanden aan de gang zijn. Erg onverdraaglijk. U kunt zelf oordelen of ook maar iemand het zou kunnen uithouden met dat lawaai van de vroege ochtend tot acht uur 's avonds. Als je zo oud bent als wij zijn, verlang je naar stilte en rust. Om te lezen en naar muziek te luisteren. Het zou minder erg zijn als we hardhorend waren, maar dat zijn we niet.'

'Ja, ik kan me goed voorstellen hoe vervelend het moet zijn,' zei ik. 'Ik leef met u mee.'

Mariella ontdekte een nieuwe wolk stof die van het plafond op het dressoir viel en ging opnieuw driftig in de weer met de stofdoek.

'We hebben geprobeerd tot een soort vergelijk met hem te komen over de situatie,' ging Van der Merwe verder. 'We hadden gehoopt dat we met z'n allen een tijd terug zouden kunnen gaan naar Zuid-Afrika. Daar komen we oorspronkelijk vandaan.'

'Uit Pretoria,' vulde zijn vrouw behulpzaam aan. 'Het is daar in deze tijd van het jaar echt heerlijk. Een graad of vijfentwintig. Iedere dag.'

'Maar de vliegtickets zijn erg duur,' zei haar man. 'En de accommodatie ook. Zelfs een goedkoop hotel kost veel geld.'

'Kent u Zuid-Afrika, meneer Manson?' vroeg mevrouw Van der Merwe.

'Een klein beetje. Ik ben er tijdens het wereldkampioenschap in 2010 geweest. Mijn oren moeten nog steeds bijkomen van al de vuvuzela's.'

Toen het oude paar mij niet-begrijpend aankeek, zei Mariella: 'De *lepatata mambu*'s.' Ze keek mij aan en haalde haar schouders op. 'Dat is de echte naam in Tswana.'

'Ah, juist.'

'Pretoria is erg mooi in deze tijd van het jaar,' herhaalde mevrouw Van der Merwe.

'Had u geen andere vakantiebestemming kunnen bedenken?' vroeg ik. 'Dichterbij misschien? In Spanje is het warmer dan hier in deze tijd van het jaar, en de reis is goedkoper.'

Ik begon mijn mond vol te stoppen met ham, want die was heerlijk en misschien hoefde ik dan geen avondeten te maken. Nu Sonja was vertrokken, was mijn enthousiasme om in de keuken iets anders te doen dan koffiezetten tot vrijwel nul gereduceerd.

'We zijn nooit erg dol geweest op Spanje,' zei de oude man. 'Toch, schat?'

'We spreken de taal niet,' zei zijn vrouw. 'Zuid-Afrika is het enige alternatief voor ons.'

'Meneer Zarco heeft ons een voorstel gedaan,' zei de oude man, 'om de kosten van een tijdelijk verblijf elders voor zijn rekening te nemen, maar hij had eenvoudigweg niet genoeg, dus hebben we het geld afgeslagen. Waarschijnlijk dacht hij dat we een spelletje met hem speelden. Maar dat was niet zo. Het was allemaal erg teleurstellend.'

'Luister,' zei ik. 'Vindt u het erg om mij te vertellen hoeveel geld hij u heeft geboden? Als compensatie voor alles wat u moet doormaken tijdens de bouw?'

'Tienduizend pond, is het niet?' zei de oude man.

Zijn vrouw knikte. 'Ja. Ik weet dat dat een flink bedrag lijkt. En dat is het ook. Maar de vlucht alleen al kost zo'n drie- tot vierduizend.'

Ik rekende snel het een en ander uit, pakte mijn rugzak en haalde er vier bundels bankbiljetten uit. Het is altijd prettig om met andermans geld te strooien. Ik had het weliswaar niet helemaal zelf bedacht, Tristram Lambton had mij op het idee gebracht, maar ik zou zo snel niet kunnen verzinnen wat ik beter met het handgeld zou kunnen doen om het kwijt te raken.

'Dit is twintigduizend pond,' zei ik. Ik voelde me opgelucht. 'Als dekking van de kosten. Een kleine compensatie voor wat u de afgelopen maanden hebt moeten doorstaan.'

'Wat?' Van der Merwes mond zakte op een nogal alarmerende manier open, alsof hij een beroerte kreeg. 'Ik begrijp het niet. Meneer Zarco is dood, toch?'

‘Vraagt u mij niet om het uit te leggen, maar ik ben ervan overtuigd dat hij u dit geld graag zou gunnen.’

De Van der Merwes keken elkaar aan, verbijsterd.

‘Twintigduizend pond?’ vroeg mevrouw Van der Merwe.

‘Dat is heel genereus van u,’ zei de oude man. ‘Van mevrouw Zarco. Maar echt…’

‘Meent u het serieus?’ zei de dochter.

‘Ja.’

‘Nee, echt, dat kunnen we niet accepteren,’ zei de oude man. ‘Niet nu hij dood is. Dat voelt oneerlijk, op de een of andere manier. Ik bedoel, op de televisie zeggen ze dat hij is vermoord. Dan kunnen we het niet accepteren, toch, schat? Mariella? Wat vind jij?’

‘O, pa,’ zei Mariella geïrriteerd. ‘Natuurlijk kunnen we het accepteren. Het lijkt misschien oneerlijk. Maar het is helemaal niet oneerlijk. Na alles wat u hebt doorgemaakt is het precies wat mam en u toekomt.’

‘Maar mevrouw Zarco is nu weduwe,’ zei de vrouw. ‘Ze kan zich zo’n uitgave vast heel slecht veroorloven. Die arme man. Hoe zal zijn vrouw zich nu wel niet voelen. We moeten met John praten, hem vragen wat hij ervan vindt.’

‘We nemen het aan, meneer Manson,’ zei Mariella gedecideerd.

Haar ouders keken elkaar onzeker aan. Toen begon mevrouw Van der Merwe te huilen.

‘Het is allemaal erg zwaar geweest voor mijn vrouw,’ legde de oude man uit. ‘Het lawaai en al het andere. Ze is volledig uitgeput.’

‘We nemen het aan,’ herhaalde de dochter. ‘Toch? Ik vind dat we dat moeten doen. En ik spreek nu ook namens John. Als hij hier zou zijn, zou hij zeggen dat dat absoluut de enige juiste reactie zou zijn. Ja, we nemen het aan.’

De oude man knikte. ‘Als jij dat vindt, schat, goed.’

‘Goed,’ zei ik. ‘Ik vind ook dat dat het beste is.’

Ik stond op om te vertrekken. Van der Merwe begeleidde me naar de deur.

‘U bent heel erg vriendelijk voor ons, meneer Manson,’ zei hij. ‘Ik weet niet goed wat ik moet zeggen, echt. Ik ben bijna sprakeloos. Het is meer dan genereus.’

'Bedankt u niet mij, maar mevrouw Zarco. Maar dat kan nog wel even wachten, hè? Als de bouw is afgerond en ze in het huis is getrokken, misschien kunt u haar dan bedanken.'

'Ja, ja, dat zal ik doen.' Hij hield mijn hand iets te lang vast. Er blonken tranen in zijn ogen.

'Die blauwe gedenkplaat buiten,' zei ik in de hal. Ik wilde zo snel mogelijk verlost zijn van mijn goede daad. 'Ik ben gewoon nieuwsgierig. Wie heeft hier gewoond?'

'Isadora Duncan,' zei hij en hij wees naar het glazen beeldje op de tafel in de hal. 'Dat is ze.'

'De stripper,' zei ik.

'Zo u wilt.' Hij glimlachte onzeker. 'Ja. Dat was ze inderdaad, denk ik.'

Isadora Duncan was niet echt een stripper, niet als zodanig. Dat wist ik. Ik wilde alleen dat hij een iets minder hoge dunk van mij zou krijgen. Dat leek me alleen maar passend. Per slot van rekening was het niet mijn eigen geld waar ik zo gul mee was geweest.

# 42

Ik zou niet nerveus moeten zijn, maar omdat dit mijn eerste wedstrijd was als de nieuwe manager van London City, was ik het toch. De wedstrijd van afgelopen zaterdag tegen Newcastle telde niet. Toen was het elftal opgesteld door Zarco, dat voor hem speelde. De spelers waren er stuk voor stuk van uitgegaan dat Zarco op zeker moment wel zou opdagen in de kleedkamer en de jongens zou prijzen die goed hadden gespeeld en, wat veel belangrijker was, iedereen die slecht had gespeeld op zijn donder zou geven. Op je donder krijgen van Zarco was geen pretje.

Maar de wedstrijd tegen West Ham was een nieuw hoofdstuk en iedereen wist het. De eerste wedstrijd van een manager bepaalt hoe er over hem wordt gedacht, niet alleen door de eigenaar en sportjournalisten, maar vooral door de supporters, die minstens zo bijgelovig zijn als een wagonlading zigeuners. De broer van mijn ex weigert naar een wedstrijd van Arsenal te gaan zonder de snorhaar van zijn kat die hem geluk brengt. Gewoon een van de vele bloedserieuze, weldenkende mannen die het voetbal volgen, maar die heilig geloven in vervloekingen en de daden van een wispelturige god die beschikt over winnen en verliezen. Zwaar verliezen bij mijn eerste wedstrijd zou als een molensteen om mijn nek blijven hangen. Ik weet niet hoe Napoleon over het voetbal in de Premier League dacht, maar hij wist hoe groot de rol van toeval was bij het behalen van succes en ik wilde dat het geluk mij zou toelachen bij mijn eerste wedstrijd. In weerwil van wat Geoff Boycot zegt, is geluk een van de meest waardevolle factoren in de sport.

Ik had me er zelfs van overtuigd dat de League Cup geen waarde had. Als we West Ham zouden verslaan, stonden we in de finale en nu de wedstrijd over minder dan een uur zou beginnen, leek het idee dat ik er de eerste trofee als manager van City mee in de wacht kon slepen, ineens veel aantrekkelijker. Had het winnen van de League Cup in 2005, zijn eerste seizoen bij Chelsea, niet in één klap Mourinho's reputatie gevestigd als topcoach?

Natuurlijk leidde niets van dat alles ertoe dat ik een sterker elftal zou opstellen tegen de Hammers. Ik bleef vertrouwen op mijn jonge honden, wat er ook van mocht komen, met niet meer dan vijf van onze basiself: Ayrton Taylor, Kenny Traynor, Ken Okri, Gary Ferguson en Xavier Pepe. Drie van de vier in de achterste linie – Ken, Gary en Xavier – waren vaste keus in het elftal en ik vertrouwde erop dat zij voor rust zouden kunnen zorgen bij de rest, die, op Kenny en Ayrton na, allemaal jonger waren dan tweeëntwintig. Ik geloof niet in die beroemde uitspraak die Alan Hansen ooit deed, dat je met jochies geen wedstrijd kunt winnen. Daar heb ik nooit in geloofd.

De op een na jongste speler was Daryl Hemmingway. We hadden hem de afgelopen zomer gekocht van de West Ham Academy of Football voor tweeënhalf miljoen pond. Hij was net zeventien. Ik had Daryl destijds zien spelen op Hainault Road en schatte hem in als een van de meest veelbelovende middenvelders die ik in jaren had gezien. Hij deed me heel erg denken aan Cesc Fabregas. Hij was erop gebrand zijn oude club te laten zien dat ze een vergissing hadden begaan om hem te verkopen. Daryl speelde naast onze jongste speler, de zestien jaar oude Zénobe Schuermans, uit België, en Iñárritu, de twintig jaar oude Mexicaan, die João Zarco had gekocht van Estudiantes Tecos in Guadalajara.

Het verhaal achter Iñárritu was buitengewoon boeiend. De jonge Mexicaan was zijn land ontvlucht nadat de politie hem had gered uit handen van een bende kidnappers die banden had met het lokale Gulf Cartel. Iñárritu was ternauwernood aan de dood ontsnapt toen de leden van het drugskartel hem uit het raam hadden gehangen van zijn appartement in het negentig meter hoge Plaza-gebouw in Cuauhtémoc, en dat hadden gefilmd met een mobiele telefoon, in de hoop zijn vader, een rijke bankier bij BBVA BANCOMER, te bewegen tot het betalen van een losgeld van tien miljoen dollar. De kidnappers hadden hem daadwerkelijk laten vallen – niet opzettelijk – en Iñárritu had de val alleen overleefd doordat hij in een bakje van glazenwassers was gevallen, een paar verdiepingen lager. De Mexicaan wilde graag spelen, hoewel hij nog steeds aan zijn herstel werkte na een gebroken been tegen Stoke City, waar ze bijzonder bedreven zijn in het breken van benen.

Je kunt alleen 4-3-3 spelen als je middenvelders in topconditie zijn, maar gezien het feit dat onze middenlinie een gezamenlijke leeftijd had van net drieënvijftig, leek mij dat ze de hele avond moeiteloos heen en weer zouden kunnen rennen. Zelfs Iñárritu. Ik maakte me weinig zorgen over hem. Iñárritu was erg op Zarco gesteld geweest en had openlijk gehuild toen het nieuws van diens dood bekend werd. Ik wist gewoon dat als er een de longen uit zijn lijf zou lopen ter nagedachtenis aan de Portugees, het de jonge Mexicaan zou zijn.

Van de drie in de voorhoede was Jimmy Ribbans op de vleugel herstellende van een liesblessure. Er zijn genoeg rechtsbenige voetballers – veel te veel, als je het mij vraagt – maar Jimmy was van nature linksbenig, vreemd eigenlijk, omdat hij wel rechtshandig was. Ze zeggen dat linksbenige voetballers tot een uitstervend ras behoren, maar vaak zijn ze technisch heel goed, en het belang van een goede linksbenige speler in je elftal kan niet genoeg worden benadrukt. De meeste clubs zullen hun uiterste best doen om een goede speler op links te behouden. Messi is links, en Ryan Giggs, Patrice Evra en Robin van Persie. Maar Jimmy had ook een goede rechterpoot en we lieten hem meestal op rechts spelen, wat zijn fluwelen linkervoet nog onvoorspelbaarder maakte. Als verdediger vond ik het altijd moeilijker om tegen linksbenige spelers te voetballen. De beste van allemaal was waarschijnlijk Ryan Giggs.

Links op de vleugel hadden we Soltani Boumediene, een vierentwintig jaar oude speler die met links bijna even goed was als met rechts. Ze noemden hem 'de komiek', en terecht, want hij was inderdaad een beetje een grappenmaker. Hij had eerder voor Haifa gespeeld als meest prominente Arabische voetballer in Israël, maar had een transfer gemaakt naar Portsmouth en was door City gekocht tijdens de grote uitverkoop die volgde op de degradatie van Pompey uit de Premier League in 2010.

Ayrton Taylor speelde natuurlijk in de spits. Volgens de kranten was hij zijn magie kwijt en maakte hij geen enkele kans om nog in het Engelse elftal te spelen, maar al was het ook vijf weken geleden dat hij voor het laatst had gescoord – tenminste, een goal had gemaakt die niet was afgekeurd – ik wist dat hij erop gebrand was om het ongelijk van de sportverslaggevers aan te tonen. Ik was ervan overtuigd dat hij zijn problemen met de discipline achter zich had gelaten. Ik vermoedde dat die vooral het gevolg waren geweest van de talloze pesterijen die hij te verduren had gehad van zijn medespelers na een incident in een Londense nachtclub waarbij twee jonge vrouwen rohypnol in zijn drankje hadden gegooid en later in zijn flat foto's van hem hadden gemaakt in half ontklede toestand. Ze hadden hun verhaal en de foto's vervolgens verkocht aan een zondagskrant. Ze hadden daarbij de fameuze uitspraak gedaan dat het was 'alsof je een klein kind zijn snoepgoed afpakte'. Voetballers zijn gewetenloze schurken. Weken daarna had Ayrton zakken Haribo en lolly's aangetroffen in de zakken van zijn schapenleren jas. Als er iemand voor ons zou scoren, zou het Ayrton Taylor zijn, dacht ik, ook al schatten William Hill, Bet 265 en Ladbrokes zijn kansen om überhaupt te scoren op vier tegen één.

Zo'n kans was te goed om te laten lopen, zelfs voor mij, vooral omdat ik nog tien mille van Zarco's handgeld in mijn rugzak had.

'Voorzichtig, baas,' zei Maurice toen ik hem vertelde wat ik wilde doen met het geld. 'Dit is geen yankee waar je vijf pond mee kunt winnen. Als Sportsradar of de FA erachter komt dat jij tien mille hebt gestald bij een bookmaker, maken ze gehakt van je.'

Hij had gelijk. Wat ik van plan was, was expliciet verboden in de regels van de FA voor het plaatsen van weddenschappen. Maar we hadden het natuurlijk wel eerder gedaan. Iedereen die bij voetbal betrokken was, sloot weddenschappen af, week in week uit, en zolang je niet zoiets stoms deed als tegen je eigen elftal wedden, was er volgens mij niets mis mee. Het is eigenlijk precies hetzelfde als wat de financiële jongens in de City de hele tijd doen.

'Ik neem aan dat je wilt dat ik onze vriend Dostojevski inschakel?' vroeg hij.

Dostojevski was een beroepsgokker die we in de bak hadden leren kennen. Voor vijf procent van de inzet wedde hij op alles wat los en vast zat, voor wie het maar wilde.

'Natuurlijk. Met de gebruikelijke commissie. Bovendien, als ik win, houd ik het geld niet zelf. Dan gaat het naar de Kenward Trust. Een anonieme gift. Lijkt me heel toepasselijk, vind je ook niet? Dat een stelletje oude criminelen profiteert van een gok met geld met een twijfelachtige achtergrond?'

Maurice lachte toegeeflijk. 'Dat gevoel voor humor van jou, baas. Daar kom je nog eens een keer mee in de problemen.'

'Ik ben zelf een oude crimineel, Maurice. Wat verwacht je anders?'

'Aan de andere kant moet je het misschien noemen in de elftalbespreking voor de wedstrijd. Misschien doen ze beter hun best als ze weten dat je tien mille op Ayrton Taylor hebt gezet.'

'Vanavond gaat het om Zarco, Maurice, niet om mij. Ik doe dan misschien wel de elftalbespreking, maar ze spelen straks voor hem. En ik beloof je dat daarover geen enkele twijfel zal bestaan. Op het moment dat ze de kleedkamer in komen, weten ze precies hoe belangrijk deze wedstrijd is. Niet alleen voor mij, maar voor iedereen die supporter is van deze voetbalclub. Iedereen die het vanavond verkloot, zal zich tegenover Zarco moeten verantwoorden, niet tegenover mij. Want, weet je, Maurice, hij is erbij vanavond. Zarco zal er vanavond bij zijn in de kleedkamer.'

# 43

Zarco mocht dan dood zijn, ik was ervan overtuigd dat de herinnering aan Zarco het elftal van City zou inspireren tot een overwinning. En niet alleen de herinnering aan Zarco. Ik kon het Maurice niet kwalijk nemen dat hij dat dacht ik mijn toewijding overdreef, dat ik tegen het elftal zou zeggen dat zijn geest daadwerkelijk bij ons zou zijn in de kleedkamer. Natuurlijk geloofde ik dat evenmin als hij, maar ik wilde bij de spelers wel zo'n soort gevoel oproepen, en daarom ging ik voordat de spelers arriveerden, toen Manny Rosenberg de tenues op hun plaats legde, met een hamer en een paar spijkers naar de kleedkamer en hing ik het portret van Zarco aan de muur. Ik had het speciaal voor dat doel meegenomen van Manresa Road.

Manny was een lange, magere man met een dikke bos grijs haar en een bril met een zwaar, zwart montuur. Hij zag eruit als de oudere broer van Michael Caine. Hij had ook precies zo'n stem.

Hij stond op het punt om zwarte armbanden op de shirts te leggen, maar ik hield hem tegen.

'Als je het niet erg vindt, deel ik die vanavond uit, Manny,' zei ik.

'Zoals u wilt.' Hij gaf me de armbanden.

'Ik wil dat ze het gevoel krijgen dat dit iets persoonlijks is,' legde ik uit.

'Het is toch niet de bedoeling dat dat schilderij daar permanent blijft?' vroeg hij met een schuin oog op het portret. 'Ik zou zoiets moois als dat hier niet laten hangen. U weet hoe die mafkezen zijn. De ballen vliegen door de lucht. Ze gooien met voetbalschoenen. Zogenaamd leuk.'

'Nee, het is alleen voor vanavond.'

'Verstandig.'

Manny knikte en bestudeerde het schilderij uitgebreid. 'Wie heeft dit eigenlijk geschilderd?'

‘Een kunstenaar die Jonathan Yeo heet.’

‘Die ken ik. Dat is de zoon van die conservatieve politicus. Ik heb over hem gelezen in de krant. Dat is een mooi portret. Die jongen heeft talent. Het is niet zo gemakkelijk om met een penseel te vangen wat er in João Zarco omgaat, maar dat heeft hij heel goed gedaan. Zachte, twinkelende bruine ogen, een grote brede neus, een pruilende mond met een zweem van spot. Een gezicht als zo’n Afrikaans masker eigenlijk, als je het goed beschouwt. Zo hard als een houten plank, maar vol ondeugd. Er speelde voortdurend van alles achter die ogen, weet u? Nu ook. Ik bedoel, je hoeft maar naar dat schilderij te kijken, dan weet je precies wat er in hem omgaat.’

‘En dat is, Manny? Vertel het eens. Ik ben nieuwsgierig.’

‘Makkelijk. Hij denkt: als die overbetaalde klootzakken de fucking wedstrijd vanavond niet winnen uit respect voor mijn nagedachtenis, dan laat ik ze nooit meer met rust. Dan ga ik bij ze in die fucking Ferrari’s en belachelijke Lamborghini’s van ze zitten en jaag ik ze zo van de weg af de sloot in. En dan hebben ze dat verdiend ook.’

Ik grinnikte. ‘Misschien moet jij de peptalk maar doen, Manny.’

‘Neu... Die jongens zijn zo onnozel dat ze me nog zouden geloven ook. Bovendien kunt u het allemaal heel goed zeggen, meneer Manson.’

‘Dat hoop ik.’

Natuurlijk had ik lang en diep nagedacht over wat ik tegen de jongens zou zeggen. Ieder woord, elke stembuiging zou belangrijk zijn. Ik wist dat ze vanavond iets extra’s van me verwachtten, dat ik ze in herinnering zou brengen voor wie en voor wat ze speelden. En terwijl ik zo in Zarco’s ogen stond te kijken, hoorde ik het advies weer dat hij me ooit had gegeven over hoe een manager het elftal toespreekt. Ik was Manny dankbaar dat hij die herinnering bij me had opgeroepen:

‘Ik heb heel wat peptalks in heel wat kleedkamers aangehoord, Scott. Wij allebei. Meestal was het om te lachen – zelfgenoegzame windbuilen in een trainingspak, stakingsleiders op een zeepkist, een belediging van wat het betekent om een team te leiden. Weet je waarom? Omdat de meeste managers en coaches domme, achterlijke kerels zijn zonder enige opleiding en zonder verbeeldingskracht. Zie jij sommige van onze spelers al manager worden? Jezus christus, ze kunnen hun eigen schoothondjes niet eens de baas, laat staan dat ze iets kunnen met een voetbalelftal. Hun hersens zitten in hun voeten. Ze beschikken niet over een woordenschat, tenminste niet over woorden die meer dan vier letters hebben. Ik weet niet waarom, maar er zijn er nogal wat in het voetbal die denken dat je je moet gedragen als die sergeant in *Full Metal Jacket*. Fuck hier en fuck daar, schoppen tegen lockers, met gebalde vuisten gaten in de lucht slaan. Belachelijk. Beschamend. Armzalig. Als ik zoiets hoorde toen ik nog speelde, moest ik me altijd inhouden om niet te gaan lachen. Dat soort praatjes zouden mij moeten motiveren? Ik dacht het niet. Verwacht je dat ik ga scoren als je in mijn oor staat te schreeuwen alsof ik een rekruut ben in het leger? Geen schijn van kans. De helft van de tijd staan die managers volgens mij zo te schreeuwen omdat ze domweg niet weten wat ze moeten zeggen. Ze zijn kwaad omdat ze geen oplossing weten voor de problemen die ze op het veld zien.

Natuurlijk, soms moet je ze onder uit de zak geven, maar spelers motiveren is iets anders. Sporters motiveren verschilt niet van mensen motiveren bij wat dan ook. Je hebt er twee dingen voor nodig. Het eerste is dat je mensen moet begrijpen, en dat leer je alleen door naar ze te luisteren. Te veel mensen praten zonder eerst te luisteren. Luisteren is essentieel. Leer je spelers kennen. Praat in alle rust met ze en respectvol. Behandel ze als individuen. Als mensen. En in de tweede plaats moet je het respect van mensen verdienen. De mensen respecteren ervaring, vooral levenservaring. Ik ken maar weinig mensen met zoveel levenservaring als jij, Scott. Na alles wat jou is overkomen, zie ik iemand naar wie anderen altijd zullen willen luisteren. Zeker, jij bent prof geweest, jij hebt hetzelfde meegemaakt wat zij meemaken, maar dat is het minste wat je van een manager mag verwachten – dat hij het zelf heeft gedaan. Het is veel belangrijker dat jij het ergste hebt overleefd wat het leven je maar voor de voeten kan gooien en er beter van bent geworden. Jij bent een winnaar. Dat maakt jou tot iemand naar wie anderen willen luisteren. Zelfs ik.

Maar als je je mond opendoet, wat zeg je dan? Praten tegen voetballers is een fluitje van een cent. Je moet een hoop zeggen, maar met zo weinig mogelijk woorden, want ze kunnen zich maar kort concentreren. Elk woord telt. Eenvoud is het subtielste gereedschap om te motiveren. Het vereist echte intelligentie om te weten wat je niet moet zeggen en wat wel. Ik bedoel niet dat je het in maximaal honderdveertig tekens moet doen, maar iemand die in minder dan duizend woorden kan zeggen wat er gezegd moet worden, is een topmanager.'

Een paar uur voor de wedstrijd kwam Simon Page met de spelers van Hangman's Wood naar Silvertown Dock. Met een heleboel lawaai en grappen en grollen, en opgewonden door het vooruitzicht van de wedstrijd, kwamen ze de kleedkamer in. Langzamerhand werden ze stil toen ze mij daar al zagen zitten onder het portret van Zarco. Ik had een zwart pak aangetrokken met een wit overhemd en een zwarte stropdas en ik zag er waarschijnlijk uit als een begrafenisondernemer. Dat hoopte ik in ieder geval.

De jongens kleedden zich om en wachtten stil tot ik iets zou zeggen. Voor de verandering had niemand zijn oren vol muziek. Ik zag ook geen enkele PS VITA. Als ik ook maar één zo'n stom spelletjesding had gezien, had ik het in de prullenbak gegooid. Dit was geen tijd voor domme spelletjes. Maar ik was er nog niet klaar voor om iets te zeggen. Ik wilde dat mijn woorden zouden nazingen in hun oren, vermengd met het lawaai van het publiek, als ze in de tunnel stonden te wachten. Ik gaf ze stuk voor stuk een zwarte armband, vertelde hun dat ze hem om hun linkerarm moesten dragen en herinnerde hen eraan dat er voor de wedstrijd een minuut stilte zou worden gehouden.

Vlak voordat de spelers met Simon het veld op zouden gaan voor de warming-up, kwam Viktor de kleedkamer in met Bekim Develi. Ze waren net met Viktors privéjet geland op London City Airport, niet ver van het stadion. Silvertown Dock was het enige voetbalstadion in het land waar je vanaf een luchthaven in twintig minuten in het stadion kon zijn. Viktor was gekleed voor de Russische kou, in een jas van langharig beverbont. Develi had iets soortgelijks aan. De twee bebaarde mannen zagen eruit als de gebroeders Karamazov.

De sfeer in de kleedkamer raakte altijd gespannen als Viktor verscheen. Hij was in wezen een verlegen man en ondanks zijn royale houding vond hij het moeilijk om met mensen om te gaan. Misschien kwam het doordat hij Oekraïens was, of misschien voelde hij zich soms ongemakkelijk over zijn rijkdom, maar Viktor drukte zich soms wat onhandig uit.

'Ik kom alleen maar om jullie even succes te wensen,' zei hij, 'en om

Bekim Develi aan jullie voor te stellen. Ik neem aan dat jullie het met me eens zijn dat hij de beste middenvelder van Europa is. Nu de bezwaren tegen zijn overstap naar deze club uit het raam zijn gegooid, komt hij over van Dinamo Sint-Petersburg, dat hem, zoals jullie weten, had gehuurd van Paris Saint-Germain.'

Ik wist niet precies wat Viktor met die opmerking bedoelde. Per slot van rekening zou hij nog niet moeten weten dat ik – min of meer – had ontdekt hoe Zarco was vermoord. Kon het zijn dat hij onbewust verwees naar de manier waarop Zarco aan zijn einde was gekomen? Een freudiaanse verspreking, misschien een smakeloze grap? Vast niet. Viktors opmerking nestelde zich in mijn gedachten als een kiezelsteentje in je schoen.

'Morgen,' ging Viktor verder, 'wordt Bekim bij een persconferentie gepresenteerd als onze laatste, en met alle respect voor Kenny Traynor, en belangrijkste aankoop tijdens de transfermaand. Voor die tijd hoop ik dat jullie hem allemaal van harte zullen verwelkomen bij London City, net zo goed als ik hoop dat jullie vanavond West Ham zullen verslaan.'

Viktor had absoluut zijn cadeau aan mij aan de muur van de kleedkamer zien hangen, maar hij bracht Zarco op geen enkele manier ter sprake. Misschien liet hij dat aan mij over. Het verbaasde me echter wel een beetje, en het verbaasde me ook dat hij Zarco's gelukssjaal droeg, de sjaal waarnaar ik had gezocht in suite 123.

Bekim Develi schudde iedereen de hand, terwijl ze langs hem naar buiten liepen voor de warming-up. Bekim was lang, ruim boven de een meter tachtig, krachtig gebouwd en aantrekkelijk van postuur. Zijn baard was een vierkant rood blok en hij was gelukkig niet half zo vadsig als werd beweerd. Hij rook wel sterk naar sigaretten en ik hoopte maar dat hij niet rookte. Ik schudde hem de hand en gaf hem een zwarte armband.

'Waarvoor is dat?'

'Het verbaast me dat je dat vraagt. Heeft Viktor je niets verteld?'

'Wat verteld?'

Net toen ik op het punt stond om iets onwelvoeglijks te zeggen tegen onze nieuwe sterspeler, kwam Viktor naar ons toe. Hij begon in het Russisch tegen Develi te praten. Hoewel ik geen Russisch versta, was het zonneklaar dat de dood van Zarco nieuws was voor Develi, zodat het ook meteen zonneklaar werd dat de twee er niet over hadden gesproken, hoewel ze samen met het vliegtuig van St. Petersburg naar Londen waren gevlogen. Verbijsterend.

'Dat is de gelukssjaal van Zarco,' zei ik toen ik Viktor een zwarte armband gaf.

'O ja?' vroeg hij achteloos.

'Hij komt van Savile Rogue,' zei ik. Ik wees naar de initialen JZG die op het logo waren geschreven, voor het geval iemand de sjaal zou pikken. 'Die maakt voetbalsjaals van kasjmier.'

'Kasjmier, hè? Ik vroeg me al af waarom ik hem zo lekker vond.'

'Misschien had hij nog geleefd als hij hem om had gehad,' zei ik nadrukkelijk. 'Waar heb je hem gevonden?'

'Hij heeft hem zaterdag laten liggen in de viproom,' zei Viktor. 'Ik had hem meegenomen toen ik naar hem op zoek ging. Ik vond dat iemand hem om moest hebben vanavond. Voor het geval we een beetje geluk nodig hebben. Is dat zo? Hebben we vanavond geluk nodig?'

'Natuurlijk,' zei ik. 'Want als we verliezen, is geluk of gebrek aan geluk de beste manier om uit te leggen waarom de ander gewonnen heeft.'

# 44

'Toen ik uit de gevangenis kwam, was een van de eerste dingen die ik deed, op vakantie gaan naar Nîmes in Frankrijk. Toen ik daar was ben ik naar een stierengevecht geweest in het Romeinse amfitheater dat ze daar hebben. Ik heb genoten van elke minuut. En niet alleen ik. Ik heb nog nooit een stadion gezien dat zo afgeladen vol zat met mensen die allemaal verpletterd werden door het schouwspel, wie de tranen van emotie in de ogen stonden. Toen ik weer hier terug was, vertelde ik het aan iemand – een trut van de BBC – en kreeg een en al afkeuring over me heen. "Dat is geen sport," zei ze. Toen zei ik: "Klopt. Dat is geen sport. Het is niet iets waar je naar kijkt of van geniet zoals een fucking tenniswedstrijd. Het is iets dat je in elke vezel van je lichaam voelt, omdat je weet dat de matador elk moment kan uitglijden of een fout kan maken, en dan is daar een zwarte Miura-vechtstier die al zijn vijfhonderd kilo's concentreert in de punt van een dodelijke hoorn en die als een stiletto in het dijbeen van de matador steekt. Natuurlijk is dat geen fucking sport," zei ik, "het is veel meer dan sport. Het is het leven in een notendop, want niemand krijgt de toekomst cadeau."

Bij voetbal is het net zo, jongens. We doen wel of het gewoon maar een sport is, om de vrouwen niet bang te maken met onze passie voor het spel, maar de waarheid is, dat sport iets is voor kinderen op een zonnige zomerdag, of voor idioten die krankzinnige hoeden op hun kop zetten om te flirten met mannetjes met weke onderkinnen die pandjesjassen dragen, of om naar alle mooie paardjes te kijken. Want als je nu de tribune op zou gaan en aan een supporter zou vragen of hij daar zit om vermaakt te worden met mooie dingen voor de mensen, dan zou hij je aankijken alsof je gek was geworden. En terecht. Hij zou zeggen dat hij geen fucking vijfenzeventig pond heeft betaald om vermáákt te worden. Sommigen van jullie verdienen tweehonderdduizend pond per week. Maar voor al die mensen buiten is voetbal veel meer waard dan dat. Heel veel meer. Voor een heleboel van die mannen en vrouwen is voetbal hun hele fucking leven en betekent de afloop van elke wedstrijd álles. Alles.

Dus, heren, laat ik het jullie eens en voor altijd uitleggen: niemand van jullie speelt bij deze club voor honderdduizend pond. Jullie spelen allemaal om ervoor te zorgen dat de supporters morgen naar hun werk kunnen gaan en trots kunnen zeggen dat hun club gisteren op grootse wijze heeft gewonnen. En als je er anders over denkt, sta je onmiddellijk op de transferlijst, want dan hebben we je bij London City niet nodig. Maakt niet uit of je het over spelers of supporters hebt, bij London City willen we mensen die erin geloven. De gelovigen, heren, daar spelen we voor. Dat zijn wij. Wij zijn mensen die geloven.

Als je dat een beetje religieus vindt, dan klopt dat. Voetbal is geloof. Ik overdrijf niet. Het officiële geloof van dit land is niet het christendom, of de islam, het is voetbal. Want niemand gaat nog naar de kerk. Zeker niet op zondag. De mensen gaan naar voetbal. Ga maar eens een eindje wandelen in dit stadion, jongens, en luister maar eens naar de gebeden van onze gelovigen. Dat klopt, dit is hun kathedraal. Dit is de plaats waar zij hun goden aanbidden. Het elftal is hun credo. Als dat godslasterlijk klinkt, dan bied ik mijn verontschuldigingen aan, maar het is een feit. Hier komen de gelovigen om hun goden te aanbidden. Iedere week kijk ik omhoog uit de dug-out en dan zie ik spandoeken hangen van de tribunes waarop staat: GELOOF IN ZARCO. Op dit moment wordt hun geloof op de proef gesteld, heren. Dat geloof wordt zwaar op de proef gesteld. Op dit moment gaan ze gebukt onder enorme gevoelens van verlies en rouw, net zo goed als ikzelf, en hopelijk jullie ook. Luister, ik ga jullie geen flauwekul à la *Coach Carter* vertellen. Van mij krijgen jullie niet te horen dat dit de belangrijkste wedstrijd in de geschiedenis van de club is. Ik wil jullie niet beledigen. Wat ik wil zeggen is dit: het is aan de elf man in het veld straks om dat geloof te herstellen. Dat is belangrijker dan al het andere.'

Ik wees naar het portret van Zarco aan de muur.

'Kijk nog even goed naar die man voordat je naar buiten loopt. Vraag je eens af wat het voor hem zou betekenen als jullie vanavond winnen. Kijk hem recht in de ogen en luister naar zijn stem in je hoofd, want ik kan je verzekeren dat je die luid en duidelijk kunt horen. Ik denk dat hij het volgende zal zeggen: "Je wint de wedstrijd niet voor mij, of voor Scott Manson, of voor meneer Sokolnikov. Je wint de wedstrijd voor al die gelovigen daarbuiten."

Sommigen van jullie zullen het moeilijk hebben straks. Sommigen van jullie zullen beneden hun kunnen presteren. En wat denk je? Dat kan me niet schelen. Wat ik belangrijk vind, is dat je je uiterste best doet en niet opgeeft. Tot aan het laatste fluitsignaal. Misschien is het je nog nooit opgevallen, maar daarom blijven de supporters tot het einde van de wedstrijd. Omdat zij niet opgeven. En dat zouden jullie evenmin moeten doen. Dus iedereen die vanavond speelt, speelt de volle negentig minuten, als één man. Tenzij je een gebroken been hebt, mag het niet in je hoofd opkomen om je te laten wisselen. Ik meen het, heren. Niemand wordt gewisseld, niet tijdens de rust en op geen enkel ander moment. De elf man die straks in het veld staan, zijn het beste wat de club te bieden heeft. Zet maar uit je hoofd wat je in de krant hebt gelezen of op de radio hebt gehoord. Ik heb jullie geselecteerd omdat jullie de elf zijn die de supporters iets moeten bewijzen, die Zarco iets moeten bewijzen, die mij iets moeten bewijzen, en jezelf. Maar ik heb jullie vooral geselecteerd omdat ik denk dat jullie die anderen vanavond kunnen verslaan. Dat geloof ik oprecht en daarom zal niemand jullie komen helpen. De geest van Zarco niet, God niet, en ik ook niet. Alleen zij. De gelovigen.'

# 45

Op elk stoeltje van Silvertown Dock was een vel papier geplakt. De ene kant van het vel papier was het Oekraïense oranje van de club, de andere kant was zwart. Toen de scheidsrechter op zijn fluit blies voor de minuut stilte voor Zarco, hield iedereen zijn vel papier omhoog en draaide het om zodat het hele stadion van oranje zwart werd. Je had een speld kunnen horen vallen en ik was blij dat we tegen West Ham speelden, een club waar je op kon bouwen als het om voetbaltradities ging. Het was ontroerend om te zien.

De wedstrijd kon eindelijk beginnen. Gehuld in mijn jas van kasjmier zette ik me op mijn verwarmde Recaro-stoel in de dug-out met Simon Page naast me. Ik keek bewonderend rond door het stadion. Zoals gewoonlijk leek Colin Evans zijn werk fantastisch te hebben gedaan. Ondanks temperaturen rond het nulpunt zag het veld eruit als de green van een golfbaan op een zomerdag, al bleek het veld wat harder dan anders. De sfeer in het stadion was heel bijzonder, een vreemde mengeling van verdriet en opwinding. Overal waar je keek zag je foto's en spandoeken met een eerbetoon aan Zarco, en toen de minuut stilte voorbij was, begonnen onze supporters op de melodie van het Beatles-nummer 'Hello Goodbye' te zingen: 'João, João Zarco, I don't know why you say goodbye we say hello'. En ze zongen 'Speedy Gonzales' van Pat Boone – 'Speedy Gonzales, why don't you come home?'

Een poging van de supporters van de Hammers om daarbovenuit te komen met een geestdriftige vertolking van 'Bubbles' bleek vergeefse moeite.

Mijn voldane gevoel duurde precies 38 seconden. Ayrton Taylor liet zich vanaf de aftrap de bal afnemen door Carlton Cole, wiens snelle steekpass door Ravel Morrison werd verlengd naar Jack Collison, die op zijn beurt Bruno Haider wegstuurde over rechts. De jonge spits van

West Ham keek opzij alsof hij de bal wilde afleggen, maar had slechts één ding in gedachten. Op de rand van het strafschopgebied sneed hij naar binnen langs Ken Okri en legde de bal voor zijn sterkere linkervoet. Haider krulde de bal vervolgens in de bovenhoek met een hoeveelheid topspin waar Andy Murray zich niet voor zou hoeven te schamen. In de steek gelaten door slecht verdedigend werk had Kenny Traynor geen schijn van kans om een hand tegen de bal te krijgen. Nul-één.

De supporters van West Ham achter onze goal waren uiteraard uitzinnig van vreugde en verhinderden zo dat je zou denken dat er een tweede minuut stilte werd gehouden, zo met stomheid geslagen reageerden onze in oranje gehulde supporters. Ik hield de iPad voor mijn gezicht, zodat de tv-camera's die elke beweging die ik maakte, registreerden en nauwlettend in de gaten hielden hoe de opvolger van Zarco zich hield, mijn mond niet konden laten zien – en vloekte een paar keer hardop. Maar het was een spectaculaire goal voor de jonge Oostenrijker en gezien zijn leeftijd en geringe ervaring kon je het hem vergeven dat hij zijn paarsblauwe shirt uittrok en naar de tv-camera's rende om zijn goal te vieren. Ik durf best te zeggen dat ik met zo'n sixpack ook mijn shirt zou hebben uitgetrokken, maar de scheidsrechter voelde zich verplicht hem een gele kaart te geven. Daarvoor werd hij uitgefloten, zelfs door onze eigen supporters, die de schoonheid van de goal met pijn in het hart erkenden. Persoonlijk neem ik de scheidsrechters niets kwalijk, en ligt het gewoon aan regel 12 van de IFAB over overtredingen en misdragingen, die er alleen maar is om te verhinderen dat iemand gratis reclame maakt.

'Dat begint lekker,' zei ik tegen Simon. 'Dat was nog eens een geluksschot. Dat Oostenrijkse jochie was net zo verbaasd als wij dat hij erin ging.'

Simon uit Yorkshire legde heel wat minder fijngevoeligheid aan de dag in zijn oordeel.

'Ik denk dat die vier van ons achterin in slaap zijn gesukkeld tijdens die minuut stilte. Suffe klootzakken. Het verbaast me dat die nummer 10 van ze niet even een verhaaltje voor het slapengaan voorlas terwijl hij die bal erin schoot.'

De wedstrijd werd hervat en een tijdlang bezorgden onze spelers de keeper koppijn. Het probleem was alleen dat ze niet hun keeper, maar onze eigen keeper koppijn bezorgden: in reactie op een onhandig hakje van Gary Ferguson moest Kenny Traynor de longen uit zijn lijf sprinten door het strafschopgebied om de bal met beide scheenbenen te ruimen voordat Kevin Nolan erbij kon. Xavier Pepe kopte een hoge corner van West Ham tegen de eigen paal, waarna de bal via het hoofd van Ayrton Taylor bijna alsnog tegen de touwen belandde. Toen George McCartney de bal voor West Ham verloor, zat Nolan er als een terriër bovenop om de bal te heroveren. Hij liet zich steeds terugzakken om de bal te veroveren op Schuermans en Iñárritu, om vervolgens een lange crosspass te geven op Downing op links. Of hij combineerde met Mark Noble en bereikte Cole en Haider met een boogballetje, die beiden een schot gestopt zagen door Kenny Traynor. Voor het overige deden we weinig anders dan achter onze eigen staart aan jagen. Het had na twintig minuten met gemak nul-drie kunnen staan.

Cole had de uitstraling van iemand die veel jonger was dan zijn leeftijd deed vermoeden. Het was moeilijk te geloven dat de man die onze verdediging aan één stuk door in de problemen bracht, zijn carrière in 2001 was begonnen bij Chelsea. Zijn fitheid en zelfvertrouwen leken met de minuut te groeien, steeds zelfbewuster voerde hij zijn rushes uit. De tweede goal van West Ham kwam voort uit een regelrechte blunder. Raphael Spiegel, de keeper van de Hammers, rolde de bal uit naar Leo Chambers, die een lange bal naar voren gaf, in de hoop dat Cole erop zou lopen. De bal stuiterde net buiten ons strafschopgebied, pal voor Kenny Traynor, die zover van zijn doellijn was gekomen dat het leek alsof hij terug naar Edinburgh onderweg was. Traynor verwachtte waarschijnlijk dat hij de stuiterende bal op de borst kon opvangen, maar helaas voor hem en voor ons kwam de bal veel verder van de harde grond omhoog en toen Kenny zich realiseerde dat de bal als een ballon over zijn hoofd zou zeilen en achteruitkrabbelend de achtervolging inzette, was het te laat. Tegen de tijd dat hij de bal te pakken kreeg, was die al over de lijn. Het zag er al belachelijk uit en de manier waarop hij de bal pakte en in alle haast weer terug naar de goede kant van de doellijn frommelde, maakte het er niet beter op. Leo Chambers maakte de tweede goal voor West Ham van minstens zeventig meter.

'Dacht die fucking Schot nou echt dat niemand in de gaten had dat die bal over de lijn was?' zei Simon.

Ik kreunde en verborg mijn hoofd diep in de kraag van mijn jas, in de hoop dat ik het hoongelach van de supporters van West Ham en het gevloek van onze eigen supporters niet zou horen.

'Zo ongeveer het enige wat Kenny niet heeft geprobeerd, is de bal in zijn broek verstoppen,' zei Simon. 'Alsof hij goddomme illusionist wil worden.'

Zijn eigen stommiteit vervloekend roste Traynor de bal weg, de tribune in.

'Waar zat die kerel met zijn hersens?' vroeg Simon.

Ik sprong op en liep naar de rand van het coachvak om iets naar Kenny te roepen, maar tegen de tijd dat ik daar aankwam, besefte ik hoe weinig zin dat had. Ik wist dat hij zich miserabel voelde en als ik het oordeel van zestigduizend anderen nog eens zou bevestigen, leverde dat geen bijdrage aan het herstel van het zelfvertrouwen van de jonge Schot. Die bijdrage leverde de scheidsrechter evenmin door hem een gele kaart te geven voor het wegtrappen van de bal. Waarschijnlijk voelde die zich schuldig voor de gele kaart die hij Haider had gegeven en wilde hij de stand gelijktrekken. Zo zitten scheidsrechters soms nu eenmaal in elkaar.

'Hé, verdomme!' riep ik. 'Hoe kun je daar nou een gele kaart voor geven, idioot? Die keeper staat er om de bal weg te trappen!'

De vierde official marcheerde naar me toe, zijn armen breeduit gespreid, alsof hij bang was dat ik als de eerste de beste kloothommel van een supporter het veld in zou rennen om de scheidsrechter te molesteren. De scheidsrechter, Peter 'Pedo' Donnelly zag het en kwam op een drafje naar ons toe. Donnelly was een lekenpriester en voormalig sergeant in het leger, zonder meer de opvallendste scheidsrechter van het land. Onlangs had hij moeiteloos een online verkiezing tot slechtste scheidsrechter van de Premier League gewonnen. Het vorige seizoen was hij recordhouder in het uitdelen van gele kaarten geweest met een gemiddelde van 5,14 per wedstrijd. Ik had op mijn woorden moeten letten, maar dat deed ik niet.

'Hoe kun je daar een fucking gele kaart voor geven?' riep ik nog een keer. 'Dat heeft toch niets met tijdrekken te maken? Man, de spelers van West Ham zijn nog aan het feestvieren, ze zijn nog niet eens terug op het veld. Die jongen had gewoon de pest in en heeft die bal gewoon wat onbesuisd het veld weer in getrapt. De wind is eronder gekomen, of zo. En als hij daar geen gele kaart voor heeft gekregen, waarvoor dan wel? De lul weet dat het een goal is. Hij is niet helemaal van de pot gerukt.'

'Als u niet op uw woorden past, zal ik u boeken voor wangedrag,' zei Donnelly, 'en dan stuur ik u naar de tribune. Vanwege de speciale omstandigheden waaronder deze wedstrijd wordt gespeeld, zal ik u coulant behandelen, meneer Manson. Maar een volgende keer zal ik niet zo soepel zijn. Oké?'

Ik draaide me kwaad om en ging weer zitten.

'Ik haat die klootzak,' zei Simon. 'Die denkt dat hij nog steeds in het leger zit.'

'Lul.'

'Pas maar een beetje op met wat je zegt, baas. Je staat boven aan zijn lijstje. Hij doet niets liever dan een voorbeeld stellen met mensen die "godslasterlijke taal" bezigen. Zo noemt hij vloeken. Hij denkt dat het moderne voetbal daar debet aan is. Dat zei hij tenminste vorige week tegen Alan Brazil bij TalkSPORT. De zakkenwasser.'

Ik maakte me nog geen al te grote zorgen. We joegen Raphael Spiegel de stuipen op het lijf toen Ayrton Taylor de paal raakte van vijftien meter, en Jimmy Ribbans ging diep op een wippertje van Iñárritu, maar werd buitenspel gegeven toen hij alleen voor Spiegel verscheen. Uit de herhaling bleek duidelijk dat het geen buitenspel was geweest. Bovendien wordt er bij de League Cup altijd veel gescoord. Wie kan zich de 6-3 van Arsenal tegen Liverpool niet meer herinneren in de kwartfinale van het seizoen 2006-2007? Het leek me dat we een achterstand van 2-0 nog gemakkelijk konden goedmaken.

Dat duurde tot vlak voor rust, toen West Ham voor de derde keer scoorde. Na een overtreding waar je vraagtekens bij kon zetten en een nieuwe gele kaart, dit keer voor Iñárritu, die Leo Chambers onderuithaalde, vuurde Cole een kanonskogel af op een zee van oranje shirtjes rond de penaltystip. De bal ketste van de knie van Ken Okri recht voor de voeten van Kevin Nolan, die de bal opwipte en met een volley achter ons muurtje legde. Bruno Haider was er als de kippen bij en scoorde met een bijna suïcidale snoekduik die in de verte deed denken aan een aanval van een kamikazepiloot op Pearl Harbor. Kenny Traynor kreeg weliswaar nog een hand achter de bal, maar slaagde er slechts in de bal in de bovenhoek te tikken. Nul-drie.

'Hij heeft zijn dag niet,' stelde Simon vast.

'Tot nu toe heeft niemand zijn dag,' zei ik met mijn hand voor mijn mond. 'Vooral Zarco niet.'

'De man draait zich om in zijn graf.'

Het leek de moeite niet waard om op te merken dat Zarco nog niet in zijn graf lag, dat hij waarschijnlijk nog steeds op een koude plaat graniet lag, een paar kilometer verderop naar het noorden, in het East Ham Mortuary. Maar ik zou niet verbaasd hebben opgekeken als hij plotseling overeind was gaan zitten en in het Portugees een paar fijne vloeken ten beste had gegeven, *caralho* of *cona*, of zo. Ik had Zarco vaak genoeg dergelijke taal horen uitslaan.

Ik zakte onderuit op mijn stoel, legde mijn handen op mijn hoofd en staarde naar de lucht die als een zwart plafond boven het stadion hing. Het was licht gaan sneeuwen en in het krachtige licht van de schijnwerpers die in een ring rond het hele stadion van Silvertown Dock hingen, leken de sneeuwvlokken op ontelbare snippers van wedbriefjes die waren stukgescheurd en in de lucht gegooid door een woedende god die op ons had gewed. Zij het dat hij waarschijnlijk niet zo zwaar op ons had gewed als ikzelf.

'Ik heb ons nog nooit zo abominabel slecht zien spelen,' zei Simon. 'Het hangt als los zand aan elkaar, het is ongeïnspireerd, het is een warboel, het is lui en we hebben pech. En dan heb ik het nog alleen maar over de achterste vier. De rest loopt erbij alsof ze het liefste zouden zien dat William Webb Ellis voor ons meedeed, dat hij die fucking bal onder de arm zou nemen en ermee vandoor zou gaan en nooit meer teruggevonden zou worden. Ik zal je eens wat zeggen, baas. Als zo het fluitsignaal gaat voor de rust, heeft het meer weg van een fucking wapenstilstand. En die lul van een scheidsrechter moet het idee hebben dat hij een potje aan het bridgen is, met al die kaarten die hij voortdurend uit zijn zak trekt.'

Ik reageerde niet. De vlag van de grensrechter was omhooggegaan en wij kregen een corner, die slecht werd genomen door Jimmy Ribbans. De bal had wel van beton kunnen zijn en aan het einde van een ketting onder een kraan kunnen hangen, zo weinig zin leken onze aanvallers te hebben om de kop ertegenaan te zetten. Spiegel plukte de bal nonchalant uit de lucht alsof het een appel aan een boom was.

'Wat ga je zeggen in de kleedkamer?' vroeg Simon. 'Wat kún je nog zeggen om een achterstand van 3-0 bij de rust om te keren?'

'Liverpool,' zei ik. 'Die club heeft dat gedaan tegen Milaan in 2005.' Ik haalde mijn schouders op. 'Bovendien heb je, denk ik, net gezegd wat ik moet doen: omkeren. En ik denk dat ik helemaal niets ga zeggen.'

Toen floot de scheidsrechter voor de rust. Ik had een zucht van verlichting kunnen slaken, ware het niet dat er nog vijfenveertig minuten te gaan waren en onze spelers met gebogen hoofd het veld af liepen onder een fluitconcert en gejoel, alsof ze hadden gecollaboreerd met de nazi's. De supporters van West Ham begonnen in hun hoek van het stadion opnieuw 'Bubbles' te zingen en dit keer kon je de tekst woord voor woord verstaan, alsof je op de Bobby Moore-tribune in Upton Park zat.

# 46

Ik liep achter het elftal aan naar de kleedkamer. Mijn neusvleugels werden geteisterd door een sterke geur van massageolie, tijgerbalsem en schaamte. Door de muur van de aangrenzende kleedkamer hoorden we hoe onze tegenstanders luidkeels blijk gaven van hun tevredenheid met een uitstekende eerste helft. Ik had wel een gat in de muur willen slaan om ze aan mijn spelers te laten zien als lichtend voorbeeld.

'Hé,' had ik willen zeggen, 'de Hammers denken dat ze de wedstrijd in hun zak hebben. En niemand kan ze dat kwalijk nemen als je ziet hoe jullie spelen. Het vrouwenelftal had West Ham nog meer partij kunnen geven dan jullie. Ik schaam me dat ik manager ben van zo'n stelletje waardeloze nietsnutten. Wat ze daarbuiten zingen, gaat over jullie. Ze hebben jullie als bubbels opgesnoven en blazen jullie nu als bubbelende scheten uit hun gat.'

In plaats daarvan stak ik mijn handen in mijn zakken en keek ik naar het plafond alsof ik daar inspiratie zocht. Maar daar was niets te vinden. En trouwens, wat zou ik moeten zeggen? Ik had alles wat ik te zeggen had, al voor de wedstrijd gezegd. Als ik nu nog iets zou zeggen, zou het lijken of dat allemaal verspilde adem was geweest. Bovendien zou ik waarschijnlijk gaan vloeken en als een Hitler mijn zelfbeheersing verliezen, en dat zou niemand verder helpen. Niet vanavond. Ze zeggen dat daden meer indruk maken dan woorden en ik besloot dat ik het, op het gooien met voetbalschoenen en het beuken van gaten in de lucht en het uitdelen van schoppen onder konten na, op die manier moest proberen.

De jongens keken nu allemaal verwachtingsvol naar me op, in de hoop dat ik ze als Al Pacino In *Any Given Sunday* met een speech zou kunnen inspireren om het allemaal anders te doen. Stap voor stap, met

'Ik weet ook niet hoe het moet' als boodschap, wat een wonder teweeg zou brengen in die duffe breinen en de wedstrijd in ons voordeel zou doen kantelen. Ik had het helemaal gehad met motiveren. Maar misschien kon ik met een symbolisch gebaar iets van begrip op gang brengen waar duizend woorden hadden gefaald.

Ik liep naar het portret van Zarco en tilde het van de spijker. Ik staarde even naar het gezicht, ving de blik in de ogen op en knikte. Toen draaide ik het portret om en zette het omgekeerd tegen de muur, zodat de Portugees de spelers niet meer hoefde te zien die zo beschamend waren omgesprongen met zijn nagedachtenis. Dat wilde ik de spelers tenminste inprenten. Ik pakte mijn iPad en liep de kleedkamer uit.

Ik bleef even voor de deur in de gang staan met al het lawaai van het stadion in mijn oren en vroeg me af waar ik naartoe moest. De ogen van iedereen waren nu op mij gericht: politieagenten, officials, beveiligingsmensen, ballenjongens, technici van de tv, stewards. Ik moest bij hen weg, zo snel mogelijk.

Het schoot me te binnen dat ik nog steeds de sleutel van de ruimte voor dopingcontroles in mijn zak had. Ik ging daar naar binnen en deed de deur achter me op slot.

Ik ging naar de wc en dronk een flesje water. Daarna ging ik aan de tafel met het zwarte tafelkleed zitten en staarde ik chagrijnig naar mijn iPhone en mijn iPad. Zoals gewoonlijk was het signaal van mijn iPhone daarbinnen zo slecht dat ik er geen sms'jes of gespreksoproepen kon ontvangen. Daar was ik blij om. Maar het WiFi-signaal was krachtig en dat betekende dat er e-mails op mijn iPad stonden. Ook een van Louise Considine, die zich zorgen maakte over mijn humeur en aangaf dat ze er alle begrip voor had als ik niet in de stemming zou zijn om na de wedstrijd met haar te gaan eten. Ik realiseerde me dat ik bijna vergeten was dat de lieftallige Louise boven in het vak van de directie zat en stuurde meteen een e-mail terug dat ik onder alle omstandigheden uitzag naar haar gezelschap na de wedstrijd: of het nu was om feest te vieren of, en dat was waarschijnlijker, mijn verdriet te verdrinken.

Ik negeerde een e-mail van Viktor, die in overweging gaf om spelers te wisselen. Ik zuchtte, maakte nog een flesje water open en bedacht dat ik liever whisky had gehad. Brian Clough heeft ooit eens gezegd dat je spelers je wedstrijd verliezen, niet je tactiek, en hoewel ik natuurlijk andere spelers had kunnen opstellen, was ik er stellig van overtuigd dat mijn keuze juist was. In kroegen en tv-studio's wordt een heleboel flauwekul verkocht over tactiek, bijna altijd door mensen die nog nooit hebben gecoacht en nog niet eens een boodschappenlijstje kunnen opstellen. Wat mij betreft is tactiek iets voor generaals om een heleboel fatsoenlijke kerels onder hun commando de dood in te jagen in zo weinig mogelijk tijd. Ik wist dat ik de juiste beslissingen had genomen, omdat het, wat ze ook zeggen, veel gemakkelijker is om in het voetbal de juiste beslissingen te nemen dan in het echte leven. Daarom proberen om te beginnen zo veel mensen een carrière op te bouwen in het voetbal.

Niet dat het allemaal echt wat uitmaakte. Mijn twijfels over Viktor Sokolnikov begonnen zo op te spelen dat ik geen andere mogelijkheid zag dan meteen na de wedstrijd mijn ontslag in te dienen. Want dat doe je, als je door een schurk voor schut bent gezet. Ik kon natuurlijk niets bewijzen, maar misschien kon ik een deel van mijn verdenkingen na de wedstrijd delen met Louise. Gelet op de voor de hand liggende uitslag van de wedstrijd zou mijn ontslag waarschijnlijk niet alleen Viktor goed uitkomen, maar ook de supporters. Het gejoel na het fluitsignaal voor de rust was namelijk niet alleen gericht geweest tegen de spelers. Ik hoorde nog steeds hoe iemand schreeuwde: 'Je moet je schamen, Manson,' toen ik van het veld liep.

Dat raakte me niet echt. Als de wereld al eens om je heen is ingestort, weet je wel hoe je je een volgende keer moet indekken. Als een paar zeikerds je van alles toeroepen vanaf de tribune weet je dat je het goed doet, want als iedereen het met je eens zou zijn, is het duidelijk dat je een klus opknapt die iedereen aankan.

Ik had medelijden met Zarco. Ik had echt verwacht dat de spelers hun uiterste best zouden doen om zijn naam eer te betonen met een klinkende overwinning. Het punt was niet dat West Ham zo goed was. Het punt was dat ons team meer leek op een bij elkaar geraapt elftal van vips met een paar gastspelers die samen een potje voetbalden om geld in te zamelen voor een vedette uit het verleden.

Ik had ook te doen met de vrienden en relaties van Zarco, al die mensen voor wie hij altijd kaartjes had geregeld voor wedstrijden van City. Het kan voor hen onmogelijk erg aangenaam zijn geweest om naar zo'n afgang te kijken. Ik wist dat ze er waren, want Maurice had me voor de wedstrijd een lijst met hun namen gestuurd. Veel van hen kwamen trouw naar Silvertown Dock en waren ook zaterdag in het stadion geweest toen Zarco was vermoord. Zijn broers Anibal en Ermenegildo, zijn oom Jacinto en zijn zuster Branca, zijn beste vriend Dominique Racine, die manager was geweest van PSG tot hij werd ontslagen omdat, zo werd algemeen aangenomen, hij er niet in was geslaagd uit Bekim Develi te halen wat erin zat. En spelers die een punt hadden gezet achter hun actieve carriere zoals Paul Becker en Tano Andretti, die nog voor Zarco hadden gespeeld bij La Braga. Twee tweets van Andretti waren door alle kranten overgenomen, niet in de laatste plaats omdat het nogal ongebruikelijk was dat een Italiaanse voetballer had besloten om te reageren op het droevige nieuws van de dood van zijn Portugese vriend met vier versregels uit het gedicht *Adonais* van Percy Shelley:

*Kalm, kalm! hij is niet dood, hij slaapt niet*
*Hij is ontwaakt uit de droom van het leven*

en:

*Wij zijn het die in woeste visioenen*
*vergeefs met spoken vechten*

Ik had die avond waarop we tegen een ontketend West Ham speelden, dat de indruk wekte dat ze in de tweede helft minstens nog drie keer zouden scoren, zeker het gevoel dat wij een vergeefse strijd tegen spoken voerden.

Ik keek op mijn horloge. Over vijf minuten zou de tweede helft beginnen. Ik deed de deur van slot en liep naar buiten, naar de dug-out, en onderging de stemming van het publiek, een vreemde mengeling van neerslachtigheid en vreugde: onze supporters, stil en berustend en vrezend voor het ergste, en de supporters van West Ham die gespannen hoopten op een grote overwinning en misschien wel stiekem droomden van een monsteruitslag, vergelijkbaar met de 10-0 tegen Bury in 1983.

Het leek erop dat mijn carrière in het topvoetbal al was afgelopen voordat hij was begonnen. Iedereen zou concluderen dat ik er niet genoeg capaciteiten voor had. Daar kon ik weinig tegen doen. Misschien zou ik nog een keer een kans krijgen om manager te worden van een kleinere club, een club waarvan de eigenaar niet tot het soort behoorde dat zijn manager uit het raam liet gooien om er achteraf grapjes over te maken.

Op mijn iPhone kwam een nieuwe e-mail binnen: een lijst met namen van spelers die volgens Viktor in het veld zouden moeten staan in plaats van de 'jongetjes en halvezolen' die ondertussen weer de tunnel uitliepen. Ik negeerde de e-mail.

Bovendien speelde er een andere lijst met namen door mijn hoofd toen ik weer naast Simon Page in de dug-out ging zitten. (Ik kon me onmogelijk voorstellen dat Viktor de onbehouwen man uit Yorkshire mijn baan zou geven als ik mijn ontslag indiende.)

'Wat is er goddomme met jou aan hand?' vroeg hij. 'Dat er één manager van deze club verdwijnt, is ongelukkig, maar twee begint op werkweigering te lijken. Voor het geval je het niet doorhad, baas, de boel is bezig om ons heen in te storten. We worden in de pan gehakt. Misschien had je er een paar bij de keel moeten grijpen en onder hun fucking kont moeten schoppen. Ik weet wel wie ik een schop gegeven zou hebben. Dat Schotse watje in de goal om te beginnen. Hij had nooit zo ver uit zijn goal mogen komen. Niet voor zo'n vuurpijl.'

'We kunnen nog steeds winnen,' zei ik.

'En vind je niet dat je ze dat had moeten vertellen?'

'Dat heb ik gedaan, maar op mijn manier. Net als Frank Sinatra: *I did it my way.*'

'Ik kan me al zijn spijtbetuigingen en alle keren dat hij te veel hooi op zijn vork nam, nog herinneren, maar niet dat hij ooit in de loop heeft gekeken van een 3-0 achterstand.'

'Simon? Hou je kop dicht.'

'Ja, baas.'

De spelers zochten hun plaats op het veld weer op. Het moment van de wedstrijd waar ik het meest van hou, het moment waarop er nog van alles kan gebeuren. Maar ik was er even minder bij met mijn hoofd. Ik had de lijst teruggevonden die Maurice me voor de wedstrijd had gestuurd en las hem door op mijn iPad.

De lijst met namen van mensen die door Zarco waren uitgenodigd. Ze kwamen me allemaal vertrouwd voor, op één na.

# 47

Op de een of andere manier was het publiek erin geslaagd er weer in te geloven. Hoop doet elke voetbalsupporter leven. Dat is het mooie van voetbal. Het is zoveel meer dan alleen voetbal. Dat is wat mensen die nooit naar voetbal gaan, nooit zullen begrijpen. Als het niet zo was, zou er nooit iemand komen kijken. Dus toen de supporters van de Hammers begonnen met 'Over Land and Sea' schraapten onze supporters hun laatste resten optimisme bij elkaar en overstemden hen met een woest gezongen 'Sitting in the Silvertown Dock' op de melodie van 'Sittin' on the Dock of the Bay' van Otis Redding. Het was zo'n moment dat boven alles uitsteeg, waarbij je je onderdeel voelt van een groter geheel, dat je samen één ziel hebt en dat als puntje bij paaltje komt, voetbal het enige spel is dat ooit belangrijk is geweest. Dat ooit belangrijk zal zijn.

Engeland heeft de wereld veel gegeven, maar voetbal is de belangrijkste gift ooit geweest.

Ik weet niet veel over schizofrenie. Ik heb ooit de film *A Beautiful Mind* gezien over de econoom John Nash, Nobelprijswinnaar en schizofreen. Enerzijds schijnt hij een genie te zijn geweest, anderzijds was hij knettergek. Ik weet niet of ik echt een vergelijking wil maken tussen *the beautiful game* voetbal en *A Beautiful Mind*, maar de tweede helft was nog niet begonnen of het werd me duidelijk dat ons elftal van 'jongetjes en halvezolen' blijk gaf van een heel ander karakter dan voor de rust. Ik wil niet zeggen dat het voetbal grensde aan genialiteit, want dat woord valt veel te vaak in het voetbal, maar net als Nash leken ze begiftigd met een enorm talent en uitzonderlijke capaciteiten.

In tegenstelling daarmee leek het wel of de spelers van West Ham met lood in de schoenen speelden; hun eerste schot op doel was pas in de negentiende minuut, toen Kenny Traynor een kanonskogel tegenhield van Bruno Haider met een actie die veel weg had van een auditie voor de rol van de Romeinse god Mercurius: hij overbrugde vliegensvlug een enorme afstand.

De toon werd meteen in de tweede helft gezet toen Ayrton Taylor binnen twaalf seconden een mislukte uittrap van Spiegel afstrafte met een streep zoals ze alleen in stripverhalen voorkomen. Het publiek ging uitzinnig tekeer. Eén-drie.

'Jezus christus,' zei Simon toen we uitgejuicht waren. 'Dat is nog eens een fucking goal. Dat kan maar zo de snelst gescoorde goal zijn in de geschiedenis van de Premier League.'

'Nee. Dat was Ledley King, Tottenham tegen Bradford in 2000. Tien seconden. Bovendien is dit geen wedstrijd in de Premier League.'

'Je begrijpt wel wat ik bedoel. Top drie dan.'

'Zou kunnen.'

'Als Taylor dat nog twee keer flikt, lik ik de bal schoon na de wedstrijd. En zijn eigen ballen ook, als hij het netjes vraagt.'

'Ik zal je eraan herinneren dat je dat hebt gezegd, lompe hork die je bent.'

Maar het was Zénobe Schuermans die na 58 minuten de tweede voor ons maakte. Pas nadat ik de herhaling een paar keer had bekeken, kreeg ik door wat hij precies had gedaan. Het was zo'n soort goal die uit het niets opdook, iets wat je Picasso zou kunnen zien schilderen op een verticale glasplaat met één enkele streek van een heel fijn penseel. Later lieten ze op Sky Sports de goal in slow motion zien, vergezeld van de *Goldbergvariaties* gespeeld door Glenn Gould, wat de sublieme en bijna ambachtelijke kwaliteit leek te onderstrepen van wat er in beeld gebeurde. (Het is nu een goal waar zelfs profs naar kunnen kijken in een poging te ontrafelen wat iemand tot een perfecte voetballer maakt, zonder er ooit moe van te worden.) Xavier Pepe geeft een lange pass over de grond naar Schuermans, die met zijn rug naar de goal staat. Met zijn rechtervoet controleert de jonge Belg de bal en draait hij hem in één elegante pirouette om Chambers, hij vangt de bal aan de andere kant van de verdediger op, die hij met zijn arm en heup van zich afhoudt. Dan draait hij open om de bal met de punt van zijn linkervoet klinisch en strak onder Spiegel door in de verre hoek tegen het net te leggen.

De goal had niets opzichtigs, en de manier waarop Zénobe de goal vierde, evenmin. Je zou zeggen dat het de goal van een volwassen voetballer was, ware het niet dat de Belg net zestien was. Hij haalde de bal op uit het net en sprintte ermee terug naar de middenstip, gaf Jimmy Ribbans en Ayrton Taylor een high-five , en keek bij dat alles alsof hij het liefst zo snel mogelijk door wilde gaan met de wedstrijd, met zo weinig mogelijk toestanden. Twee-drie voor West Ham.

'Het maakt mij niet meer uit of we winnen of gelijkspelen,' zei ik tegen Simon. 'Ik heb net één van de mooiste goals uit mijn leven gezien, gemaakt door een speler in het elftal waarvan ik manager ben.'

'Helemaal mee eens. Jezus christus. En donderdag moet ik die jongen coachen. Volgens mij kan hij ons nog wel het een en ander leren, shit.'

'Die jongen kan nog vijftien jaar doorgaan met voetballen en nooit meer zo'n mooie goal maken.' Ik grinnikte toen ik zag dat een paar spelers van West Ham het hoofd lieten hangen. 'Moet je ze eens zien. Daar gaat hun tactiek. Ze weten dat die overwinning van ze nog maar aan een flinterdun draadje hangt.'

Toen de wedstrijd werd hervat, stond Sam Allardyce, de manager van West Ham, tegen zijn spelers te schreeuwen – niemand kan zo hard schreeuwen als Big Sam – dat ze op balbezit moesten spelen. Nu ze het initiatief in de wedstrijd kwijt waren, was dat zonder meer een goed advies. Achterover hangen en de bal rondspelen, ons dwingen om druk te zetten, was de beste manier om die ene goal voorsprong vast te houden. Helaas hadden ze geen rekening gehouden met de snelheid van onze man op de linkervleugel. Hij zette aan om de bal te veroveren toen die een beetje al te achteloos door een verdediger werd teruggespeeld op Spiegel. Die werd gedwongen naar de bal te glijden en kwam op de harde, gladde grasmat als een zeis op de vleugelspits af, als een scharende vrachtwagencombinatie, en haalde beide benen van de man onderuit voordat hij bij de bal kon.

De scheidsrechter aarzelde geen seconde en wees naar de penaltystip.

De penalty van Ayrton Taylor was een schoolvoorbeeld van hoe je een penalty moet nemen: een lange, snelle, venijnige aanloop, als Mike Tyson die op een tegenstander afstormt, alsof hij eigenlijk hoopte

Spiegel de bal vol in het gezicht te kunnen schieten en diens neusbeen in zijn hersens te jagen. Het soort penalty waarbij een keeper liever niet in de baan van het schot staat. Drie-drie. Er waren nog vijf minuten te spelen.

Ik sprong op van mijn stoel, stompte met mijn vuist in de lucht en liep naar de rand van het coachvak, verwoed applaudisserend. 'Zo neem je een fucking penalty!' riep ik. 'Goed gedaan, Ayrton. Briljant. Kom op, laat die klootzakken eens zien dat wij kerels zijn.'

De vierde official keerde zich naar mij toe en staarde me aan. 'U bent al een keer gewaarschuwd dat u op uw woorden moet letten,' zei hij. Hij gebaarde de scheidsrechter onze kant op.

'Wat?' zei ik. 'Je maakt een grapje.'

Donnelly luisterde even naar de vierde official en liep toen naar mijn coachvak.

'U bent eerder gewaarschuwd voor het schelden tegen spelers,' zei de scheidsrechter.

'Dat was mijn eigen speler,' zei ik. 'Bovendien schold ik hem niet uit. Ik feliciteerde hem.'

'Ik zou toch denken dat u juist vanavond uw taal zou matigen,' zei Pedo. 'Uit respect voor Zarco.'

'Ik laat me door jou niet de les lezen over respect voor Zarco. Niemand heeft meer respect voor zijn nagedachtenis dan ik. Dus haal het niet in je hoofd om me naar de tribune te sturen.'

'Ik heb er genoeg van,' zei Pedo. 'Ik acht uw gedrag ongepast, meneer Manson. Ik verban u uit uw coachvak. Ga. Nu.' Hij wees naar de tribunes achter me en schreef mijn naam op zijn gele kaart. Toen draaide hij zich om en liep hij naar de middenstip om de wedstrijd te hervatten.

Ik keerde me naar de vierde official. 'Weet je? Hij is een lul, en jij ook.'

Ondertussen begonnen de supporters te joelen, en even later scandeerden ze: 'Pe-do, Pe-do, Pe-do, Pe-do.'

Een van de stewards wees me een leeg stoeltje achter onze dug-out. Zwaar gekrenkt nam ik plaats naast onze technische staf. Maar die plek was niet ver genoeg weg naar de zin van de vierde official. Tot mijn verbazing kwam hij achter me aan en commandeerde hij me die plek te verlaten. Geïrriteerd moest ik weer overeind komen en een plek zoeken tussen de echte supporters.

'Deed het pijn toen je die kaart uit je gat trok?' schreeuwde een supporter Pedo na.

'Fantastische wedstrijd,' zei een ander. Hij schudde mijn hand. 'Goed gedaan, kerel.'

'Fucking geweldig,' zei een ander.

'Maak je geen zorgen. Dat is gewoon Pedo de Pedo.'

Ik keek op mijn horloge. De normale speeltijd was verstreken. Ik keek gespannen in de richting van de vierde official hoeveel extra tijd zou worden bijgetrokken. Als ik niet naar hem had gekeken, had ik waarschijnlijk onze vierde goal gezien. En pas toen ik de herhaling had gezien op het grote scherm boven de tribunes aan de rivierkant, wist ik wie hem had gemaakt. De laatste doelpoging van West Ham op onze goal, van Bruno Haider, werd verijdeld door een geweldige safe van Kenny Traynor, die meteen met een geweldige trap Soltani Boumedienne de diepte in stuurde. Als de verdediging van West Ham niet zo diep op de eigen helft was blijven hangen, had de Arabier buitenspel gestaan, maar nu hield hij net buiten het strafschopgebied in, maakte aanstalten om te schieten, stuurde daarmee de ongelukkige keeper naar de verre hoek, en tikte toen de bal rustig recht voor zich uit tegen het net in de korte hoek. Vier-drie. Het publiek was in alle staten en ik werd omhelsd door iedereen in mijn buurt.

'Je bent geniaal, Manson,' zei een van de supporters. 'Wat een elftal.'

Ik knikte. Het was moeilijk voor te stellen dat onze eerste keus het beter zou hebben gedaan dan dit jonge elftal met zo weinig ervaring. Ons middenveld oogde minstens zo goed als dat van Arsenal, misschien wel beter. Ik had redenen genoeg om tevreden te zijn.

Ondertussen tilde de vierde official zijn elektronische bord omhoog om aan te geven dat er vier minuten extra tijd bij kwam. Maar dit was het moment waarvoor ik bang was geweest. Alsof het publiek afscheid wilde nemen van Zarco begon het 'Auf Wiedersehen Sweetheart' te zingen, van Vera Lynn, op deze avond een wel zeer toepasselijk lied. Voetbalsupporters zijn sentimentele lieden, ook daarom houd ik zo van ze. Omdat ik zelf uiteindelijk ook een sentimentele klootzak ben.

Natuurlijk kun je best wel zingen, zoals de tekst van het lied gaat, dat je je tranen in bedwang zult houden, maar dat is geen gemakkelijke opgaaf als zestigduizend mensen zo'n lied zingen. En zo miste ik ook onze vijfde goal. Ik huilde als een kind toen iedereen om me heen als één man opsprong. Opnieuw moest ik op de herhaling op het grote scherm wachten om erachter te komen wie er had gescoord.

Nadat hij zelf al een fantastische goal had gemaakt, verzorgde Zénobe nu de assist. Hij sprintte het veld over, trok twee verdedigers naar zich toe en gaf een prachtige breedtepass naar de andere kant van het strafschopgebied, waar Iñárritu opdook als de Aston Martin van James Bond aan het slot van *Casino Royale*. Zeggen dat de Mexicaan de bal uit de lucht vol op de pantoffel nam, is amper een beschrijving van wat er gebeurde. Hij raakte de bal zo hard dat die tollend door de lucht vloog, alsof hij tot leven was gekomen en zijn uiterste best deed om de hand van de keeper te ontwijken.

Vijf-drie en West Ham was verpletterend verslagen. De wedstrijd werd hervat terwijl het publiek om nummer zes vroeg.

Een minuut later floot de scheidsrechter voor de laatste keer. Het stadion ontplofte. Nog nooit in mijn leven was ik zo trots geweest. Er was geen betere manier geweest om João Zarco een eerbetoon te brengen.

Dat gevoel werd alleen maar versterkt door het besef dat ik naar alle waarschijnlijkheid had ontdekt wie voor Zarco's dood verantwoordelijk was.

# 48

'Wat is er met ons etentje gebeurd?' vroeg Louise Considine, toen we in mijn Range Rover snel wegreden van Silvertown Dock. De supporters vierden nog uitbundig feest en dat zouden ze de komende uren blijven doen. Er zouden morgenvroeg heel wat mannen op hun werk verschijnen met een spijker in hun hoofd.

'Ik ben bang dat we daar geen tijd voor hebben,' zei ik. 'We hebben nu iets veel belangrijkers te doen.'

'Zoals? Ik heb honger. Wat kan er belangrijker zijn dan mij voeden?'

'Je zult het wel zien.'

'Jij windt er geen doekjes om, hè?' zei ze.

'Hoe bedoel je?'

'Nou, laat eens zien. We rijden naar het westen,' zei ze. 'Het is een beetje laat om nu nog naar een restaurant in het West End te gaan. En omdat ik geacht word recherchewerk te doen, vermoed ik zo dat we op weg zijn naar jouw flat in Chelsea. Waar jij, zo vermoed ik, niet van plan bent mij te voeden, maar me regelrecht zult meenemen naar bed.'

Ik gaf geen antwoord. Het was een aantrekkelijk idee en even liet ik mijn gedachten de vrije loop. Ze was een aardige vrouw, slim, grappig, en heel mooi, en steeds als ik in haar nabijheid was, vond ik het moeilijk om te geloven dat ze bij de politie werkte. En dan vond ik het nog moeilijker om te geloven dat ik haar zo graag mocht. Met Louise Considine naar bed gaan was een heel aantrekkelijk idee. Het zou me waarschijnlijk de rest van de nacht wakker houden, zeker nu ze me de indruk had gegeven dat zij er niet onwelwillend tegenover stond.

'Jij bent vast veel te opgewonden om te eten na zo'n wedstrijd,' voegde ze eraan toe. 'Je wilt zeker zo veel mogelijk genieten van die opwinding. Ik neem aan dat je op jouw leeftijd het ijzer moet smeden als het heet is.'

Ik grinnikte. 'Viagra of voetbal? Ja, daar zit wat in, denk ik. Ik weet niet of mijn hart wel opgewassen is tegen een te hoge dosis. Maar na wat er vanavond is gebeurd, voel ik me best wel high. En op mijn leeftijd gebeurt dat niet al te vaak.'

'Begrijp me goed. Ik vind het een aantrekkelijk idee om me jou helemaal bezweet en opgewonden en begerig om te scoren voor te stellen.'

Ik lachte. 'Zit je daaraan te denken?'

'Natuurlijk. Volgens mij zijn we daarom zo snel vertrokken uit het stadion terwijl iedereen daar zich opmaakt om feest te vieren. Maar ik ben er blij om. In feite ben ik zelf ook behoorlijk begerig om te scoren. En na zo'n wedstrijd kan ik alles aan, zelfs extra speeltijd.'

'Hoe zie je dat voor je?'

'Ik dacht dat je misschien wel zou willen dat ik bleef ontbijten.'

'Je vindt mijn koffie echt lekker, hè?'

'Zeker. Al denk ik dat die koffie het op een na lekkerste is wat ik in mijn mond kan stoppen bij jou thuis.'

Ik lachte opnieuw. Ze was echt een geval apart.

'Hoe oud ben jij eigenlijk?' vroeg ze.

'Veertig. Zo oud is dat niet.'

'Voor mij wel. Ik ben nog nooit naar bed geweest met iemand die ouder was dan dertig. Maar ik heb eerst nog wel een vraag.'

'Kom maar op.'

'Ik had de indruk dat jij al een vriendin had, meneer Manson.'

'Die had ik inderdaad. Sonja heeft me zondagavond de bons gegeven.'

'Heeft ze ook gezegd waarom?'

'Ze zei dat ze, als zij op vrijdagavond klaar is met haar werk, een echt weekend wil.'

'Ja, dat ken ik. Ik bedoel, ik heb vriendjes gehad die niet gelukkig waren met de asociale tijden waarop ik werk.'

'Ze wil iemand om mee te gaan winkelen nadat ze een hele week heeft gewerkt. Dat soort dingen. Een zaterdag en een zondag met de krant. Daar past geen voetbal bij.'

'En nu zit je aan een invaller te denken?' Louise haalde haar schouders op. 'Oké, waarom ook niet? Ik vind het prima, denk ik. Zolang het maar niet zoiets is als een vriendschap met iets extra's of zo.'

'Je bent amper een vriendin,' zei ik. 'Bovendien heb ik het je al verteld: ik ben niet zo dol op de politie.'

Ze glimlachte breed. 'En hoe voelt dat?'

'Op de een of andere manier begin ik daar minder last van te krijgen.'

'Het doet me goed dat te horen.'

'En nu denk ik dat ik je mijn excuses moet aanbieden.'

'Waarvoor?'

'Omdat ik je misschien heb misleid. Ik was niet echt bezig om je mee te nemen naar mijn flat.'

'O, oké.'

Ze klonk teleurgesteld en dat deed me plezier. Ik pakte haar hand en drukte er een kus op.

'Nee, niet oké. Nog niet. Ik zou heel graag willen dat je bij me bleef slapen, Louise. Ik kan niets aangenamers bedenken. En ik hoop dat het ook gaat gebeuren. Bij de eerste de beste gelegenheid. Maar het gaat erom dat ik zelf onderzoek heb gedaan naar de dood van Zarco en ik neem je nu mee naar degene die ik van de moord verdenk, zodat jij hem in zijn kraag kunt grijpen en de eer opstrijken.'

Louise trok haar hand terug en hield hem voor haar mond. 'Je houdt me voor de gek.'

'Nee, absoluut niet. Ik heb sinds zaterdag aan bijna niets anders gedacht dan aan de dood van Zarco en ik ben ervan overtuigd dat ik de dader heb gevonden.'

Ze draaide zich op haar stoel naar me toe en hapte naar adem. 'Mijn god, je meent het, hè? Jezus, Scott. Weet je verdorie wel waar je mee bezig bent?'

Ik vertelde haar een klein deel van wat ik wist. Ze hoefde niets te weten van het handgeld en de aandelendeal met voorkennis. Op dat moment hoefde ze maar een deel van het verhaal te kennen.

'Dat klinkt nogal overtuigend,' gaf ze toe. 'En nu voel ik me een beetje in verlegenheid gebracht.'

'Waarom?'

'Omdat je mijn werk hebt gedaan, daarom. Hoe zou jij het vinden als ik jouw werk deed?'

'Iedereen kan mijn werk doen. Het enige wat je als voetbalmanager hoeft te doen is de beste eieren uit de mand te pikken.'

'Ik begrijp het niet.'

'Geeft niet. Luister, wil jij de eer? Ik zou zo denken dat dat een behoorlijke pluim op je hoed zou zijn.'

'Nou, ja. Natuurlijk. Maar...'

'Ik zie veel liever dat jij met de eer gaat strijken dan die bitch voor wie jij werkt. Ik vertel het nog liever aan helemaal niemand dan aan haar.'

'Jane Byrne? Dat is inderdaad een beetje een bitch, hè? Maar weet je, eigenlijk moet ik haar op de hoogte brengen van wat er gebeurt. Anders maakt ze me kapot.'

'Waarom wacht je niet tot mijn vermoedens zijn bevestigd? Je kunt altijd tegen haar zeggen dat je niet wist wat ik van plan was; dat je geen keuze had en alleen maar kon afwachten tot ik in actie zou komen.'

Ze dacht even na en knikte toen. 'Oké. Jij bent de manager.'

'Bovendien ben je me dit verplicht na de manier waarop je me hebt verteld dat Drenno's vriend Mackie mevrouw Fehmiu heeft verkracht.'

'Dat is waar.' Ze kromp in elkaar. 'Shit.'

'Wat?'

'Het lijkt erop dat ik vanavond nog aan het werk ga.'

Ik grinnikte. 'Had je andere plannen?'

'Wel toen ik hier in de auto stapte. Maar dat moet dan maar wachten. Jammer maar helaas.'

'Zo voel ik dat ook.'

'Mooi. Daar ben ik blij om.'

'Maar ik moet dit helemaal afmaken. Voor Zarco.'

'Maak je geen zorgen. Dat begrijp ik best. Maar je zult het wel moeten goedmaken.'

'Hoe?'

'Daar heb ik over nagedacht.' Ze knikte. 'Ja. Als dit allemaal voorbij is, neem je me mee naar jouw prachtige flat en dan doe je alles met me wat je maar wilt, vierentwintig uur lang. Ik zou willen zeggen achtenveertig uur, maar ik weet dat je zaterdag uit moet spelen tegen Everton.'

'Dat is nogal een uitnodiging, Louise.'
'Ik ben blij dat je er zo over denkt.'
'Alles?'
'Alles.'
'Jezus,' zei ik. 'Dat heeft nog nooit iemand tegen me gezegd.'
Ik draaide een zijstraat in en zette de auto stil.
'Wat doe je?' vroeg ze. 'Waarom stop je?'
'Ik ben een beetje ouderwets,' zei ik. 'Ik kan nergens anders meer aan denken zolang ik je niet heb gekust.'
'Ik ook niet,' zei ze en ze liet zelfs toe dat ik mijn hand onder haar rok schoof.
'Stop je vinger in me,' zei ze even later. 'Ik wil dat je iedere keer dat je je gezicht aanraakt, weer precies weet wat je vanavond allemaal hebt gemist.'

# 49

Ik parkeerde voor het grote witte huis van Toyah Zarco aan Warwick Square en draaide de contactsleutel om. De motor van de auto tikte als een flipperkast en de bomen in de gemeenschappelijke tuinen bewogen onheilspellend in de wind. De politieagent, die nog steeds patrouilleerde bij de voordeur van Toyah, hield ons geduldig in het oog. Gehuld in zijn dikke jas en kogelvrije vest leek hij te zwaar voor zijn benen. Misschien zou hij een goede keeper zijn. De pers was verdwenen. Waarschijnlijk was er ergens anders wel weer een weduwe in tranen waar ze beelden van wilden schieten en die ze wilden lastigvallen met vragen. Een man die zijn hond uitliet, trok het beest weg van de auto voordat het tegen de banden kon pissen. Het licht van de volle maan scheen op een rij fietsen voor een kerk. Het zag eruit als een reeks hometrainers in een vreemde vierentwintig uur per dag geopende sportschool in de open lucht. Alsof het glas-in-loodraam met Sint Wie-dan-ook elk moment kon veranderen in een gigantisch tv-scherm. Maar de kerk herinnerde me eraan dat ik vrijdag naar de begrafenis van Drenno moest en dat ik daartegen opzag.

'Weet de familie van Drenno wat Mackie heeft gedaan?' vroeg ik. 'En dat Drenno hem dekte?'

'Nee,' zei Louise. 'Nog niet.'

'Kunnen we dat niet zo houden?' vroeg ik. 'In ieder geval tot na de begrafenis?'

Ze knikte.

'Bedankt.'

'Dit voelt gek,' zei ze.

'Waarom?'

'Het voelt gek dat jij gaat proberen een bekentenis los te krijgen, en ik niet.'

'Relax. Ik heb al een keer gewonnen vanavond. Ik zit in de flow. Bovendien hoop ik dat ik helemaal niet zoveel hoef te zeggen. Die politieman achter ons legt precies dat gewicht in de schaal dat ik nodig heb.'

'Wees voorzichtig. Dat is alles wat ik wilde zeggen. Dit is geen spelletje.'

'Wat? Voetbal wel, volgens jou? Na de wedstrijd die je vanavond hebt gezien, zou je beter moeten weten.'

'Misschien heb je gelijk. Wat moet ik doen?'

'Heb je je legitimatie bij je?'

'Natuurlijk.'

'Laat dat koper maar zien en plaats hem onder jouw commando. Ik hoop dat je hetzelfde doet als je naar mijn flat komt. Ik hou van dominante vrouwen.'

We stapten uit en liepen naar de politieagent. Eerlijk gezegd leek hij blij ons te zien, als een hond die te lang voor de ingang van een supermarkt heeft zitten wachten.

'Goedenavond meneer,' zei hij. 'Goede wedstrijd vanavond. Meneer Zarco zou trots zijn geweest.'

Ik was vergeten dat de man een supporter was van City. Dat kwam van pas. 'Bedankt, agent,' zei ik. 'Dat denk ik ook.'

'Vijf-drie. Ik hoop maar dat mijn Sky Plus heeft gewerkt.'

'Laat het maar weten als het niet zo is, dan stuur ik je een dvd.' Ik gaf hem mijn kaartje. Ik begon weekhartig te worden op mijn oude dag. Waarschijnlijk was dat het effect dat Louise Considine op me had. Ze was het levende bewijs dat niet alle smerissen rotzakken zijn. Misschien zou ik ooit nog eens een fatsoenlijk, oppassend lid van de maatschappij worden.

Ze liet hem haar legitimatie zien. 'Ik ben inspecteur Considine,' zei ze, 'van Brent CID. En jouw naam?'

'Agent Harrison, mevrouw. Van bureau Belgravia.'

'Je zou toch denken dat ze in Belgravia geen bureau nodig hadden,' zei ik.

'Ik kan je hulp gebruiken, agent,' zei Louise. 'Wil je met ons meekomen?'

'Jazeker, mevrouw,' zei hij gretig. 'Waar gaat het om?'

'Dat zeg ik liever nog niet,' zei ze.

Ik liep voorop, de straat over naar de andere kant van het plein.

De op doek aangebrachte muurschildering van een huis voor nummer 12 rimpelde in de januariwind alsof er een aardbeving aanstaande was in de stille straten van Pimlico. In zekere zin was dat ook zo, voor de bewoners van het huis naast nummer 12. Overal was licht aan. Na de twintig mille die ze van mij hadden gekregen, dachten ze zeker dat ze zich geen zorgen meer hoefden te maken over de elektriciteitsrekening. Toen ik de treden van het stoepje naar de voordeur op liep, zag ik door een kier tussen de gordijnen voor het grote raam mevrouw Van der Merwe en haar dochter lezen, gezeten op de bank, terwijl een man tv keek. Het was Van der Merwe niet, het was een jongere, fittere man en hij keek naar de samenvatting op ITV van de wedstrijd op Silvertown Dock. Het is gek hoe anders een wedstrijd die je live hebt bijgewoond, er op tv uitziet.

Ik trok aan de antieke bel en we wachtten tot de grendels waren weggeschoven en de deur openging en meneer Van der Merwe in beeld kwam. Toen hij de politieagent achter me in het vizier kreeg, begon zijn adamsappel achter zijn kraag op en neer te wippen als een oud, klein mannetje.

'O,' zei hij op een toon van stille berusting. 'Komt u maar binnen.'

Achter elkaar liepen we met z'n drieën naar binnen. Agent Harrison sloot de deur achter ons, waardoor het huis ineens veel kleiner leek. Er stonden koffers in de hal, alsof de familie Van der Merwe op het punt stond ergens naartoe te gaan – Zuid-Afrika waarschijnlijk – maar als mijn vermoedens klopten, hadden ze voorlopig genoeg aan een paspoort voor Pimlico.

We liepen de woonkamer in, waar de verschijning van agent Harrison iedereen op de been bracht. Mariella sloeg haar armen over elkaar en keerde zich onmiddellijk af, terwijl haar moeder een kort jammerend gehuil met de rug van haar hand smoorde en weer ging zitten. Ze haalde een fijn geborduurd zakdoekje tevoorschijn en begon te huilen.

'Dit is inspecteur Considine van Brent CID,' legde ik uit. 'En dit is agent Harrison. Inspecteur Considine doet onderzoek naar de dood van João Zarco op Silvertown Dock afgelopen zaterdag.'

Ik noemde het geen moord. Het leek me dat de kans op een volledige bekentenis groter was als ik de ernst van de zaak wat zou afzwakken.

'Waar u volgens mij van op de hoogte bent, meneer Cruikshank.' Ik richtte me tot de man die tv had zitten kijken. Hij was ongeveer vijfendertig jaar oud, een meter tachtig en gedrongen. Hij had donkerblond haar en groene ogen. Hij droeg een spijkerbroek en een dikke wollen trui, die eruitzag alsof hij door zijn schoonmoeder was gebreid.

'Het is meneer Cruikshank, toch?'

'Ja,' zei hij dof. Hij zuchtte en sloot toen een paar seconden zijn ogen. 'Het was een ongeluk,' voegde hij eraan toe. 'U moet me geloven als ik zeg dat het niet de bedoeling was dat het zou gebeuren.'

'Misschien kunt u ons beter vertellen wat er precies is gebeurd,' zei ik.

Hij knikte. 'Ja, ik denk het wel,' zei hij.

'Mogen wij gaan zitten?' vroeg ik.

'Zeker, ga uw gang.'

Hij wees naar de lege bank, en Louise, agent Harrison en ik gingen naast elkaar zitten. Cruikshank zette de tv uit.

'Wilt u iets drinken?' vroeg hij.

We schudden het hoofd.

'Vindt u het erg als ik iets te drinken neem?' zei hij. 'Ik denk dat ik wel iets kan gebruiken.'

'Ga uw gang,' zei ik.

Hij schonk zichzelf een groot glas whisky in uit een fles Laphroaig, dronk het in één teug leeg en schonk nog een glas in.

'Ik heb een beetje moed nodig,' zei hij, terwijl hij tegenover ons ging zitten.

'Jammer dat u daar zaterdag niet wat van had,' zei ik.

'Ja, misschien. Trouwens, hoe hebt u...?'

'U stond op de lijst met mensen die Zarco had uitgenodigd voor de wedstrijd, meneer Cruikshank,' zei ik. 'Dat is op zich natuurlijk geen bewijs dat u hem hebt vermoord. U bent verraden door het stukje pleisterwerk dat u hem gaf bij de ontmoeting. Het zat nog in zijn zak toen hij werd gevonden.'

Ik keek omhoog naar het plafond en haalde toen uit mijn zak een foto van het brokje pleisterwerk, die iemand van het East Ham Mortuary had gemaakt.

'Het komt overeen met het stuk dat ontbreekt in het plafond, het stukje dat u hem hebt gegeven toen u kwam klagen over de verbouwing hiernaast. De schade is door hen veroorzaakt, is het niet?'

Cruikshank knikte. 'U heb geen idee hoeveel leed die verbouwing de ouders van mijn vrouw heeft berokkend,' zei hij. 'Dag in, dag uit. Ze zijn oud. Ze hebben er recht op om in alle rust te genieten van hun pensioen.'

Meneer Van der Merwe ging naast zijn vrouw op een andere bank zitten en samen wekten ze precies die indruk van twee oude mensen die in alle rust probeerden te genieten van hun pensioen.

'Dat begrijp ik,' zei ik.

'O ja?' vroeg Mariella bitter. 'Dat betwijfel ik heel erg. Dit hele droevige verhaal heeft ons stapelgek gemaakt, dat wil ik u wel zeggen.'

'Alsjeblieft, Mariella,' zei haar man. 'Laat het maar aan mij over. Helemaal. Ik had dit al eerder moeten afhandelen.'

'Dus Zarco gaf u kaartjes,' zei ik. 'Voor de wedstrijd van zaterdag en ook voor die van vanavond. Als een teken van goede wil misschien? Een gebaar om het gesprek op gang te houden waaraan u al was begonnen om een oplossing te zoeken.'

'Zoiets,' zei Cruikshank.

'Zoiets,' snoof Mariella. 'Hij probeerde ons gewoon af te schepen.'

'Dat is niet eerlijk,' zei haar man.

'O nee?'

'Alsjeblieft, Mariella, daar schieten we niets mee op. Ik vond hem aardig, meneer Manson. Nou ja, meestal. Hij wist dat ik supporter ben van City – al een behoorlijke tijd eigenlijk – en, nu ja, zoals u zegt, hij dacht dat we wel een oplossing zouden vinden als we met elkaar in gesprek bleven. Vandaar de kaartjes. En misschien hadden we echt een oplossing gevonden, ik weet het niet. Hij vroeg me in ieder geval om op zaterdag voor de wedstrijd mee te gaan naar een van de skyboxen, om te praten. Het ging om nummer 123. Die was van zakenlui uit Qatar, die niet aanwezig waren, zei hij. Hij zei ook dat hij een nieuw en beter aanbod zou doen, zodat mijn schoonouders weg zouden kunnen gaan tot de verbouwing klaar was.

Dus ben ik meegegaan, en hebben we gepraat. We stonden in de keuken, met koffie. In het begin was het allemaal heel amicaal. Toen vertelde ik dat het interieur van dit huis moet worden opgeknapt als de aannemer hiernaast klaar is. U kunt het zelf zien, overal ligt stof door dat constante boren. Ik heb hem als bewijs een stukje pleisterwerk van het plafond gegeven dat mijn schoonmoeder vorige week op het hoofd kreeg. Ik heb een bedrag genoemd, voor een schilder en een behanger. Twintigduizend pond, boven op de tienduizend die hij al had geboden. Toen beschuldigde hij mij ervan dat ik probeerde hem te af te zetten. Hij zei dat hij dacht dat we het hadden over een som geld waarmee Marius en Ingrid – dat zijn meneer en mevrouw Van der Merwe – een reis zouden kunnen maken. En nu vroeg ik ineens drie keer zoveel om ook nog eens het huis op te knappen.

De gemoederen raakten verhit. Hij begon in het Portugees tegen me te schelden. Ik spreek een beetje Portugees – ik heb in Brazilië gewerkt. Hij noemde me een *cadela*. En een *filho da puta*. Ik zal dat niet vertalen, maar misschien kunt u zich voorstellen om wat voor soort dingen het gaat. Ik werd kwaad en gaf hem een duw. Een duw, meer niet. Ik heb hem niet eens geslagen. Hij viel tegen het raam en het hele raam kantelde zomaar open en hij tuimelde naar buiten. Ik bedoel, het raam sloeg gewoon open toen hij ertegenaan viel. Ik probeerde hem nog te grijpen – volgens mij kreeg ik zijn stropdas te pakken – en misschien heeft hij mij ook nog wel vastgepakt, ik weet het niet meer. Toen zijn stropdas uit mijn hand gleed, verloor ik mijn evenwicht en toen was hij verdwenen.

Ik hoorde een metalen dreun toen hij onderweg naar beneden iets raakte, maar toen ik uit het raam keek, kon ik hem niet meer zien. Het moet wel een meter of twintig zijn geweest naar de grond. En het was me volkomen duidelijk dat hij de val niet overleefd kon hebben. Dat dacht ik in ieder geval op dat moment. Ik was in paniek en ben weggerend. Ik ben naar huis gegaan en heb erover na zitten denken en toen ik op het punt stond de politie op te bellen om uit te leggen wat er was gebeurd, hoorde ik op het nieuws dat hij was vermoord. Toen durfde ik niets meer te zeggen. Als ik dat niet had gehoord, had ik mezelf aangegeven, denk ik. Echt. Ik ben geen moordenaar, meneer Manson. Zoals ik al zei, ik vond het een aardige man. Het spijt me allemaal heel erg.'

'Dat begrijp ik, meneer Cruikshank.'

‘Wat gebeurt er nu met me?’ vroeg hij aan Louise.

‘Het is niet aan mij om dat te zeggen, meneer,’ zei ze.

‘Maar wat ik moeilijker te begrijpen vind,’ zei ik, ‘is waarom u hebt ingebroken bij Silvertown Dock en een graf voor Zarco hebt gegraven midden op mijn veld en daar een foto van Zarco in hebt gelegd. Dat was helemaal niet aardig, en zeker geen ongeluk. Wilt u ook horen hoe ik dat te weten ben gekomen, meneer Cruikshank? U hebt ongelukkigerwijze gereedschap laten liggen. Op een van de stelen stond LCC. Ik dacht eerst dat het de afkorting was van London City Council, de voorloper van het Greater London Council. Maar dat is allemaal al heel lang geleden, ook voor een schop. Toen zag ik de naam van meneer Zarco’s aannemer op de muurschildering hiernaast: de Lambton Construction Company. Ik heb zelfs een paar dagen geleden met een van de bouwvakkers gepraat en die vertelde dat er gereedschap was gestolen. Dat hebt u ook gedaan, toch?’

Cruikshank knikte. ‘Het was bedoeld als een soort van morele rechtvaardigheid,’ zei hij. ‘Ik wilde hem laten weten hoe het voelt om te moeten lijden onder zulke ontwrichtende omstandigheden als waarmee wij te maken hebben: dat iemand je hele leven op zijn kop zet. Het heeft me eerlijk gezegd verbaasd dat u in staat was het veld zo snel te repareren.’

‘Was dat uw idee?’ vroeg ik. ‘Een gat in het veld graven? Of had uw vrouw dat bedacht?’

Ik keek naar de vrouw met over elkaar geslagen armen, die nu met zo veel vuur in haar ogen naar de gordijnen stond te staren dat je ervoor moest vrezen dat ze vlam zouden vatten. Voor het eerst sinds ik haar had leren kennen, voelde ik duidelijk van hoeveel haat ze was vervuld.

‘Zegt u het eens, mevrouw Cruikshank. U hebt hem geholpen, toch? Ik kan geen andere reden bedenken waarom uw man twee schoppen zou pikken bij de buren. Misschien was het wel uw bedoeling dat een paar van die arme Roemeense bouwvakkers de schuld zouden krijgen.’

Ze zei niets.

‘Begrijpt u me goed, meneer Cruikshank,’ zei ik. ‘Ik vind het heel edelmoedig van u dat u probeert alle schuld op u te nemen. Dat is bijzonder sympathiek. Ik heb zelf ook ooit eens zoiets gedaan. Maar het is verkeerde edelmoedigheid. In mijn geval denk ik dat ik het er alleen maar erger door heb gemaakt.'

'Ik ben bang dat ik niet begrijp waar u het over hebt, meneer Manson,' zei hij.

'Jawel, dat weet u wel. Want weet u, de computer die op Silvertown Dock aan de toegangspoortjes is gekoppeld, laat zien dat beide kaartjes die Zarco u voor de wedstrijd van zaterdag had gegeven, zijn gebruikt. Om de een of andere reden zie ik meneer Van der Merwe nog niet dat hele eind naar de wedstrijd lopen. Niet met dat been van hem. Of mevrouw Van der Merwe. En dat betekent dat u daar ook bent geweest, toch, mevrouw Cruikshank? U bent samen met uw man en Zarco in suite 123 geweest. Om te helpen bij de onderhandelingen.'

Haar stilzwijgen sprak boekdelen.

'Ja, dat dacht ik al. Weet u, ik denk dat u zo slim was om het raam weer dicht te doen en de drie koffiebekers in de vaatwasser te zetten. Een vrouwelijke touch? Of was het meer bedoeld om sporen uit te wissen dat u daar geen van beiden ooit was geweest?'

De vrouw draaide zich om en keek me met afgrijzen aan. Ze was absoluut niet onaantrekkelijk, en lichamelijk verkeerde ze in goede conditie, alsof ze regelmatig naar de sportschool ging. Het dunne katoenen hemd dat ze droeg, gaf me een aardige indruk van haar bovenlichaam: sterke schouders, krachtige biceps en duidelijk afgetekende tepels. Maar pas toen ze zich vooroverboog naar de bank om haar vest te pakken en aan te trekken, begreep ik wat zich werkelijk moest hebben afgespeeld in suite 123 op Silvertown Dock.

'U vindt uzelf heel erg slim, hè?' zei ze smalend. 'Maar u hebt geen enkel bewijs.'

'O nee?'

'U gokt maar een beetje, meneer Manson.'

'Ik denk eigenlijk,' ging ik door, 'dat u João Zarco niet uit het raam hebt geduwd, meneer Cruikshank.'

'Alsof we nog niet genoeg ellende hebben gehad met die verbouwing hiernaast. Wat geeft u het recht om hier naar binnen te stormen en ons leven te verwoesten?'

'Ik denk dat uw vrouw Zarco uit het raam heeft geduwd, meneer

Cruikshank. Of niet, mevrouw Cruikshank? Waarschijnlijk toen Zarco u uitschold voor "bitch".'

'John? Ik wil dat je niets meer zegt. Niet zonder advocaat erbij. Hoor je me?'

'Want dat betekent *candela*, toch? Ziet u, ik spreek ook een paar woorden Portugees. En ik kan me heel goed voorstellen dat hij u een *hoerenzoon* noemt, meneer Cruikshank, een *filho da puta*, maar niet dat hij u ook uitscheldt voor bitch. Niet als uw vrouw er ook was.'

'Mijn huis uit!'

'Ik ken u nog niet zo lang, maar ik krijg de indruk dat ú niet opvliegend bent, maar uw vrouw. U hebt Zarco uit het raam geduwd, mevrouw Cruikshank, is het niet? Ik denk dat uw man hem heeft vastgepakt en heeft geprobeerd zijn val tegen te houden, maar u was het die hem een duw heeft gegeven.'

'Ik zei: mijn huis uit, hoort u mij?'

'Natuurlijk kan ik dat allemaal niet bewijzen. Maar dat hoeft ook niet. Ik laat het aan de forensische recherche over om uit te zoeken of dat krasje in uw hals een match oplevert met het kleine beetje huid en bloed dat onder Zarco's vingernagels is gevonden. En weet u? Het zou me niet verbazen als u hem opzettelijk uit het raam hebt geduwd, mevrouw Cruikshank. Dat verklaart ook veel beter waarom u niet hebt geprobeerd om hem te helpen nadat hij gevallen was: – u hoopte dat hij dood was, dan zou er eindelijk een einde komen aan al die vreselijke ongemakken van de verbouwing. Zat het zo?'

Ik heb nog nooit spoken horen jammeren en ik zou ook niet weten hoe ze eruitzien, maar het leek me dat Mariella Cruikshank een aardige imitatie ten beste gaf toen ze met haar handen voor zich uit gestrekt door de kamer op mij af kwam om mij te wurgen, terwijl ze een Afrikaanse vervloeking krijste.

Het was maar goed dat ik niet voor een open raam stond.

# 50

'Wat denk je dat er met ze gaat gebeuren?' vroeg ik Louise.

Het proces van mijn verzoening met het politiekorps maakte heel aardige vorderingen. Het was de avond van de dag erna en Louise was nog maar net gearriveerd van bureau Greenwich. We lagen in bed in mijn flat in Manresa Road en we hadden net een uur lang energiek de liefde bedreven. Ik begon een geweldige bewondering te krijgen voor de politie en wat die allemaal klaarspeelde, vooral als die politie eruitzag zoals Louise Considine, die nu naakt in mijn bed lag, haar dijen nog steeds om mij heen geslagen, terwijl mijn geslacht langzaam in haar slonk.

'Met de Cruikshanks?'

'Ja.'

'Dat hangt allemaal af van de openbare aanklager,' zei ze. 'Maar als je de mening wilt weten van iemand die rechten heeft gestudeerd, zou ik zeggen dat doodslag veel gemakkelijker te bewijzen zal zijn dan moord. Die kras in haar hals en de vezels van haar trui die we onder Zarco's nagels hebben gevonden, tonen aan dat zij hem heeft geduwd, maar je kunt er niet uit afleiden dat ze dat met opzet deed om hem te vermoorden. Voorlopig is ze een harde noot om te kraken. Ze geeft geen duimbreed toe bij het verhoor. Ik ben er niet eens zo zeker van of ze zelf weet of ze van plan was hem te vermoorden of niet. Om eerlijk te zijn vind ik haar zelfs een grotere bitch dan Jane Byrne.'

'Dat kan ik bijna geloven. Heeft Jane je nog lastiggevallen over wat er is gebeurd?'

'Een beetje.'

'Het spijt me.'

'Dat hoeft niet. Ik red me wel.'

Ik knikte somber. 'Ik heb medelijden met die twee oudjes. Als de

Cruikshanks naar de gevangenis gaan, zal het heel zwaar worden voor meneer en mevrouw Van der Merwe.'

Louise haalde haar schouders op alsof het haar niet echt interesseerde.

'Jij denkt van niet?' vroeg ik.

'Volgens mij hoef je geen medelijden met ze te hebben,' zei ze. 'Die zijn vanochtend naar Zuid-Afrika vertrokken.'

'Je meent het.'

'Eerste klas. Het schijnt dat ze denken dat hun dochter en haar man heel goed in staat zullen zijn om zelf het hoofd te bieden aan alles wat ze te wachten staat. Het vooruitzicht van een temperatuur van vijfentwintig graden in januari was waarschijnlijk te aanlokkelijk.'

'Al is het nu februari.'

'O ja?'

'Geloof me maar, ik weet het. Het is vandaag 1 februari. Het einde van de transfermaand. Viktor kan nu voorlopig geen nieuwe spelers meer kopen. En dat is waarschijnlijk maar goed ook, want ik weet het zo net nog niet met die speler die we onlangs hebben gekocht.'

Louise kreunde zacht toen ik uit haar gleed. Toen rolde ze zich boven op me en kuste mijn voorhoofd.

'Hoe dan ook,' ging ze door, 'het duurt nog maanden voordat de Cruikshanks terechtstaan, en tegen die tijd zijn de oudjes allang weer thuis. Dan is de verbouwing waarschijnlijk klaar en het voetbalseizoen afgelopen.'

'Waarschijnlijk wel, ja.'

'En dan heb jij de definitieve aanstelling als manager van City in je zak.'

'Die heb ik al,' zei ik. 'Ik heb nog met Viktor Sokolnikov gesproken nadat jij gisteravond weg was, en hem het verhaal van de Cruikshanks verteld. Vrijdag teken ik een nieuw contract. Hij heeft zich keurig aan zijn woord gehouden.'

'Heb je hem verteld dat je er een tijdje vast van overtuigd was dat hij Zarco had vermoord?'

'Eh, nee. Maar ik heb hem wel gevraagd om uit te leggen wat hij precies met die opmerking had bedoeld, dat alle bezwaren tegen de komst van Bekim Develi uit het raam waren gegooid. Hij zei dat hij op Binnenlandse Zaken had gedoeld. Blijkbaar had de staat aanvankelijk bezwaar gehad tegen de komst van Develi, omdat hij ook van plan was geweest om een nachtclub te openen, en dat is tegen de regels die gelden voor sportmigratie. Hoe dan ook, Develi heeft dat plan laten varen en gaat nu alleen voetballen. En zo hoort het ook. Voetbal staat op de eerste plaats. Voetbal staat altijd op de eerste plaats. Zonder voetbal zou het leven zinloos zijn.'

'Dat is nu niet bepaald Aristoteles, Scott.'

'Dat heb je mis, want dat is het wel.'

Louise fronste haar wenkbrauwen.

'Aristoteles was echt van mening dat de zin van het leven in het voetbal lag.'

'Gelul.'

'Nee, echt. Luister. Hij zegt het volgende in zijn *Ethica Nicomachia*.' Ik dacht even diep na om het precieze citaat uit mijn geheugen op te diepen.

'Dit is toch zeker een grap, hè?'

'Integendeel. Volgens mij wist hij precies wat hij zei, en zoals gewoonlijk had hij gelijk. Hij zegt: "Elke vaardigheid en elk onderzoek, en vergelijkbaar daaraan, elke handeling en elke keuze voor een handeling, is op het doel gericht, op het goede. Daarom is het goede terecht gekenmerkt als het doel van alle streven. Alles wordt gedaan om een doel na te streven, en dat doel is goed."' Ik haalde mijn schouders op. 'Zie je wel? Het gaat maar om één ding, en dat is het doel.'

Dat is tenminste nog eens filosofie.